Né en 1973, Donato Carrisi est l'auteur d'une thèse sur Luigi Chiatti, le « monstre de Foligno », un tueur en série italien. Juriste de formation, spécialisé en criminologie et sciences du comportement, il délaisse la pratique du droit pour se tourner vers l'écriture de scénarios. *Le Chuchoteur*, son premier roman, est un best-seller international et a remporté de nombreux prix littéraires, dont le prix SNCF du polar européen et le Prix des lecteurs du Livre de Poche en 2011. *La Fille dans le brouillard* a fait l'objet d'une adaptation cinématographique réalisée par l'auteur lui-même avec, entre autres, Jean Reno. Donato Carrisi est l'auteur de thrillers italiens le plus lu au monde.

DONATO CARRISI

La Fille
dans le brouillard

ROMAN TRADUIT DE L'ITALIEN PAR ANAÏS BOUTEILLE-BOKOBZA

CALMANN-LÉVY

Titre original :

LA RAGAZZA NELLA NEBBIA
Publié par Longanesi & C., Gruppo Editoriale Mauri Spagnol, Milan, 2015.

Pour Antonio,
mon fils, mon tout

23 février
Soixante-deux jours après la disparition

La nuit où tout changea pour toujours commença par la sonnerie d'un téléphone.

L'appel résonna à 22 h 20, un lundi soir. Dehors il faisait – 8 °C et un brouillard glacé enveloppait tout. À cette heure, Flores se trouvait bien au chaud dans son lit à côté de sa femme, se délectant d'un vieux film de gangsters en noir et blanc à la télévision. Sophia dormait depuis un moment et la sonnerie ne troubla pas son sommeil. Elle ne s'aperçut même pas que son mari se levait et s'habillait.

Flores enfila un pantalon doublé, un pull à col roulé et son gros blouson pour affronter la brume qui semblait avoir tout effacé. Il devait se rendre en hâte au petit hôpital d'Avechot où, depuis quarante ans sur les soixante-deux qu'il avait vécus, il exerçait la profession de psychiatre. Durant toutes ces années, il n'avait été tiré du lit pour une urgence que quelques fois, généralement par la police. Dans le village des Alpes où il était né et où il avait toujours habité, il ne se passait jamais rien après le coucher du soleil. Comme si, sous ces latitudes, les criminels aussi menaient une existence réglée par les bonnes manières, qui exigeaient de se retirer chez soi chaque soir à la même heure. Flores se demandait donc pourquoi sa présence était nécessaire à une heure aussi insolite.

La seule information que la police lui avait fournie au téléphone était qu'un homme avait été arrêté à la suite d'un accident de la route. Rien d'autre.

Il avait cessé de neiger dans l'après-midi, mais il faisait encore plus froid. En sortant, Flores fut accueilli par un silence irréel. Tout était suspendu, immobile. Même le temps semblait s'être arrêté. Le psychiatre fut parcouru d'un frisson qui n'avait rien à voir avec la température extérieure. Il démarra sa vieille Citroën et attendit quelques secondes que le moteur diesel chauffe avant de partir. Il avait besoin de ce bruit pour rompre la monotonie de cette paix menaçante.

Plus que l'asphalte gelé, le brouillard le contraignait à avancer à moins de vingt kilomètres à l'heure et à conduire en tenant solidement le volant des deux mains, le dos courbé en avant et le visage à quelques centimètres du pare-brise pour tenter d'apercevoir les bords de la route. Heureusement, il connaissait tellement bien le parcours que son esprit anticipait les trajectoires que ses yeux peinaient à lui indiquer.

Arrivé à un carrefour, il choisit la route qui menait au centre du village. C'est alors qu'il distingua quelque chose dans la brume laiteuse. Il eut la sensation que tout était ralenti, comme dans un rêve. Des profondeurs du manteau blanchâtre émergeaient des lumières intermittentes qui semblaient venir vers lui. Mais c'était lui qui allait vers elles. Une silhouette humaine émergea du brouillard. Elle faisait de grands gestes étranges avec les bras. En approchant, Flores comprit qu'il s'agissait d'un policier qui s'était posté là pour intimer aux voitures de rouler prudemment. Le psychiatre passa à côté de lui, ils s'adressèrent un signe furtif en guise de salut. Derrière l'agent, les lueurs intermittentes devinrent les clignotants d'une voiture de police, et aussi les feux arrière d'une berline sombre renversée dans le fossé.

Juste après, Flores entra dans le centre du village. Il était désert.

Les lumières jaunâtres des lampadaires publics ressemblaient à des mirages dans la brume. Il traversa le centre habité jusqu'à sa destination.

Le petit hôpital d'Avechot était animé par une étrange agitation. À peine Flores eut-il franchi le seuil que déjà un lieutenant de la police locale venait à sa rencontre avec Rebecca Mayer, une jeune procureur qui s'était fait largement apprécier ces derniers temps. Elle avait l'air soucieux. Pendant que le psychiatre retirait son blouson, elle le renseigna sur l'identité de l'hôte inattendu de la nuit.

— Vogel, dit-elle seulement.

En entendant ce nom, Flores comprit les raisons de ses craintes. Tout allait changer pour toujours cette nuit-là, mais il ne le savait pas encore. Voilà pourquoi il ne comprenait pas bien son rôle dans cette histoire.

— Qu'attendez-vous de moi, exactement ? demanda-t-il.

— Les médecins des urgences disent qu'il va bien. Toutefois, il est dans un état confus, peut-être à cause du choc de l'accident.

— Mais vous n'en êtes pas certaine, c'est bien ça ?

Flores avait visé juste. Rebecca Mayer ne répondit pas.

— Il est en catatonie ?

— Non, il interagit quand il est stimulé. Mais il a des sautes d'humeur.

— Et il ne se rappelle pas ce qui s'est passé, poursuivit-il.

— Il se souvient de l'accident, mais nous, ce qui nous intéresse, c'est l'avant : nous devons comprendre ce qui s'est passé ce soir.

— Donc, d'après vous, il fait semblant, conclut le psychiatre.

— Je crains que oui. Et c'est là que vous entrez en jeu, docteur.

— Qu'attendez-vous de moi, madame le procureur ?

— Nous n'avons pas suffisamment d'éléments pour l'incriminer et il le sait, aussi vous devez me dire s'il est en pleine possession de ses moyens.

— Et s'il l'est, que se passera-t-il ?

— Je pourrai formuler une accusation et procéder à un interrogatoire formel sans craindre qu'ensuite son avocat le sorte de la salle sous un prétexte stupide.

— Mais… L'accident n'a pas fait de victimes, non ? De quoi devriez-vous l'accuser ?

Rebecca Mayer marqua une pause.

— Vous comprendrez quand vous l'aurez en face de vous.

Ils avaient installé Vogel dans son cabinet. En ouvrant la porte, Flores aperçut la silhouette de l'homme assis dans l'un des deux petits fauteuils placés en face du bureau croulant sous les papiers. Il portait un manteau foncé en cachemire et avait les épaules voûtées. Il sembla ne pas s'apercevoir que quelqu'un était entré.

Flores accrocha son blouson au portemanteau et massa ses mains encore engourdies par le froid.

— Bonsoir, dit-il en se dirigeant vers le radiateur pour s'assurer qu'il était allumé.

En réalité, un prétexte pour se placer devant l'homme et observer son état, mais, surtout, pour comprendre le sens des mots de Rebecca Mayer.

Sous son manteau, Vogel était élégamment vêtu. Costume bleu foncé, cravate en soie bleu ciel à petits motifs floraux, mouchoir jaune dans la poche de sa veste, chemise blanche et boutons de manchettes ovales en or rose. Pourtant, son apparence était négligée, comme s'il portait ces vêtements depuis des semaines.

Vogel leva un instant les yeux vers lui, sans répondre à son salut. Puis son regard retomba sur ses mains posées sur ses genoux.

Le psychiatre s'interrogea sur l'étrange plaisanterie du destin qui avait décidé de les mettre l'un en face de l'autre.

— Vous êtes ici depuis longtemps ? demanda-t-il.

— Et vous ?

Flores rit à la blague, mais l'autre garda son sérieux.

— Plus ou moins quarante ans, répondit Flores.

Au fil du temps, la pièce s'était enrichie de meubles et d'objets, elle en était même encombrée. Le psychiatre se rendait compte que l'ensemble pouvait sembler cacophonique.

— Vous voyez ce vieux divan ? Je l'ai hérité de mon prédécesseur, tandis que j'ai choisi moi-même le bureau.

Sur la table trônaient les photos encadrées de ses proches.

Vogel en prit une et l'observa avec attention. Flores y posait, entouré de sa nombreuse progéniture, un jour de barbecue dans le jardin.

— Jolie famille, commenta-t-il avec une vague pointe d'intérêt.

— Trois enfants et onze petits-enfants.

Flores était très attaché à cette image de bon père de famille.

Vogel reposa la photo et regarda autour de lui. Sur les murs, à côté de son diplôme, de ses récompenses et des dessins de ses petits-enfants, on apercevait les trophées dont le psychiatre était le plus fier.

Il pratiquait la pêche sportive et avait orné les murs de son cabinet de nombreux exemplaires de poissons empaillés.

— Quand je peux, je laisse tout en plan pour aller sur un lac ou dans un torrent de montagne, dit Flores. C'est comme ça que je me mets en paix avec le monde.

Dans un coin, une armoire contenait ses cannes et une caisse d'hameçons, appâts, lignes et tout le nécessaire. Avec le temps, la pièce ne ressemblait plus vraiment à un cabinet de psychiatre. Elle était devenue sa tanière, un endroit tout à lui, et il était désolé à l'idée de prendre sa retraite quelques mois plus tard. Il lui faudrait tout débarrasser, emporter ses affaires.

Parmi les nombreuses histoires que ces murs auraient pu raconter, maintenant il y avait celle d'une visite imprévue, tard, par une soirée d'hiver.

— Je n'arrive toujours pas à croire que vous êtes ici, admit le psychiatre un peu gêné. Ma femme et moi vous avons vu si souvent à la télévision. Vous êtes célèbre.

L'autre acquiesça. Il avait réellement l'air confus, ou alors il était un excellent acteur.

— Vous êtes sûr que vous vous sentez bien ?

— Je vais bien, répondit Vogel avec un filet de voix.

Flores quitta le radiateur pour aller s'asseoir à son bureau, dans le fauteuil qui avait pris la forme de son corps, avec le temps.

— Vous avez eu de la chance, vous savez ? Je viens de passer sur les lieux de l'accident. Le fossé est très profond, mais de l'autre côté il y a un ravin.

— Le brouillard.

— En effet. Un brouillard gelé, on n'en voit pas souvent. Il m'a fallu vingt minutes pour arriver, en général il m'en faut moins de dix, depuis chez moi.

Flores posa les bras sur les accoudoirs de son fauteuil et se laissa aller contre le dossier.

— Nous ne nous sommes pas encore présentés. Je suis le docteur Auguste Flores. Dites-moi, comment dois-je vous appeler ? Commandant ou monsieur Vogel ?

L'homme sembla y réfléchir un instant.

— À vous de décider.

— Je suis d'avis qu'un policier ne perd jamais son grade, même quand il cesse d'exercer son métier. Pour moi, vous restez le commandant de police Vogel.

— Si vous préférez…

Des dizaines de questions se pressaient dans l'esprit de Flores, mais il savait qu'il devait commencer par les bonnes.

— Franchement, je ne m'attendais pas à vous voir dans la région, je pensais que vous étiez rentré en ville depuis un moment, après ce qui est arrivé. Pourquoi êtes-vous revenu ?

Vogel passa lentement les mains sur son pantalon, comme pour retirer une poussière inexistante.

— Je ne sais pas…

Il n'ajouta rien d'autre et Flores se contenta d'acquiescer.

— Je comprends. Vous êtes venu seul ?

— Oui, répondit Vogel.

Son expression indiquait qu'il n'avait pas bien compris le sens de la question.

— Je suis seul, répéta-t-il.

— Votre présence ici a-t-elle un rapport avec l'histoire de la jeune fille disparue ? hasarda Flores. Parce que je crois me souvenir que l'affaire vous a été retirée.

La phrase sembla réveiller l'homme qui, secoué par ce que Flores interpréta comme un mouvement d'orgueil, répondit sèchement :

— Je peux savoir pourquoi vous me retenez ? Que me veut la police ? Pourquoi je ne peux pas m'en aller ?

— Commandant Vogel, cette nuit, vous avez eu un accident, rappela Flores en faisant appel à sa patience proverbiale.

— Je sais ! répondit l'autre avec rage.

— Vous étiez seul dans votre voiture, c'est exact ?

— Je viens de vous le dire.

Flores ouvrit un tiroir de son bureau, prit un petit miroir et le plaça devant Vogel, qui n'y prêta pas attention.

— Et vous êtes indemne.

— Je vais bien, combien de fois vous allez me le demander ?

Le psychiatre se pencha vers lui.

— Alors expliquez-moi une chose… Si vous êtes indemne, à qui appartient le sang sur vos vêtements?

Soudain, Vogel ne sut plus quoi dire. La rage s'évapora et ses yeux se posèrent sur le miroir que Flores avait placé devant lui.

Il les vit.

Des petites taches rouges sur les poignets de sa chemise blanche. Deux ou trois plus grosses sur l'abdomen. Certaines, plus foncées, se confondaient avec la couleur de son costume et de son manteau, mais on les devinait à leur consistance plus épaisse. Ce fut comme si le commandant les découvrait. Pourtant, une partie de lui savait qu'elles étaient là, Flores le comprit immédiatement. Parce que Vogel ne montra pas tant d'étonnement. De même, il ne nia pas tout de suite connaître la raison de leur présence.

Une lueur nouvelle apparut dans ses yeux et son état de confusion se dissipa, comme cela arrive au brouillard. Pourtant, celui qui pesait sur le monde, derrière la fenêtre du cabinet, restait immobile.

La nuit où tout changea pour toujours venait de commencer. Vogel regarda Flores droit dans les yeux, soudain lucide.

— Vous avez raison, dit-il. Je crois que je vous dois une explication.

25 décembre
Deux jours après la disparition

Les forêts de sapins tombaient le long des flancs des montagnes telle une armée ordonnée prête à envahir la vallée, qui était longue et étroite comme une vieille cicatrice. Au centre courait un fleuve d'un vert intense, tantôt placide, tantôt colérique.

Avechot se trouvait au beau milieu de ce décor.

Un bourg alpin, à quelques kilomètres de la frontière. Des maisons aux toits en pente, l'église et son clocher, la mairie, le poste de police, un petit hôpital. Un groupe scolaire, quelques bars et une patinoire.

Les bois, la vallée, le fleuve, le village. Et un monstrueux complexe d'exploitation minière, balafre futuriste défigurant le passé et la nature des lieux.

Il y avait un restaurant juste en dehors du centre, au bord de la nationale.

La baie vitrée donnait sur la route et une pompe à essence. Une inscription lumineuse souhaitait de bonnes fêtes aux automobilistes de passage. Mais depuis l'intérieur, les lettres étaient à l'envers, formant une sorte de hiéroglyphe incompréhensible.

Le restaurant comptait une trentaine de tables en formica bleu clair, certaines cachées par des séparations fixées aux murs. Toutes étaient dressées, mais une seule était occupée. La plus centrale.

Le commandant Vogel consommait seul un petit déjeuner composé d'œufs et de bacon fumé. Il portait un costume gris plomb avec un gilet gris-vert et une cravate bleu foncé. Il n'avait pas retiré son manteau de cachemire pour manger. Il se tenait très droit, le regard posé sur un carnet noir où il prenait des notes avec un élégant stylo en argent, qu'il posait de temps à autre pour prendre une bouchée de nourriture. Il alternait les gestes avec régularité, respectant une sorte de rythme intérieur.

Le vieux propriétaire portait un tablier taché de gras sur une chemise de bûcheron à carreaux rouges et noirs aux manches roulées jusqu'aux coudes. Il quitta le comptoir pour approcher avec une cafetière fumante.

— Vous savez, aujourd'hui je ne voulais même pas ouvrir. Je me suis dit : qui va venir le matin de Noël ? Jusqu'à il y a quelques années, c'était plein de touristes, des familles avec enfants… Mais depuis qu'ils ont trouvé cette merde fluorescente, tout a changé.

L'homme prononça la phrase comme s'il regrettait une époque heureuse et lointaine qui ne reviendrait jamais.

Quelque temps auparavant, l'existence était sereine et tranquille, à Avechot. Les gens vivaient de tourisme et de petit artisanat. Mais un jour, quelqu'un qui n'était pas d'ici avait prédit que sous ces montagnes se cachait un gisement de fluorite.

En effet, considéra Vogel, le vieux avait raison : tout avait changé. Une multinationale était arrivée, elle avait acheté les concessions sur les terrains entourant le gisement en payant grassement les propriétaires. Beaucoup d'entre eux étaient soudain devenus riches. Et ceux qui n'avaient pas la chance de posséder une de ces parcelles étaient soudain devenus pauvres, parce que les touristes avaient disparu.

— Je devrais peut-être me décider à vendre cet endroit et à prendre ma retraite, poursuivit l'homme.

Puis, secouant la tête d'un air contrarié, il versa le café dans la tasse de Vogel, bien que celui-ci n'en ait pas demandé.

— Quand je vous ai vu entrer, j'ai pensé que vous étiez un de ces vendeurs qui essayent parfois de me caser leurs articles à quatre sous. Puis j'ai compris… Vous êtes ici pour la fille, pas vrai ?

D'un mouvement quasi imperceptible de la tête, il indiqua le tract accroché au mur, à côté de l'entrée.

La photo souriante d'une adolescente aux cheveux roux et taches de rousseur y était imprimée. Un prénom, Anna Lou. Et une question : « M'as-tu vue ? », suivie d'un numéro de téléphone et d'un texte de quelques lignes.

Vogel s'aperçut que le vieux tentait de lorgner son carnet noir, aussi le referma-t-il. Puis il posa sa fourchette dans son assiette.

— Vous la connaissez ?

— Je connais sa famille. Ce sont de braves gens, répondit l'homme en tirant vers lui une chaise pour s'asseoir en face du policier. D'après vous, qu'est-ce qui lui est arrivé ?

Vogel joignit les mains sous son menton. Combien de fois lui avait-on posé cette question ? C'était toujours la même histoire. Ils semblaient sincèrement inquiets, ou alors ils s'efforçaient de le sembler, mais au final ce n'était que de la curiosité. Morbide, impétueuse.

— Vingt-quatre, répondit-il.

Le restaurateur ne comprit pas le sens de la réponse, mais Vogel précéda toute demande de clarification.

— En moyenne, les adolescents qui fuguent résistent vingt-quatre heures avant de rallumer leur portable. Ensuite, ils appellent un ami, ou bien ils vérifient sur Internet qu'on parle d'eux, alors on les localise. La majorité revient de toute façon au bout de quarante-huit heures... Donc, à moins d'une mauvaise rencontre ou d'un accident, on peut dire que jusqu'à deux jours après la disparition, il existe une possibilité concrète pour que tout finisse au mieux.

— Et ensuite, que se passe-t-il ?

— Ensuite, en général, on m'appelle.

Vogel se leva, glissa une main dans sa poche et laissa sur la table un billet de vingt euros pour payer son petit déjeuner. Puis il se dirigea vers la sortie, mais, avant de franchir le seuil, il se retourna vers le propriétaire du restaurant.

— Croyez-moi : ne vendez pas cet endroit. Il sera bientôt plein à nouveau.

Dehors, il faisait froid, mais le ciel était limpide et un soleil hivernal brillait. Le passage des camions sur la nationale faisait se soulever les pans du manteau de Vogel. Il se tenait immobile, les deux mains dans les poches, sur la placette devant le restaurant, à côté de la pompe à essence. Il regardait en l'air.

Un jeune homme d'une trentaine d'années apparut derrière lui. Il portait lui aussi un costume, une cravate et un manteau sombre, mais pas en cachemire. Ses cheveux châtains étaient séparés par une raie sur le côté, ses yeux bleu clair. Un visage de bon garçon.

— Bonjour, dit-il sans obtenir de salut en retour. Je suis le lieutenant Borghi. On m'a dit de venir vous chercher.

Vogel ne lui accorda pas un regard. Il fixait toujours le ciel.

— Le briefing commence dans une demi-heure. Tout le monde est là, comme vous l'avez demandé.

À ce moment-là, Borghi se pencha et comprit qu'en réalité son supérieur observait quelque chose sur l'auvent du distributeur d'essence.

Une caméra de surveillance pointée en direction de la route nationale.

Vogel se tourna enfin vers lui.

— Cette route est le seul accès à la vallée, n'est-ce pas ?

— Oui, monsieur. Il n'y a pas d'autre façon d'arriver ni de partir : elle la traverse d'un bout à l'autre.

— Bien, dit Vogel. Alors emmenez-moi à l'autre bout.

Il se dirigea à pas rapides vers la berline sombre anonyme avec laquelle Borghi était venu le chercher. Ce dernier hésita un instant avant de le suivre.

Quelques minutes plus tard, ils se trouvaient sur le pont qui, enjambant le fleuve, conduisait à la vallée limitrophe. Le jeune policier attendait devant la voiture garée au bord de la route tandis que Vogel, à quelques mètres, répétait la même scène qu'auparavant, regardant cette fois une caméra de contrôle de la circulation fixée au sommet d'un poteau sur le côté de la chaussée. Les véhicules passaient à côté de lui, les conducteurs klaxonnaient pour protester. Mais Vogel, imperturbable, faisait ce qu'il avait à faire. Pour Borghi, la situation était non seulement incompréhensible, mais aussi paradoxale.

Quand il en eut assez, le commandant revint vers la voiture.

— Allons voir les parents de la jeune fille, dit-il en montant dans le véhicule sans attendre la réponse de Borghi, qui regarda sa montre et, patiemment, reprit le volant.

— Anna Lou n'a jamais posé problème, affirma Maria Kastner, sûre d'elle.

La mère de la jeune fille était une femme menue qui dégageait pourtant une force spéciale. Elle était assise sur le canapé à côté de son mari, un homme robuste à l'aspect inoffensif, dans le salon de leur petite villa à deux étages. Ils étaient tous deux en pyjama et robe de chambre ; ils se tenaient par la main.

Il régnait une odeur douceâtre de cuisine et de désodorisant qui dérangeait Vogel. Il était assis dans un fauteuil, Borghi sur une chaise à l'écart. Entre eux et le couple se trouvait une table basse sur laquelle étaient posées des tasses de café qui serait bientôt froid : personne ne semblait avoir l'intention de le boire.

Un sapin décoré trônait dans la pièce. À son pied, deux jumeaux de sept ans jouaient avec les cadeaux qu'ils venaient de déballer.

Un paquet était encore intact, orné d'un beau nœud rouge.

La femme intercepta le regard de Vogel.

— Nous avons voulu que les enfants fêtent quand même la naissance de Jésus, y compris pour les distraire de cette situation, se justifia-t-elle.

La « situation » était que leur fille aînée de seize ans, leur seule fille, avait disparu depuis deux jours. Elle était sortie de chez elle un après-midi d'hiver, vers 17 heures, pour se rendre à l'église, à quelques centaines de mètres.

Elle n'était jamais arrivée.

Anna Lou avait parcouru un bref trajet dans un quartier résidentiel aux maisons toutes identiques – petites villas familiales avec jardin – où tout le monde se connaissait depuis toujours.

Mais personne n'avait rien vu ni rien entendu.

L'alarme avait été donnée vers 19 heures quand sa mère, ne la voyant pas rentrer, l'avait appelée en vain sur son portable, qui était éteint. Deux longues heures où tout avait pu lui arriver. Les recherches avaient duré toute la soirée, puis le bon sens avait conseillé de les suspendre pour les reprendre le lendemain. En plus, la police locale ne disposait pas des moyens suffisants pour ratisser tout le territoire.

Pour le moment, il n'y avait aucune hypothèse sur les raisons de sa disparition.

Vogel observa à nouveau ces deux parents aux cernes creusés par une insomnie qui les ferait vieillir trop vite dans les semaines à venir, mais qui pour le moment ne laissait que quelques traces.

— Notre fille a toujours été responsable, depuis toute petite, poursuivit la femme. Je ne sais pas comment dire… Nous ne nous sommes jamais inquiétés pour elle : elle a grandi toute seule. Elle aide à la maison, s'occupe de ses frères. Au lycée, les enseignants sont contents d'elle. Depuis quelque temps, elle est catéchiste dans notre confrérie religieuse.

Le séjour était modestement meublé. En entrant, Vogel avait remarqué les nombreux objets qui témoignaient d'une foi profonde. Aux murs étaient accrochés des tableaux représentant des images sacrées et des scènes tirées de la Bible et des Évangiles. Jésus était partout, y compris sous forme de statuettes en plastique ou en plâtre, et aussi la Vierge Marie, sans compter toute une kyrielle de saints. Un crucifix en bois avait été placé au-dessus du téléviseur.

On apercevait également dans la pièce des photos de famille. Sur nombre d'entre elles apparaissait une jeune fille aux cheveux roux et aux taches de rousseur.

Anna Lou était la version féminine de son père.

Elle était toujours souriante. Le jour de sa première communion ; en montagne avec ses frères ; des patins sur l'épaule à la patinoire exhibant fièrement une médaille après une compétition.

Vogel savait que cette pièce, ces murs, cette maison ne seraient plus jamais les mêmes. Ils étaient pleins de souvenirs qui commenceraient bientôt à faire mal.

— Nous ne retirerons pas l'arbre de Noël tant que notre fille ne sera pas rentrée à la maison, annonça Maria Kastner quasi avec orgueil. Il restera allumé, bien visible par la fenêtre.

Vogel pensa à l'absurdité de la chose, surtout dans les mois à venir. Un sapin de Noël utilisé comme phare pour indiquer le chemin de chez elle à quelqu'un qui ne rentrerait peut-être jamais. Parce que c'était bien là le risque. Seulement, les parents d'Anna Lou ne s'en rendaient pas encore compte. Cette lumière de fête allait signaler à tout le monde, dehors, qu'un drame se jouait entre ces murs. Elle allait devenir une présence encombrante. Les gens, les voisins n'allaient pas pouvoir ignorer l'arbre et sa signification, avec le temps ils allaient même en être agacés. En passant devant la maison, ils allaient changer de trottoir pour éviter de le voir. Ce symbole allait éloigner tout le monde des Kastner, augmenter leur solitude. Parce que le péage pour poursuivre sa vie est l'indifférence, se rappela Vogel.

— On dit qu'un acte de rébellion, un geste impulsif, est normal à seize ans, affirma Maria avant de secouer la tête avec décision. Pas pour ma fille.

Vogel acquiesça parce que, bien que n'ayant aucune preuve, il était d'accord avec elle. Il ne se contentait pas de soutenir une mère qui cherchait d'abord à s'absoudre elle-même, jurant de l'incorruptibilité de sa fille. Le commandant était réellement convaincu qu'elle avait raison. Il tenait cette certitude du visage d'Anna Lou qui l'observait en souriant depuis tous les coins de la pièce. Son aspect simple, quasi infantile, lui disait qu'il s'était forcément passé quelque chose. Et que ce quelque chose avait eu lieu contre sa volonté.

— Nous avons un lien fort, elle me ressemble beaucoup. Elle a fait ça pour moi, elle me l'a offert il y a une semaine, dit la femme en montrant au policier un bracelet en petites perles qu'elle portait au poignet. C'est sa dernière passion. Elle les fait et elle les offre aux gens qu'elle aime.

Vogel nota qu'elle racontait ces détails, inutiles pour l'enquête, sans que sa voix ni son regard trahissent la moindre émotion. Toutefois, il ne s'agissait pas de froideur. Vogel comprit : en réalité, cette femme était convaincue qu'il s'agissait d'une *épreuve*, une sorte d'examen auquel ils étaient tous soumis dans ce moment dramatique, de façon à pouvoir prouver que leur foi était entière et intacte. Dans le fond, elle acceptait donc ce qui se passait en se limitant à réfuter l'injustice, dans l'espoir que quelqu'un là-haut, peut-être Dieu en personne, résolve bientôt la situation.

— Anna Lou se confiait à moi, pourtant une mère ne peut pas tout connaître de ses enfants, bien sûr. Hier, en rangeant sa chambre, j'ai trouvé ça...

La femme lâcha un moment la main de son mari pour tendre à Vogel le journal intime coloré qui était posé à côté d'elle.

Il se pencha par-dessus la table basse pour l'attraper. Sur la couverture se pelotonnaient deux petits chats. Il le feuilleta discrètement.

— Vous n'y trouverez rien qui laisse présager quoi que ce soit, dit la femme.

Vogel referma le journal et sortit de la poche intérieure de son manteau son stylo et son carnet noir.

— J'imagine que vous êtes au courant de toutes les fréquentations de votre fille...

— Bien sûr, déclara Maria avec une pointe d'indignation.

— Anna Lou a-t-elle rencontré quelqu'un, ces derniers temps ? Un nouvel ami ou amie, par exemple.

— Non.

— Vous en êtes absolument certaine ?

— Oui. Elle m'en aurait parlé.

Juste avant, elle avait admis qu'une femme ne pouvait pas tout savoir de ses enfants, à présent elle répondait d'un ton sans appel. C'était typique des parents dans les affaires de disparition, remarqua Vogel. Ils voulaient aider mais ils se savaient en partie responsables, au moins de manque d'attention envers leurs enfants. Toutefois, quand on abordait ce sujet, l'instinct de défense surgissait, quitte à nier l'évidence. Et Maria Kastner avait déjà commencé à faire des compromis. Mais Vogel voulait en savoir plus.

— Vous avez remarqué un comportement anormal, ces derniers temps ?

— Qu'entendez-vous par anormal ?

— Vous savez comment sont les jeunes, non ? À partir de petits signes, on peut comprendre beaucoup de choses. Dormait-elle bien ? Mangeait-elle régulièrement ? Son humeur avait-elle changé ? Était-elle fermée, revêche, ou bien avait-elle des attitudes nouvelles ?

— C'était toujours notre Anna Lou. Je connais ma fille, commandant Vogel, je sais quand quelque chose ne va pas.

La jeune fille possédait un téléphone portable, un vieux modèle, d'après ce que savait Vogel, pas un smartphone.

— Votre fille naviguait-elle sur Internet ?

Les deux parents se regardèrent.

— Notre confrérie déconseille d'encourager l'utilisation de certaines technologies. Internet est plein de pièges, commandant Vogel. Des notions fallacieuses qui peuvent compromettre l'éducation d'un bon chrétien, répondit Maria. Quoi qu'il en soit, nous n'avons jamais rien interdit à notre fille, cela a été son choix.

Bien sûr, se dit Vogel. Pourtant, la femme avait raison sur un point. En général, le danger venait du réseau. Les adolescents sensibles comme Anna Lou étaient facilement impressionnables. Sur Internet, il y avait des chasseurs, capables de manipuler les esprits les plus vulnérables, de s'insinuer dans leur vie. En faisant tomber les défenses une à une et en inversant les relations de confiance, ils parvenaient à se substituer aux parents les plus sévères. Ils télécommandaient le mineur à distance, jusqu'à obtenir de lui ce qu'ils voulaient. En ce sens, Anna Lou était une proie parfaite. La jeune fille avait peut-être fait semblant d'obéir à ses parents, mais surfait sur Internet en se connectant ailleurs, au lycée ou à la bibliothèque. Il lui faudrait vérifier. Pour le moment, il avait d'autres points à approfondir.

— Vous faites partie des chanceux du village qui ont vendu leurs concessions à la compagnie minière, n'est-ce pas ?

La question s'adressait à Bruno Kastner, mais une fois encore la femme prit la parole.

— Mon père nous a laissé un terrain, au nord du bourg. Si on avait imaginé qu'il prendrait autant de valeur… Nous avons versé une partie de l'argent à la confrérie et achevé de payer le crédit de cette maison. Le reste est bloqué pour nos enfants.

Il devait s'agir d'une somme coquette, considéra Vogel. Probablement suffisante pour garantir une existence plus que confortable à plusieurs générations de Kastner. Ils auraient pu se permettre certains luxes, par exemple acheter une maison plus grande, plus belle.

En revanche, ils n'avaient rien changé à leur train de vie. Vogel ne comprenait pas qu'on puisse renoncer aussi facilement à un bien-être inespéré. Quoi qu'il en soit, il en prit acte, toujours penché sur son calepin, et demanda :

— Vous n'avez pas reçu de demandes d'argent, donc j'exclus un enlèvement à des fins d'extorsion. Mais avez-vous reçu des menaces dans le passé ? Quelqu'un – un parent, une connaissance – aurait-il des raisons de vous en vouloir, de vous envier, d'éprouver de la rancœur envers vous ?

Les Kastner ne cachèrent pas leur étonnement.

— Non, personne, répondit Maria. Nous ne fréquentons que les membres de notre confrérie.

Vogel réfléchit au sous-entendu de la phrase : les Kastner étaient naïvement convaincus qu'il n'y avait pas de place pour les conflits au sein de la confrérie. Du reste, il n'était pas surpris par cette réponse. Avant de mettre un pied dans leur maison, il l'avait mis dans leur vie, il avait cherché toutes les informations possibles sur leur compte.

En général, l'opinion publique s'arrêtait à l'apparence. Ainsi, quand quelque chose d'anormal se produisait, comme la disparition d'une jeune fille simple et bien élevée, et quand cela avait lieu dans un contexte familial sain, tout le monde pensait que le mal venait de l'extérieur. Mais les policiers experts comme lui attendaient toujours avant de lancer une enquête externe, parce que dans de nombreux cas l'explication se cachait plus banalement – et atrocement – entre les murs du foyer. Il avait eu affaire à des pères qui abusaient de leurs enfants et à des mères qui, au lieu de les protéger, traitaient leurs propres filles comme de dangereuses rivales. Ensuite, pour la paix des ménages, les parents arrivaient à la conclusion que la meilleure solution pour sauver leur mariage était de se débarrasser du sang de leur sang. Une fois, il avait rencontré une femme qui, ayant découvert les viols, avait choisi de couvrir son mari et d'éviter la honte en tuant elle-même sa fille avant de la faire disparaître. La collection d'horreurs était de plus en plus bigarrée et imaginative.

Les Kastner avaient l'air sains.

Il était camionneur et, même après leur enrichissement soudain, il n'avait pas cessé de se casser le dos au travail. Maria, elle, était une modeste femme au foyer totalement dévouée à sa famille et à ses enfants. En outre, leur foi à tous les deux était fervente et sincère.

Toutefois, on ne pouvait jamais être certain.

— Il me semble que nous nous sommes tout dit, pour l'instant, conclut Vogel l'air faussement satisfait.

Puis il se leva de son fauteuil, promptement imité par Borghi qui n'avait pas prononcé un mot pendant tout ce temps.

— Merci pour le café… Et pour ça, ajouta-t-il en agitant le journal d'Anna Lou. Je suis sûr que ça nous sera d'une grande aide.

Les Kastner accompagnèrent les deux officiers à la porte. Vogel lança un dernier coup d'œil aux enfants qui jouaient, imperturbables, à côté de l'arbre de Noël. Il se demanda quel souvenir tout cela laisserait dans leur mémoire d'adulte. Il était peut-être encore temps de les sauver de l'horreur. Mais le paquet au ruban rouge, intact, qui attendait Anna Lou laissait penser qu'il y aurait toujours quelque chose pour leur rappeler la tragédie qui s'était abattue sur leur famille. Parce qu'il n'y avait rien de pire qu'un cadeau qui n'arrive pas à son destinataire. Le bonheur qu'il contient pourrit lentement, contaminant tout autour de lui.

Jugeant que le silence avait assez duré, Vogel s'adressa à Borghi :

— Pouvez-vous m'attendre dans la voiture, s'il vous plaît ?

— Oui, monsieur.

Seul avec les Kastner, Vogel adopta un ton nouveau, prévenant, comme si la situation lui tenait vraiment à cœur.

— Je vais être franc avec vous, annonça-t-il. Les médias ont flairé l'affaire, bientôt ils vont débarquer en masse… Parfois, les journalistes sont meilleurs que la police pour débusquer des informations, et ce qui passe à la télévision n'a pas toujours un rapport direct avec l'enquête. Ne sachant où chercher, c'est vous qu'ils regarderont. Donc si vous avez quelque chose à dire, *n'importe quoi…* C'est le moment de le faire.

Vogel fit durer le silence qui suivit plus que nécessaire. Le pacte avait été établi. En réalité, le conseil contenait un avertissement. Je sais que vous avez des secrets, tout le monde en a. Mais maintenant, vos secrets m'appartiennent.

— Bien, dit-il enfin pour les sortir de l'embarras. J'ai vu que vous aviez fait imprimer des tracts avec la photo de votre fille, c'était une bonne idée mais cela ne suffit pas. Jusque-là, ce sont les médias locaux qui ont couvert l'enquête, mais il est temps de faire un pas de plus. Par exemple, il faudrait lancer un appel public. Vous vous en sentez capables ?

Les époux se consultèrent du regard. Puis la mère d'Anna Lou fit un pas en avant, retira le bracelet en perles que sa fille lui avait confectionné, prit la main gauche de Vogel et le lui passa au poignet, comme lors d'une investiture solennelle.

— Nous ferons tout ce qui est nécessaire pour vous aider, commandant Vogel. Mais vous, ramenez-la à la maison.

Dans la berline de service, en attendant Vogel, Borghi parlait au téléphone.

— Je ne sais pas combien de temps ça va prendre, c'est lui qui me l'a demandé, expliquait-il à l'un des officiers qui étaient prêts depuis plus d'une heure pour le briefing programmé. Moi aussi j'ai une famille. Calme-les et assure-les que personne ne ratera le déjeuner de Noël.

En vérité, il craignait de ne pouvoir se permettre une telle promesse, parce qu'il n'avait aucune idée de ce que Vogel avait en tête. Il ne savait que le strict nécessaire et, ce matin-là, il tenait le rôle de chauffeur.

La veille au soir, son supérieur lui avait demandé de se présenter à Avechot dès le lendemain matin pour assister Vogel dans son enquête sur une disparition de mineure. Puis il lui avait remis le mystérieux dossier de l'affaire et avait conclu avec d'étranges recommandations. Se présenter en costume cravate foncé, à 8 h 30 précises, devant le restaurant à la sortie du bourg alpin.

Bien sûr, Borghi avait beaucoup entendu sur Vogel et ses excentricités. On parlait souvent de lui et de ses enquêtes à la télévision ; il avait été l'invité de plusieurs émissions traitant de faits divers. La presse et les journaux télévisés se disputaient ses interviews. Vogel était toujours à l'aise devant les caméras, comme un vieil acteur qui ne sait plus improviser que son propre rôle, certain de son succès.

Et il y avait les histoires qu'on racontait au sein de la police, qui le décrivaient comme un type pointilleux, maniaque, ne s'occupant que de sa propre image dans les médias et tellement excentrique qu'il occultait tous ceux qui l'entouraient.

Pourtant, dernièrement, cela se passait mal pour Vogel. Une affaire, en particulier, l'avait mis en difficulté. Dans la police, certains s'en réjouissaient, mais Borghi, sans doute trop naïf, considérait qu'il y avait beaucoup à apprendre d'un flic comme lui. Dans le fond, cette expérience ne pouvait lui faire de mal.

Seulement, Vogel s'était toujours occupé de crimes éclatants, de meurtres atroces avec un fort impact émotionnel. Et on disait qu'il choisissait toujours ses affaires avec attention.

Aussi, Borghi se demandait ce que Vogel avait vu d'aussi extraordinaire dans la disparition d'une jeune fille.

Il trouvait compréhensible la crainte des parents d'Anna Lou et il pensait qu'il pouvait réellement lui être arrivé quelque chose de moche, toutefois il n'y voyait rien de médiatique. Or Vogel ne s'intéressait qu'aux affaires médiatiques.

— Nous serons là d'un moment à l'autre, rassura-t-il son interlocuteur pour pouvoir raccrocher.

À ce moment-là, il remarqua un fourgon noir garé au bout de la rue.

À bord, deux hommes fixaient la maison des Kastner sans échanger un mot.

L'officier s'apprêtait à descendre de la voiture pour aller les contrôler, mais il vit son supérieur sortir de la petite villa et parcourir l'allée dans sa direction. Puis il s'aperçut que Vogel avait ralenti le pas. Alors, le commandant fit quelque chose qui n'avait aucun sens.

Il applaudit.

D'abord doucement, puis de plus en plus fort. En même temps, il regardait autour de lui. Le son se propageait facilement et des visages apparurent aux fenêtres des voisins. Une femme âgée, un couple avec leurs enfants, un homme très en chair et une ménagère avec des bigoudis sur la tête, puis d'autres encore. Ils assistaient à la scène sans comprendre.

Alors Vogel cessa.

Il regarda une dernière fois autour de lui avant de reprendre sa marche comme si de rien n'était et monta dans la voiture. Borghi aurait voulu lui demander la raison de son comportement, mais une fois encore Vogel le devança.

— Qu'avez-vous remarqué aujourd'hui dans cette maison, lieutenant Borghi ?

— Mari et femme se sont tenus par la main tout le temps, ils avaient l'air très unis… Mais c'est toujours elle qui a parlé.

Vogel acquiesça en regardant à travers le pare-brise.

— Cet homme meurt d'envie de nous dire quelque chose.

Borghi ne fit aucun commentaire. Il démarra, oubliant l'applaudissement et le fourgon noir.

Le poste de police était trop petit et étriqué pour ce que Vogel avait en tête. Il avait demandé un lieu plus approprié pour l'enquête. Ainsi, le gymnase scolaire avait été transformé en salle opérationnelle pour l'enquête sur la disparition de la jeune fille.

Les matelas et agrès avaient été rangés le long d'un mur. On avait descendu des tables des salles de classe pour les utiliser comme bureaux, on s'était procuré des chaises pliantes de jardin. La bibliothèque avait mis à disposition deux ordinateurs portables et un fixe, mais un seul téléphone relié à une ligne externe. Un tableau noir avait été placé sous un panier de basket, où était écrit à la craie : « Résultats de l'affaire. » En dessous, on avait collé les éléments rassemblés jusque-là : la photo d'Anna Lou qui apparaissait sur les tracts imprimés par la famille et une carte de la vallée.

Dans la salle, un groupe de policiers d'Avechot en civil bavardait autour d'une machine à café et d'un plateau de pâtisseries. Ils parlaient la bouche pleine, l'œil sur leur montre, impatients. L'ensemble formait un brouhaha incompréhensible, mais leurs expressions indiquaient qu'ils se plaignaient tous de la même chose.

Entendant le coup sourd et soudain produit par l'ouverture simultanée des deux battants de la porte coupe-feu, ils se retournèrent tous de concert. Vogel fit irruption dans le gymnase, suivi de Borghi, et tout le monde se tut. La porte se referma à grand bruit derrière le commandant. Dans la salle, on n'entendait plus que les pas nets et un peu grinçants de ses chaussures en cuir.

Sans dire bonjour ni leur accorder le moindre regard, Vogel se dirigea vers le tableau accroché sous le panier de basket. Il fixa un instant les « résultats de l'affaire », comme s'il les étudiait avec attention. Puis, d'un geste brusque, il effaça l'inscription et arracha la photo et la carte.

Puis il nota une date à la craie : 23 décembre.

— Deux jours ont passé depuis la disparition, dit-il à la petite assemblée. Dans ce genre d'affaires, le temps est notre ennemi mais il peut également être notre allié, cela dépend de nous. Il est temps d'agir. Je veux des barrages sur la route nationale, des deux côtés de la vallée. Vous ne devez arrêter personne, mais il faut envoyer un signal.

Les présents écoutaient sans mot dire. Borghi s'était placé à l'écart, adossé à un mur, il les observait.

— La caméra de la pompe à essence et celle qui contrôle la circulation : quelqu'un a vérifié si elles fonctionnent ? demanda Vogel.

Après quelques instants d'hésitation, un des policiers, un type au ventre proéminent qui portait une chemise à carreaux et une cravate bleu ciel, leva sa tasse de café pour prendre la parole. Il était gêné.

— Oui, monsieur : nous avons les films des heures autour de la disparition.

— Bien. Vous relèverez les conducteurs de sexe masculin des voitures qui ont transité et vous vérifierez les raisons pour lesquelles ils sont entrés ou sortis de la vallée. Concentrez-vous sur ceux qui ont des précédents.

De son poste privilégié d'observation, Borghi remarqua l'irritation générale.

Un deuxième policier intervint, plus âgé et donc plus à même de se permettre une critique :

— Monsieur, nous ne sommes pas nombreux, nous n'avons pas de ressources et il n'y a pas de fonds pour les heures supplémentaires.

Les autres émirent un murmure d'approbation.

Vogel ne se démonta pas, il observa les bureaux de fortune, la pénurie de moyens qui les faisait sembler ridicules. Il ne pouvait blâmer ces hommes d'être sceptiques et démotivés. Mais il ne pouvait pas non plus les laisser s'abriter derrière de faux prétextes.

— Je sais que vous préféreriez être chez vous en train de fêter Noël avec vos familles, répondit-il calmement, et que vous nous voyez, le lieutenant Borghi et moi, comme deux étrangers venus ici pour donner des ordres. Mais quand cette histoire sera terminée, nous deux, Borghi et moi, nous retournerons là d'où nous venons. Vous, en revanche… Vous continuerez de croiser dans la rue les parents de la jeune fille.

Un bref silence suivit.

— Monsieur, intervint à nouveau le policier plus âgé, excusez ma question : pourquoi chercher un homme si c'est une jeune fille qui a disparu ? Ne devrions-nous pas nous concentrer sur elle ?

— Parce que quelqu'un l'a enlevée.

Comme prévu, cette phrase eut l'effet d'une bombe, stoppant net toute velléité de réponse. Vogel dévisagea les gens présents. N'importe quel policier doté de bon sens aurait considéré cette affirmation comme une hérésie. Il n'y avait aucune preuve pour étayer cette hypothèse, pas le moindre indice. Cette accusation ne se fondait sur rien. Mais il était important pour Vogel de faire germer dans leurs esprits l'idée que c'était *possible*. Une graine de possibilité suffisait pour faire rapidement émerger la certitude. Il savait bien que s'il persuadait ces hommes, alors il pourrait convaincre n'importe qui. Tout se jouait là. Pas dans une véritable salle opérationnelle organisée en cellule de crise, mais dans un gymnase scolaire. Pas avec des professionnels aguerris par des années d'expérience sur le terrain, mais avec des flics locaux mal équipés qui n'avaient aucune idée de comment mener une enquête complexe. Durant ces quelques minutes, le destin de l'affaire se jouait, et peut-être aussi celui d'une jeune fille de seize ans. Pour vendre sa marchandise, Vogel déballa donc tous les trucs qu'il avait appris au fil du temps.

— Inutile de tourner autour du pot. Il faut appeler un chat un chat. Parce que, je l'ai déjà dit, le reste nous fait seulement perdre du temps. Mais ce temps appartient à Anna Lou, pas à nous…, déclara-t-il en sortant son carnet noir de sa poche pour consulter ses notes. Anna Lou Kastner sort pour se rendre à une rencontre à l'église, située à environ trois cents mètres de chez elle.

Vogel s'arrêta pour dessiner deux points sur le tableau, distants.

— Nous savons qu'elle n'y arrivera jamais. Pourtant, elle n'est pas du genre à fuguer. Ceux qui la connaissent l'affirment et son style de vie nous le confirme : pas d'Internet à la maison, aucun profil sur les réseaux sociaux et elle n'avait que cinq numéros dans le répertoire de son téléphone portable : maman, papa, maison, maison des grands-parents et paroisse, énuméra-t-il en reliant les deux points au tableau. Les réponses sont toutes dans ces trois cents mètres. Onze autres familles y habitent : quarante-six personnes en tout, dont trente-deux étaient chez elles à ce moment-là… Mais personne n'a rien vu ni rien entendu. Les caméras des systèmes de surveillance sont pointées vers l'intérieur des propriétés, jamais vers la rue, donc elles sont inutiles. Comment dit-on ? « À chacun son jardin »... Le ravisseur a étudié les habitudes du quartier, il savait comment passer inaperçu, déclara Vogel en rangeant son calepin dans sa poche. Le fait que nous ne puissions que *supposer* son existence nous révèle qu'il a bien préparé son jeu... Et qu'il est en train de gagner.

Vogel reposa la craie, frappa ses mains pour ôter la poussière puis scruta son auditoire pour voir s'il avait fait mouche. Oui. Il avait insinué un doute en eux. Et pas uniquement : il leur avait offert une motivation pour s'engager. À partir de maintenant, il n'aurait aucun mal à les manœuvrer, et personne ne remettrait plus ses ordres en cause.

— Bien, n'oubliez pas : la question n'est plus où se trouve Anna Lou à l'heure qu'il est. La vraie question, c'est *avec qui elle est*. Maintenant, au travail.

Borghi se réfugia, à jeun, dans la petite chambre d'hôtel qu'il avait réservée dans l'après-midi en même temps que celle de Vogel. Il était certain de ne pas trouver de place le jour de Noël. Pourtant, bien qu'étant l'une des dernières infrastructures touristiques de la vallée encore en activité, l'hôtel Fiori delle Alpi était pratiquement vide. Les autres avaient fermé leurs portes après l'ouverture de la mine de fluorite. Au début, Borghi s'était demandé pourquoi ils n'avaient pas été reconvertis en logements de fonction pour les employés de la multinationale, mais on lui avait expliqué que les ouvriers étaient presque tous du village, tandis que les managers de la compagnie faisaient des allers-retours avec leurs hélicoptères et ne restaient jamais longtemps.

Avechot comptait à peine trois mille habitants et la moitié de la force de travail masculine était employée par la grande exploitation qui dominait la vallée.

En entrant dans sa chambre, Borghi commença par retirer ses chaussures en cuir et sa cravate. Il avait eu froid toute la journée. Généralement, il n'enfilait son costume que pour se rendre au tribunal pour une déposition. Il n'était pas habitué à le porter autant d'heures d'affilée. Il attendit que la température de son corps se cale sur celle de la pièce, puis il retira sa veste et sa chemise. Il devait la laver et l'étendre dans la douche en espérant qu'elle sèche pour le lendemain, parce que sa femme avait oublié de lui en mettre une de rechange quand elle avait préparé sa valise. Caroline était très distraite, ces derniers temps. Ils étaient mariés depuis un peu plus d'un an et elle était enceinte de six mois.

Il est difficile d'expliquer à une jeune épouse qui attend un enfant qu'on ne passera pas le jour de Noël avec elle, même si la raison est aussi valable que le travail d'un flic.

Borghi l'appela après avoir mis sa chemise à tremper dans le lavabo de la salle de bains.

— Qu'est-ce qui se passe à Avechot ? demanda-t-elle, agacée.

— En fait, nous ne savons pas encore.

— Alors ils pourraient te donner ta journée.

De toute évidence, Caroline cherchait la dispute. Elle était exaspérante, dans ces moments-là.

— Je te l'ai dit, c'est important que je sois ici, pour ma carrière.

Il essayait d'être conciliant, mais ce n'était pas aisé. Il fut distrait par des voix provenant du téléviseur allumé dans la chambre.

— Excuse-moi, je dois te laisser, on frappe à la porte, mentit-il.

Il raccrocha avant que Caroline reprenne sa complainte et se précipita pour regarder le journal télévisé.

Le soir du 25 décembre, alors que les gens avaient fini de festoyer, que la longue journée touchait à son terme, les parents d'Anna Lou apparurent à l'écran.

Ils étaient assis l'un à côté de l'autre derrière une grande table rectangulaire posée sur une petite estrade. Ils portaient des blousons de ski qui étaient soudain devenus trop grands pour eux, comme si l'angoisse des dernières heures les avait consumés. Ils avaient l'air défait et ils se tenaient toujours par la main.

Borghi reconnut l'appel qu'un technicien d'une chaîne locale avait filmé sous la supervision de Vogel l'après-midi même. Il était présent, lui aussi, mais assister à la même scène sur le petit écran lui procura une sensation étrange qu'il ne savait pas expliquer.

Bruno Kastner montrait à la caméra une photo encadrée de sa fille, prise à la fin d'un office religieux pour lequel Anna Lou portait une tunique blanche et un crucifix en bois. Sa femme, le même crucifix autour du cou, lisait un communiqué : « Anna Lou mesure un mètre soixante-sept, elle a de longs cheveux roux généralement relevés en queue-de-cheval. Au moment de sa disparition, elle portait un survêtement gris, des tennis et une doudoune blanche. Elle avait aussi un sac à dos coloré. » Puis, après avoir repris son souffle, Maria regarda droit vers la caméra, comme si elle s'adressait à tous les parents qui écoutaient, mais peut-être aussi à celui qui détenait la vérité. «Notre fille Anna Lou est gentille, ceux qui la connaissent savent qu'elle a un grand cœur : elle aime les chats et elle fait confiance aux gens. Aujourd'hui, nous nous adressons aussi à ceux qui ne l'ont pas connue durant ses seize premières années de vie : si vous l'avez vue ou si vous savez où elle se trouve, aidez-nous à la faire rentrer à la maison.» Enfin elle parla à sa fille, comme si elle pouvait l'écouter depuis un endroit caché et lointain. «Anna Lou… maman, papa et tes frères t'aiment très fort. Où que tu sois, j'espère que tu entends notre voix et notre amour. Quand tu rentreras à la maison, nous t'offrirons le petit chat que tu désires tant, Anna Lou, je te le promets… Le Seigneur te protège, ma petite fille.»

Borghi remarqua qu'elle avait répété plusieurs fois le prénom de sa fille, bien que ça ne soit pas nécessaire. Peut-être parce qu'elle craignait de perdre le peu qui lui restait d'Anna Lou.

À ce moment-là, une jeune fille simple et anonyme, qui n'aurait jamais imaginé passer un jour au journal télévisé, mais aussi un petit village du nom d'Avechot devinrent tristement célèbres. Borghi comprit enfin ce qu'il avait ressenti un peu plus tôt, quand il avait regardé la scène comme s'il ne l'avait jamais vue.

La télévision avait cet effet-là. Comme si les mots et les gestes prenaient une consistance nouvelle.

Autrefois, elle se contentait de reproduire la réalité, maintenant c'était le contraire. Elle la rendait tangible, consistante.

Elle la créait.

Sans savoir pourquoi, Borghi repensa aux mots prononcés par Vogel après avoir applaudi devant chez les Kastner, se référant au père d'Anna Lou.

«Cet homme meurt d'envie de nous dire quelque chose.»

Borghi allait devenir père d'une petite fille. Depuis plus de quarante-huit heures, l'homme sur qui Vogel avait fait tomber une ombre sinistre ne savait pas ce qu'était devenue sa propre fille. L'officier fut saisi par une angoisse soudaine. Il se demanda si le monde qui attendait sa fille était vraiment si cruel.

Avant minuit, l'habitation des Kastner était silencieuse. Toutefois, ce silence n'avait rien de paisible : il avait mis en évidence le vide qui s'était créé dans cette maison depuis plus de quarante-huit heures. L'absence d'Anna Lou était désormais palpable. Son père ne pouvait plus l'ignorer comme il l'avait fait toute la journée, évitant de regarder les places habituellement occupées par sa fille, comme sa chaise à table ou le fauteuil où elle aimait se pelotonner le soir pour lire un livre ou regarder la télévision, ou encore la porte de sa chambre. Il avait comblé l'absence de sa voix avec d'autres bruits. Par exemple, quand la souffrance de ne plus l'entendre parler, rire ou chantonner devenait insupportable, Bruno Kastner déplaçait un objet pour que le bruit remplisse le vide laissé par Anna Lou et le distraie de cet atroce silence.

Le docteur Flores avait prescrit des tranquillisants à Maria pour qu'elle puisse dormir. Bruno s'était assuré qu'elle les avait pris, puis il était allé border les jumeaux et s'était arrêté sur le seuil de leur chambre pour veiller un peu sur leur sommeil agité. Les enfants tenaient le choc, mais leurs rêves indiquaient qu'ils étaient troublés, eux aussi. Ils avaient posé des questions toute la journée sur un ton quasi anodin, se contentant de brèves réponses évasives. Mais leur indifférence apparente cachait la peur de connaître la vérité. Une vérité à laquelle on n'est pas préparé, à sept ans.

Bruno Kastner ne savait pas non plus de quoi il s'agissait. Il savait juste qu'il était terrorisé.

Il était en pyjama et pantoufles, cette fois encore. Après la visite des deux officiers de police, il s'était habillé pour sortir, sans savoir exactement où aller. Il trouvait du réconfort dans sa routine professionnelle, aussi avait-il passé les heures suivantes à bord de son fourgon, roulant sans but sur les routes de montagne. Il cherchait un signe d'Anna Lou, n'importe quoi. En réalité, il fuyait ses angoisses et un sentiment d'impuissance que seul un père peut ressentir quand il sait qu'il n'a pas veillé sur ses proches comme il aurait dû.

Au terme de cette interminable journée, bien qu'éreinté, il n'était pas sûr d'arriver à dormir. Il craignait les rêves qui l'attendaient. Il ne pouvait pas prendre de somnifère parce que quelqu'un devait protéger la maison, la famille. Même si c'était désormais inutile, étant donné que le mal avait trouvé le moyen d'entrer. Et puis, il y avait l'éventualité inespérée qu'Anna Lou revienne ou qu'un coup de téléphone les libère de ce sortilège maléfique.

Il se rendit donc au salon et sortit d'un tiroir les albums de famille que Maria avait réalisés avec amour au fil des ans. Il les emporta à la salle à manger, s'assit à la table mais n'alluma pas la lumière. Celle qui filtrait de la fenêtre, projetée par un lampadaire, lui suffisait. Il retira les images de leurs pochettes et les disposa à plat, une par une, selon un ordre que lui seul connaissait, comme un cartomancien qui prédit l'avenir des personnages qu'il a devant lui.

Sur ces photos il voyait sa fille, depuis son plus jeune âge.

Anna Lou grandissait devant ses yeux. Le jour où elle avait avancé à quatre pattes, celui où elle avait fait ses premiers pas, celui où il lui avait appris à faire du vélo. Il y avait toute une série de premières fois. Le premier jour d'école, son premier anniversaire. Le premier Noël. Et puis tant d'autres moments. D'autres Noëls, une sortie en montagne, des compétitions de patinage. Une tonne de souvenirs heureux. Parce que – cette pensée était idiote – les gens ne prennent pas de photos les mauvais jours. Et, s'ils le faisaient, ils les mettaient ensuite de côté.

Il y avait les images de leurs dernières vacances tous ensemble, l'année précédente, quand ils étaient allés à la mer. Anna Lou était gauche et un peu disgracieuse en maillot, elle le savait. C'était peut-être pour cela qu'elle se tenait toujours à l'écart, sur les clichés. À la différence de bien d'autres jeunes filles de son âge, elle n'avait pas encore éclos. On aurait dit une petite fille, avec sa queue-de-cheval rousse et ses taches de rousseur. Bruno Kastner aurait voulu que Maria lui parle, qu'il lui explique que c'était normal, qu'un jour son corps subirait une mutation soudaine et heureuse. Or pour sa femme, si religieuse, les sujets comme le sexe ou la puberté représentaient un tabou. Et il ne pouvait certes s'en charger. Ce serait son rôle avec les jumeaux, un jour. Mais un père ne pouvait aborder ce sujet avec sa fille. Anna Lou aurait été terriblement gênée, elle aurait rougi et se serait sentie encore plus exposée et vulnérable.

Sa fille était comme lui, timide et un peu embarrassée pour interagir avec le reste du monde. Y compris sa famille.

Bruno aurait voulu lui donner plus. Par exemple, il aurait voulu utiliser une partie de l'argent de la vente du terrain à la compagnie minière pour l'envoyer dans un meilleur lycée, hors de la vallée. Pourquoi pas un lycée privé ? Mais le terrain était à sa femme, et donc l'argent aussi. Maria avait décidé, comme toujours. Il n'était pas opposé à faire une belle donation à la confrérie, mais il aurait voulu que leurs enfants disposent de leur part maintenant, pas dans un futur hypothétique.

Parce que Bruno Kastner ne savait pas si, par exemple, Anna Lou aurait un avenir.

Il chassa cette pensée. Il aurait voulu taper du poing sur la table. Il était assez fort pour la casser en deux, mais il se retint. Il se retenait depuis toujours.

Il se frotta les yeux. Quand il les rouvrit, il s'arrêta sur une photo en particulier. Un cliché assez récent. Sa fille souriait à côté d'une autre jeune fille. En comparaison, Anna Lou, avec son survêtement, ses tennis et ses cheveux relevés en queue-de-cheval, ressemblait vraiment à une petite fille. Son amie était maquillée, habillée à la mode, mais, surtout, elle faisait femme. En la regardant, Bruno Kastner eut envie de pleurer, mais il n'y parvint pas.

Ce qui était arrivé était sa faute, uniquement sa faute.

Il était un homme de foi ; pas autant que Maria, mais assez pour savoir qu'il était en tort. S'il avait eu la force de tenir tête à sa femme, aujourd'hui Anna Lou serait en sécurité dans une chambre d'internat ou ailleurs. S'il avait eu le courage de dire à Maria ce qu'il pensait et de faire valoir ses opinions, sa fille n'aurait pas disparu.

Pourtant, il s'était tu. Parce que c'est ce que font les pécheurs : ils se taisent et, en se taisant, ils mentent.

Bruno Kastner prononça seul sa sentence. Il rangea presque toutes les photos, referma l'album et se prépara à affronter sa troisième nuit d'insomnie.

Il n'y avait plus qu'une photo sur la table. Celle d'Anna Lou avec son amie.

Il la mit dans sa poche.

26 décembre
Trois jours après la disparition

Le temps avait changé, la température avait chuté et le soleil brillant de Noël avait cédé la place à une épaisse couche de nuages gris.

Avechot sommeillait encore paresseusement après la fête. Vogel et Borghi, en revanche, s'étaient levés de bonne heure pour mettre la journée à profit. Ils roulaient dans les rues du village à bord de leur berline sombre. Vogel avait l'air en pleine forme, il était habillé comme pour une rencontre officielle. Chaussures cirées, costume prince-de-galles, chemise blanche et cravate de laine rouge. Borghi portait les mêmes vêtements que la veille et n'avait pu repasser la chemise qu'il avait lavée à l'hôtel. Il se sentait décalé par rapport à son supérieur. Pendant qu'il conduisait, Vogel regardait autour de lui.

Sur les murs des maisons apparaissaient des slogans religieux comme *Je suis avec Jésus !*, *Le Christ est la vie* ou *Celui qui marche à côté de moi sera sauvé*. Ils avaient tous été réalisés à la peinture blanche et n'étaient pas l'œuvre d'un fanatique anonyme. Les propriétaires des habitations eux-mêmes les avaient tracés, témoignage évident de leur foi. Par ailleurs, il y avait des crucifix un peu partout. Sur les façades des bâtiments publics ou au centre des plates-bandes, et même sur les vitrines des magasins.

On aurait dit que le village avait été traversé par une vague de fanatisme religieux.

— Parlez-moi de la confrérie à laquelle appartiennent les Kastner.

Borghi avait effectué des recherches sur le sujet.

— Apparemment, environ vingt ans plus tôt, il y a eu un scandale à Avechot : le curé s'est enfui avec une des paroissiennes, femme dévote et mère de trois enfants.

— Les ragots ne m'intéressent pas.

— C'est là que tout a commencé, monsieur. Dans un autre contexte, l'affaire aurait été réglée avec quelques rumeurs et médisances, mais à Avechot elle a été prise au sérieux. Le prêtre était jeune et charismatique, dit-on. Il avait conquis tout le monde par ses sermons, il était très apprécié.

Dans une société fermée, qui vit entre les montagnes, il faut un réel charisme pour ouvrir une brèche dans le cœur des gens… ou alors profiter de la crédulité populaire, pensa Vogel.

— Le fait est que le curé avait ses fidèles. La communauté a toujours été assez pratiquante, alors après ce qu'il s'est passé, ils se sont en quelque sorte sentis trahis par leur guide spirituel. La méfiance de l'étranger est revenue en force, les fidèles ont repoussé tous les remplaçants envoyés par la curie. Ainsi, au bout de quelques années, certains membres ont pris le rôle de diacres, et depuis la communauté s'autogère.

— Comme une secte religieuse ? demanda Vogel dont la curiosité avait été piquée.

— En quelque sorte. Dans la région, on vivait de tourisme, mais les étrangers n'ont jamais été réellement acceptés. Ils étaient importuns, leurs habitudes ne correspondaient pas – on peut le dire comme ça – à la « culture locale ». Avec la découverte du gisement de fluorite, les gens d'ici ont enfin pu se débarrasser d'eux et couper les ponts avec le reste du monde.

— Maria et Bruno Kastner doivent faire partie des fidèles les plus fervents, vu la somme qu'ils ont donnée à la cause religieuse.

— Vous avez remarqué qu'ils parlent de leur confrérie comme si c'était un cercle exclusif, élitiste ? Une sorte de « nous et les autres », je ne sais pas si je rends bien l'idée.

— Si, vous la rendez très bien.

— Les membres de la communauté ont été les premiers à s'activer pour chercher Anna Lou. Je crois que ces jours-ci, ils se sont rapprochés de la famille, depuis ce matin certains se sont même installés chez les Kastner pour veiller sur eux et ne pas les laisser seuls.

Ils arrivèrent devant l'église d'Avechot. À côté, une structure plus moderne avait été construite.

— Ceci est la salle des assemblées. Ils l'utilisent beaucoup plus que l'église elle-même, surtout pour les rituels de prière collective. Apparemment, la communauté est très influente dans la vallée, elle oriente même les décisions de la compagnie minière, qui en effet la prend très au sérieux. Le maire, les conseillers et tous les fonctionnaires sont issus de la communauté. Le résultat est qu'ils ont imposé une série d'interdictions, comme celle de fumer en public ou de servir de l'alcool le dimanche et les jours de fête, ainsi que le soir après 18 heures. En outre, la communauté est contre l'avortement et l'homosexualité. Même les concubins sont vus d'un mauvais œil.

Putains d'exaltés, pensa Vogel qui s'était déjà fait une idée précise de la situation. Pourtant, une partie de lui était très satisfaite.

Le contexte de l'affaire Anna Lou était parfait. La mystérieuse disparition d'une jeune fille, le mal qui s'insinue dans une communauté rigidement dévouée à Dieu et à ses préceptes, tout un village contraint de s'interroger sur ce qui se passe.

Ou ce qui s'est passé.

Vogel avait demandé à rencontrer le maire et un garde forestier sur les berges du fleuve qui traversait la vallée. Borghi les avait contactés immédiatement, dérouté par la requête.

Quand ils arrivèrent, Borghi gara la voiture sur une grosse place couverte de gravier où se dressait un cabanon inutilisé mais qui, selon un vieux panneau, vendait autrefois des appâts vivants et louait des cannes à pêche. Le maire et le garde forestier les attendaient. Ils étaient venus dans un 4 × 4 de la municipalité.

Le maire était un homme robuste au ventre proéminent, soutenu à grand-peine par la ceinture de son pantalon. Il portait un blouson de montagne ouvert, une chemise en coton bleu ciel et une cravate avec d'horribles losanges rouges. Son épingle de cravate était en or avec une petite croix d'améthyste. Vogel ne cacha pas à quel point il méprisait sa tenue, la mèche ridicule sur son crâne en poire et les moustaches qui surplombaient sa lèvre trop épaisse. Il pensa que le maire était un de ces individus qui ont toujours chaud, même l'hiver. Ses joues rouges en étaient la preuve. Quand l'homme vint à sa rencontre avec son sourire le plus cordial, Vogel accepta sa poignée de main énergique mais ne montra pas le même enthousiasme.

— Monsieur Vogel, je connais les Kastner depuis une éternité, vous ne pouvez pas savoir à quel point je suis désolé de ce qu'ils vivent en ce moment, dit le maire en prenant une expression consternée. Nous sommes heureux que ce soit vous qui vous occupiez de notre Anna Lou. Étant donné votre réputation, notre petite fille est entre de bonnes mains.

Anna Lou était soudain devenue la fille de tout le monde, nota Vogel. Il en était toujours ainsi, du moins dans les faits. Mais dès que les gens refermaient la porte de chez eux, ils étaient tous reconnaissants qu'il s'agisse de la fille de quelqu'un d'autre.

— Votre petite fille bénéficiera du meilleur traitement, répondit Vogel avec une note de sarcasme que l'autre ne perçut pas. Maintenant, peut-on aller voir le fleuve ?

Vogel lui passa devant pour se diriger vers la berge. Le maire, un peu perplexe, lui emboîta le pas, imité par le garde forestier et Borghi. L'officier se demanda jusqu'où Vogel voulait avancer pour s'approcher du cours d'eau. À sa grande surprise, il dépassa la frontière de gravier et enfonça ses pieds dans la boue, insouciant de salir son beau costume et ses chaussures coûteuses.

Les autres furent contraints de l'imiter.

Le garde forestier était le seul à porter des bottes, les autres avaient de la vase jusqu'aux genoux. Borghi se vit en train de faire une nouvelle lessive, le soir à l'hôtel. Il espérait sauver le seul costume qu'il possédait.

— Le cours d'eau fait huit à dix mètres de largeur en moyenne. Le courant est assez soutenu. C'est ici qu'il ralentit le plus, dit le garde forestier.

Vogel l'avait déjà interrogé sur une série de détails. Le garde forestier ne comprenait pas ce qui l'intéressait tant.

— Quelle profondeur ? demanda Vogel.

— Un mètre cinquante en moyenne, mais ça peut aller jusqu'à deux mètres cinquante. Le courant n'arrive pas à balayer le fond des déchets qui s'y accumulent.

— Alors vous intervenez.

— Une fois tous les deux ou trois ans. En automne, avant qu'il commence à pleuvoir, on implante une digue artificielle et les dragues font le travail en une semaine.

Borghi se tourna vers le pont qui traversait le cours d'eau. Il était à une centaine de mètres, et non loin il aperçut le fourgon noir qu'il avait vu devant la maison des Kastner la veille. Il supposa qu'il y avait les deux mêmes hommes à bord. Il fallait peut-être en parler à Vogel.

— Depuis que la mine a ralenti le cours pour drainer une partie de l'eau, des déchets en tout genre s'amassent au fond, ainsi que des carcasses d'animaux. Dieu seul sait ce qu'il y a là-dessous, ajouta le garde forestier avant de conclure : Ce fleuve est malade.

Cette dernière phrase fit bondir le maire, qui corrigea son employé :

— La mairie a convaincu la compagnie de financer un programme de sauvegarde de l'environnement. Des sommes considérables sont dépensées pour l'assainissement.

Vogel ignora le commentaire et s'adressa à Borghi, le distrayant du fourgon.

— Il faudra parler avec les gens de la compagnie, demander les listes de leurs fournisseurs externes et les noms des ouvriers qui font la navette.

Le maire était visiblement inquiet.

— Allons, allons, pourquoi les déranger pour ce qui pourrait n'être qu'une gaminerie ?

— Une gaminerie ? demanda Vogel en le regardant fixement.

— Ne vous méprenez pas, je suis père moi aussi et je sais comment se sentent les parents… Mais cet alarmisme n'est-il pas un peu prématuré ? La compagnie fournit du travail à beaucoup de gens ici dans la vallée et n'apprécie pas ce genre de publicité.

Le maire utilisait la sincérité pour tenter de s'attirer la sympathie de Vogel, remarqua Borghi. Mais le pragmatisme politique ne servait à rien avec le commandant.

— Je vais vous dire une chose…, dit tout bas Vogel en s'approchant de l'homme comme s'il lui faisait une confidence. J'ai appris qu'il existe deux moments où faire les choses. Maintenant et plus tard. Il peut sembler plus sage de reporter, parfois il vaut mieux peser le pour et le contre et évaluer les possibles conséquences. Malheureusement, dans certaines circonstances, trop réfléchir peut passer pour de l'hésitation ou, pire encore, de la faiblesse. Tarder signifie aggraver les choses. Or il n'y a pas pire publicité, croyez-moi.

Une fois sa leçon terminée, Vogel se tourna vers la place d'où ils venaient. Il avait été distrait par une voix qui essayait de couvrir le bruit du courant. Les autres l'imitèrent.

Au bord du fleuve, avant la partie boueuse, se tenait une femme blonde vêtue d'un tailleur bleu et d'un manteau foncé. Elle agitait les bras pour attirer leur attention.

Quand ils la rejoignirent, Borghi comprit à ses chaussures sales que la femme avait essayé de s'aventurer dans la boue, mais que ses talons l'en avaient empêchée.

— Je suis le procureur Mayer, se présenta-t-elle.

Âgée d'une trentaine d'années, elle n'était pas grande mais tout de même gracieuse. Apparemment contrariée, elle demanda à s'entretenir en privé avec les deux officiers.

— J'ai appris qu'il y avait eu un briefing hier. Pourquoi n'en ai-je pas été informée ?

— Je ne voulais pas vous priver de votre famille le jour de Noël, répondit sournoisement Vogel. Et puis, je croyais que les magistrats ne participaient pas aux enquêtes préliminaires.

Rebecca Mayer ne se laissait pas facilement marcher sur les pieds.

— Avez-vous par hasard parlé hier d'un kidnapping, commandant Vogel ?

— Pour le moment, nous ne pouvons écarter aucune hypothèse.

— Je comprends, mais avez-vous des preuves ? Un témoignage, un indice ?

— Non, en effet.

— Alors j'en déduis qu'il s'agit d'une pure intuition.

— Si vous voulez.

Borghi assistait en silence à cet échange tendu.

— Il y a plusieurs pistes possibles, poursuivit Vogel. Par expérience, je sais qu'il vaut mieux commencer par les pires scénarios, c'est pour cette raison que j'ai parlé d'un éventuel ravisseur.

— J'ai pris la peine de recueillir des informations sur Anna Lou bien avant que vous arriviez ici. Une jeune fille tranquille qui menait une vie simple entre bracelets, chats et paroisse. Peut-être même trop enfantine par rapport aux jeunes filles de son âge, je l'admets. Mais cela n'en fait en rien une victime prédestinée.

Vogel était amusé par le portrait tracé par la procureur.

— Qu'en avez-vous conclu?

— Une famille où l'éducation est rigide, une mère trop présente. Par exemple, Anna Lou n'était pas autorisée à fréquenter les jeunes gens de son âge qui ne faisaient pas partie de la confrérie, même au lycée. Elle n'était pas autorisée à sortir avec des amis, ni à choisir des activités autres que celles considérées comme « licites » selon une interprétation très restrictive des canons religieux. En d'autres termes, elle n'avait rien le droit de décider, même pas de faire ses propres erreurs. Or, à seize ans, commettre des erreurs est quasiment un droit. On peut donc comprendre qu'à un moment, elle se rebelle contre les règles.

Vogel acquiesça, pensif.

— Vous croyez donc à une fugue.

— Combien de fois cela arrive-t-il? Vous savez très bien que les statistiques sont en faveur de cette hypothèse. D'autant plus qu'Anna Lou est sortie de chez elle avec un sac à dos coloré et que ses parents sont incapables de dire ce qu'il contenait.

Tandis que le commandant faisait semblant de considérer ses conclusions, Borghi repensa au journal intime que la mère d'Anna Lou avait remis à Vogel la veille, quand ils lui avaient rendu visite. Il ne contenait rien qui indiquât qu'elle voulait s'enfuir.

— Votre thèse est fascinante, convint Vogel.

Pourtant Rebecca Mayer, qui n'était pas du genre à se laisser bercer par les louanges, repartit à l'attaque.

— Je connais vos méthodes, Vogel, je sais que vous aimez les feux de la rampe, mais ici, à Avechot, vous ne trouverez aucun monstre pour votre show.

Vogel tenta de changer de sujet.

— La salle opérationnelle est un gymnase scolaire, mon bureau est dans un vestiaire. Les hommes que j'ai à disposition n'ont aucune compétence en la matière et sont mal équipés. Je voudrais une équipe scientifique pour analyser la portion de rue où la fille a disparu. Peut-être que nous confirmerons votre hypothèse, en tout cas nous pourrons trancher.

Rebecca Mayer laissa échapper un petit rire amusé.

— Vous savez ce qui se passerait si le bruit courait que la police soupçonne un enlèvement ?

— Il n'y aura aucune fuite, l'assura Vogel.

— Vous avez le culot de me demander une équipe scientifique alors que vous n'avez rien en main !

— Il n'y aura aucune fuite, répéta Vogel plus fermement.

Borghi vit apparaître une veine plus foncée sur le front de Vogel. Jusque-là, il ne l'avait jamais vu sortir de ses gonds.

La procureur sembla se calmer. Avant de partir, elle les regarda tous les deux.

— Il s'agit encore d'une affaire de disparition, ne l'oubliez pas.

Un silence total régnait dans la voiture qui roulait vers le gymnase. Borghi aurait voulu dire quelque chose, mais craignait en parlant de déchaîner la colère que Vogel retenait depuis sa conversation avec Rebecca Mayer.

À ce moment-là, l'officier jeta un coup d'œil dans le rétroviseur et remarqua à nouveau le fourgon noir. Il les suivait.

Ce regard n'échappa pas à Vogel, qui baissa son pare-soleil et utilisa le petit miroir pour contrôler la route derrière eux. Il le referma d'un geste sec.

— Ils sont derrière nous depuis hier. Vous voulez que je les arrête ? demanda Borghi.

— Ce sont des chacals, décréta Vogel. Ils vont à la chasse aux nouvelles.

— Vous voulez dire que ce sont des journalistes ?

— Non. Ce sont des caméramans free-lance. Quand ils flairent la possibilité d'une histoire sordide, ils se précipitent avec leurs caméras en espérant filmer des images qu'ils pourront ensuite revendre. Les journalistes ne perdent pas leur temps avec les jeunes filles disparues, à moins que du sang ait coulé.

Borghi se sentit stupide en comprenant que son supérieur avait remarqué le fourgon le matin et la veille, devant chez les Kastner.

— Alors qu'est-ce qu'ils cherchent, ces chacals ?

— Ils attendent qu'un monstre fasse son apparition.

Borghi commençait à comprendre.

— D'où la balade de ce matin… Vous vouliez qu'ils pensent que nous nous préparons à chercher un corps.

Vogel se tut, ce qui déstabilisa le jeune policier.

— Mais vous avez dit à la procureur qu'il n'y aurait aucune fuite…

— Personne n'aime faire mauvaise figure dans l'opinion publique, lieutenant Borghi. Pas même Mlle Mayer, croyez-moi. Pour retrouver Anna Lou, poursuivit-il en le regardant, j'ai besoin de moyens. L'appel des parents ne suffit pas.

Cette dernière phrase mit un point final à la conversation. Ils n'abordèrent plus le sujet. Malgré tout, durant le trajet jusqu'à la salle opérationnelle, Borghi s'était fait une idée précise des intentions de Vogel. Au début, il l'avait cru cynique, mais il comprenait désormais sa logique. Si la presse ne s'intéressait pas à l'affaire, si l'opinion publique ne décidait pas d'« adopter » Anna Lou, ses supérieurs n'accorderaient pas les ressources nécessaires pour mener l'enquête au mieux.

Tandis que Vogel se retirait dans son bureau dans les vestiaires, Borghi sortit pour se rendre à une petite quincaillerie non loin. À son retour, il convoqua les policiers présents autour d'une table et leur distribua des sachets en cellophane qui contenaient des combinaisons de peintre.

— Qu'est-ce qu'on doit repeindre ? demanda l'un des policiers sur le ton de la plaisanterie.

— Enfilez-les et mettez-vous en route, l'ignora Borghi.

— Pour quoi faire ?

— Nous en parlerons quand vous serez sur place, répondit évasivement le lieutenant.

Ce soir-là, il avait commencé à neiger. Une poussière légère qui s'évanouissait au contact des surfaces, comme un mirage.

La température avait baissé de plusieurs degrés, mais dans le restaurant au bord de la route nationale il faisait bon. Comme toujours, les clients étaient rares. Deux chauffeurs routiers étaient assis chacun à une table et mangeaient en silence. On n'entendait que la voix du propriétaire qui donnait des ordres à la cuisine, le choc des boules de billard et les sons ouatés de la télévision allumée au-dessus du comptoir où défilaient les images d'un match de foot que personne ne semblait regarder.

Le troisième client du restaurant était Borghi, qui consommait une soupe de légumes dans une des niches derrière un paravent. Il coupait une tranche de pain en petits morceaux qu'il plongeait dans son assiette, avant de les ramasser avec sa cuiller. Il regardait l'heure avec insistance.

— Tout va bien ? lui demanda la serveuse sur un ton de gentillesse obligée.

Elle portait une écharpe rouge et une petite croix en améthyste au-dessus de sa tenue de travail. Borghi l'avait déjà remarquée sur l'épingle de cravate du maire. Il imagina qu'il s'agissait du symbole de la confrérie.

— La soupe est très bonne, répondit Borghi en esquissant un sourire.

— Vous en voulez encore ?

— Ça va comme ça, merci.

— Alors vous voulez que je vous prépare l'addition ?

— J'attends encore un peu, merci.

Son rendez-vous n'allait pas tarder à arriver.

La femme s'éloigna sans insister et retourna derrière le comptoir. Encore une mauvaise soirée pour les pourboires. Borghi ressentit de la compassion pour elle, qui était sans doute mère de famille. Il reconnut sur son visage des signes évidents de fatigue. Ce n'était peut-être pas son seul emploi. Toutefois, il y avait autre chose. La femme replaçait souvent l'écharpe rouge qu'elle portait au cou. Le policier se demanda ce que les membres de la confrérie pensaient de ceux qui frappaient leurs femmes.

Il aurait dû appeler Caroline. Ce jour-là, ils n'avaient échangé que des textos. Elle était avec ses parents, maintenant, et Borghi était tranquille, mais elle continuait de lui demander quand il rentrerait à la maison. La vérité était qu'il n'en savait rien. Il n'en avait même pas tellement envie. Il y avait trop à faire, il y avait toute une vie à réorganiser en vue de l'arrivée du bébé. Ces derniers mois, Borghi avait dû prendre une série de décisions les unes après les autres, quasi en apnée. Louer un appartement plus grand, le rénover, y mettre des meubles. Il avait changé de voiture, choisissant un modèle d'occasion qui permettrait de transporter confortablement la petite famille. Il avait affronté de nombreuses dépenses et il était parfois saisi d'une angoisse soudaine, parce que Caroline ne travaillait plus et que tout reposait sur lui. Et puis, il se sentait incapable de la contrarier. Quand elle se plaignait parce qu'il travaillait trop, il n'arrivait pas à lui répondre qu'avec un bébé à venir et un seul salaire il n'avait pas le choix. Borghi saisit son téléphone mais n'appela pas sa femme. Plus tard. Il regarda pour la énième fois sa montre. Il voulait être certain que son idée ait porté ses fruits.

Il était 20 heures pile. Son rendez-vous.

Au bout d'un moment, l'atmosphère indolente du restaurant s'anima, quand le propriétaire changea de chaîne et augmenta le volume. Les joueurs de billard interrompirent leur partie et les deux camionneurs se tournèrent vers l'écran. Le personnel de la cuisine arriva à son tour.

Le journal national diffusait un reportage en extérieur. Borghi reconnut les berges du fleuve qui traversait la vallée d'Avechot. On avait filmé depuis le pont qui passait au-dessus. Il vit ses hommes, vêtus de leurs combinaisons blanches, évoluer dans la boue juste devant le cours d'eau. Ils regardaient par terre en faisant semblant de ramasser des pièces à conviction et de les placer dans des sachets en plastique qu'ensuite ils scellaient, suivant à la lettre les instructions que lui-même leur avait données.

« L'affaire de la jeune Anna Lou a pris une tournure imprévue, expliquait le journaliste en voix off. Officiellement, la police enquête toujours sur sa disparition, mais, cet après-midi, des techniciens de l'équipe scientifique ont effectué une descente le long du fleuve. »

Personne ne regardait dans sa direction, néanmoins Borghi tenta de ne pas laisser apparaître sa satisfaction. La ruse avait fonctionné.

« On ne sait pas ce qu'ils cherchent, poursuivit la voix off. Ce que nous savons, c'est qu'ils ont emporté certaines pièces à conviction que le commandant

Vogel, célèbre pour avoir résolu des affaires retentissantes, a définies comme intéressantes, sans rien ajouter. »

À ce moment-là, Borghi se leva et alla à la caisse payer sa note. Malgré son misérable salaire de flic, il laissa un bon pourboire à la serveuse.

27 décembre
Quatre jours après la disparition

Le fourgon, qui contenait une véritable salle de régie, était garé sur le parking devant la mairie. Dehors, un technicien avec une masse de dreadlocks attachée en queue-de-cheval rembobinait des câbles. Des caisses de matériel jonchaient le sol tout autour, ainsi qu'une chaise pliante où le nom « Stella Honer » figurait sur le dossier.

Blonde, élégante, d'une beauté agressive, un trait de maquillage faisant ressortir ses grands yeux sombres, Stella, confortablement assise, observait le travail du technicien, distraite et curieuse. Ses pieds étaient posés sur une caméra au logo de la chaîne pour laquelle elle travaillait. Ses magnifiques jambes étaient étendues, ses chevilles croisées, valorisées par des chaussures aux talons vertigineux. Dire qu'au lycée du petit village où elle avait grandi, elle ne jouissait d'aucune considération de la part des garçons! Ils gardaient leurs distances, bien qu'elle soit plus mignonne que la moyenne. Pendant des années, elle s'était demandé pourquoi. Elle l'avait découvert longtemps après, quand elle avait compris qu'en réalité elle faisait très peur aux hommes. Aussi, elle se donnait parfois des airs d'écervelée. Cela les amadouait. Ensuite, elle leur sautait à la gorge.

Il n'y avait qu'un homme qu'elle n'avait jamais réussi à tromper.

Elle le vit approcher lentement dans la brume du matin, les mains dans les poches de son manteau de cachemire, un étrange sourire aux lèvres.

— Voilà celui qui va nous révéler ce que nous faisons ici ! dit-elle sur un ton triomphant adressé au technicien rasta. Cet endroit ne va pas avec mes chaussures.

— Je suis désolé que tu aies eu tant de route à faire, Stella, la salua Vogel, railleur. Tu avais sans doute quelque chose de plus important en vue. Dernièrement, il me semble avoir vu un de tes reportages sur un type qui avait tué sa femme… Ou était-ce sa petite amie ? Je ne m'en souviens plus… Tous ces crimes se ressemblent.

Stella sourit. Elle avait l'habitude d'encaisser le sarcasme et de le renvoyer à l'expéditeur. Elle attendit que Vogel soit juste devant elle pour regarder par-dessus son épaule et s'adresser à nouveau au caméraman.

— Tu sais, Franck, cet homme a déjà convaincu tout le monde qu'un monstre se trouvait parmi eux, sans la moindre preuve.

Vogel écoutait, l'air amusé. Il interpella à son tour le caméraman.

— Tu vois, Franck ? C'est ce que font les journalistes : ils manipulent la vérité pour nous faire passer pour plus méchants qu'eux. Mais Stella Honer est la reine des envoyés spéciaux : pour les reportages de terrain, personne ne lui arrive à la cheville ! Il ne fait pas un peu froid pour rester dehors ? demanda-t-il ensuite à la jeune femme.

— Justement : une jeune fille qui disparaît ? Allons donc ! Si je dois me geler les fesses, autant que ce soit pour une histoire vraie. Mais je ne vois aucune histoire, ici : je rentre chez moi.

Le technicien, qui n'avait pas prononcé un mot et ne semblait nullement intéressé par leur conversation, retourna dans le fourgon, les laissant seuls.

Stella attaqua sans attendre.

— Où est ton voleur d'enfants, Vogel ? Parce que, franchement, je ne crois pas qu'il existe.

Le commandant garda sa contenance. Il savait qu'il n'allait pas être simple de convaincre Stella Honer, mais il s'était bien préparé.

— Une seule route pour entrer et sortir de la vallée. D'un côté une caméra de contrôle de la circulation, de l'autre celle d'une pompe à essence : nous sommes en train d'inspecter les véhicules de ceux qui y ont transité, nous passons au crible toute leur vie… Mais je sais déjà que ce sera inutile.

— Pourquoi se donner tant de mal, alors ?

Vogel joua son premier atout :

— Pour prouver ma théorie : que la jeune fille n'a jamais bougé d'ici.

Stella marqua une pause, signe qu'elle était intéressée.

— Continue…

Vogel savait que c'était grâce à Borghi que la journaliste s'était déplacée jusque-là. L'idée des combinaisons de peintre avait porté ses fruits. Le jeune homme savait y faire. Mais maintenant, c'était au maître de jouer sa partie. Il reprit sur un ton emphatique :

— Une vallée perdue. Mais un jour, on découvre que sous ces montagnes se cache un minéral rare, la fluorite. Des gens normaux deviennent soudain riches. Un endroit où tout le monde se connaît, où il ne se passe jamais rien. Ou bien si, mais personne n'en parle, personne ne dit rien. Parce que la coutume, ici, c'est de tout cacher, même sa fortune... Tu sais ce qu'on dit, non ? Petite communauté, grands secrets.

Le prélude d'une histoire parfaite. Pour donner de la force à son récit, Vogel sortit de la poche de son manteau le journal intime d'Anna Lou, que la mère de la jeune fille lui avait confié. Il le lança à la journaliste, qui l'attrapa au vol.

Stella l'observa un moment avant de le feuilleter.

— *25 mars*, lut-elle à haute voix. *Aujourd'hui j'ai accompagné mon amie Priscilla chez le vétérinaire pour faire examiner sa chatte. Le docteur lui a fait son vaccin annuel et lui a dit de la mettre au régime...*

Elle passa à une autre page.

— *13 juin : avec les jeunes de la confrérie, nous préparons un récital sur l'enfance de Jésus... 6 novembre : j'ai appris à faire des petits bracelets en perles...*

Stella referma le cahier d'un coup sec et observa Vogel, pensive.

— Des petits chats et des bracelets ?

— Tu t'attendais à autre chose ?

— C'est ça que j'aurais écrit si ma mère avait eu l'habitude de lire mon journal en cachette...

— Et donc ?

— Ne te fous pas de moi. Où est le vrai journal intime ?

Vogel avait l'air satisfait.

— Tu vois ? J'avais raison : famille religieuse et jeune fille intègre… En creusant, pourtant, on trouve toujours quelque chose.

— Tu penses qu'Anna Lou Kastner avait quelque chose à cacher ? Peut-être une relation avec quelqu'un de plus âgé, pourquoi pas un adulte.

— Tu vas trop vite, Stella !

— Mais tu as voulu que je le lise pour que je le pense… Tu n'as pas peur que je fasse courir le bruit qu'il y avait quelque chose de trouble dans la vie de la jeune fille ? Ça plairait au public.

— Tu ne ferais jamais ça, répliqua Vogel, sûr de lui. Première règle de notre métier : sanctifier la victime. Les monstres ne sont plus aussi monstrueux si les gens pensent qu'elle l'a « bien cherché », tu ne crois pas ?

Stella Honer y réfléchit, pondéra la conversation.

— Je croyais que tu m'en voulais encore à cause de l'affaire du mutilateur.

En effet : il lui en voulait à cause de l'affaire qui lui avait fait perdre une grande partie de son prestige et de sa crédibilité. L'affaire du mutilateur avait été un désastre stratégique. Même si, au final, Vogel avait ses raisons pour se comporter comme il l'avait fait, elles étaient trop compliquées à expliquer. Le public n'avait pas compris.

— Je ne suis pas du genre rancunier, assura-t-il. Alors : on fait la paix ?

Mais Stella savait quel était le but réel de l'armistice.

— Tu me veux ici parce que tu sais que les autres chaînes me suivront. Bon, tu me donnes l'exclusivité sur tous les développements de l'enquête.

Vogel s'attendait à ce qu'elle négocie. Il secoua la tête avant de répondre :

— Je te concède un avantage de vingt-cinq minutes sur la concurrence.

Son offre était irrévocable.

— Vingt-cinq minutes, ce n'est rien du tout.

— C'est une éternité, tu le sais, rétorqua-t-il en regardant sa montre. Par exemple, tu as vingt-cinq minutes pour *ça*, avant que je l'archive parmi les pièces du dossier.

Il indiqua le journal intime.

Stella fit mine de protester, mais dans son esprit le compte à rebours avait déjà commencé. Elle prit son téléphone portable et photographia les pages du journal d'Anna Lou Kastner.

Vers 11 heures, Stella Honer avait déjà préparé son premier reportage en direct d'Avechot pour le journal télévisé du matin. À quelques pas de la maison d'Anna Lou, elle occupait un emplacement permanent d'où elle raconterait aux téléspectateurs l'évolution de l'enquête. À la mi-journée, les principales émissions dédiées à l'actualité de la chaîne se mirent en contact avec Stella pour être mises au courant des développements de l'affaire en temps réel.

Cet après-midi-là, Vogel réunit les policiers de l'équipe dans le gymnase scolaire pour un nouveau briefing.

— À partir de maintenant, les choses changent, annonça-t-il à l'assemblée très attentive. Ce qui va se passer dans les prochaines heures sera déterminant pour la résolution du mystère de la disparition d'Anna Lou.

Borghi remarqua que Vogel savait comment motiver ses hommes.

— Désormais, il ne s'agit plus d'une affaire locale. Désormais, toute la nation a les yeux rivés sur Avechot et sur nous. Nous ne pouvons pas les décevoir.

Il le dit avec emphase, en insistant sur le fait que s'ils ne trouvaient pas de coupable, ce serait leur faute.

— Nombre d'entre vous se demandent comment l'écho créé par les médias pourra nous servir. Eh bien, l'appât a été placé, il ne nous reste plus qu'à attendre que quelqu'un tombe dans le piège.

À la façon dont tout le monde écoutait Vogel, Borghi comprit que les choses avaient réellement changé. Jusqu'à trois jours plus tôt, il était perçu comme un intrus qui avait débarqué pour dire à la police locale comment faire son travail et fourrer son nez dans ses affaires. Un flic vaniteux et égocentrique qui voulait asseoir sa réputation sur son dos. Maintenant, tous le voyaient comme un guide, l'homme capable de mettre fin au cauchemar et, surtout, disposé à partager la gloire avec eux.

Avant d'expliquer son plan, Vogel les mit en garde :

— Tout le monde aime être célèbre, même ceux qui ne l'admettent pas. Il se produit un phénomène étrange : au début, on pense ne pas en avoir besoin, pouvoir s'en passer et tout de même vivre une existence gratifiante. Et on a raison. Mais dès que les projecteurs sont pointés sur nous, quelque chose se passe. Soudain, on découvre qu'on aime ne plus être l'individu anonyme qu'on croyait être. Du jour au lendemain, on y prend goût. On se sent différent des autres, « spécial », et on voudrait que cette sensation ne s'arrête pas, qu'elle dure pour toujours.

Vogel croisa les bras et fit un pas vers le tableau où figurait encore la date du 23 décembre. Il l'observa, puis fit les cent pas devant son auditoire.

— En ce moment, tout le monde raconte l'histoire d'Anna Lou, une jeune fille aux cheveux roux et aux taches de rousseur disparue dans le néant, mais le ravisseur sait qu'en fait on parle de lui, de ce qu'il a fait. Il a réussi son œuvre, puisque nous ne sommes pas encore en mesure de l'identifier. Il a fait du bon travail, il en est fier. Mais, justement, pour l'instant, ce n'est que du bon travail, rien de plus. Que lui manque-t-il pour que cela devienne un chef-d'œuvre ? Une scène. Donc, soyez-en certains, il ne restera pas dans l'ombre, il ne se taira pas pendant que quelqu'un lui volera la vedette. Il voudra sa part de gloire : dans le fond, c'est lui le véritable acteur du show… Nous sommes ici parce qu'il l'a décidé, parce qu'il l'a voulu. Parce qu'il a pris le risque d'être capturé, de tout perdre. C'est pour ça que maintenant, il va vouloir le tribut qui lui revient. Notre homme, poursuivit Vogel après une pause, là, dehors, goûte la douce saveur de la célébrité. Mais cela ne lui suffit pas, il en veut encore… C'est ainsi que nous l'amènerons à se dévoiler.

Avec ce nouvel ordre du jour, la recherche de la jeune fille passait officiellement au second plan, remarqua Borghi. Il y avait une autre priorité.

Débusquer le monstre.

À ce moment-là, Vogel mit son plan à exécution. D'abord, il missionna deux de ses hommes pour acheter des bougies et des lampions, ainsi qu'une douzaine de chats en peluche. Puis il envoya quelques agents en civil poser ces objets sur un muret devant chez les Kastner.

Maintenant, il fallait attendre.

Vers 22 heures, les principaux organes de presse du pays étaient en liaison avec leurs envoyés spéciaux devant la petite villa de la famille d'Anna Lou. C'était l'effet Stella Honer, mais pas uniquement.

Quand, à l'heure du dîner, les journaux télévisés avaient annoncé que des mains anonymes et compassionnelles avaient déposé sur le muret des Kastner des symboles de solidarité, de nombreuses autres avaient décidé de suivre l'exemple. Ainsi avait démarré un pèlerinage spontané des habitants d'Avechot, mais aussi de gens des vallées attenantes. Certains étaient venus de très loin, même de la ville, pour participer à cette manifestation de soutien.

La mère d'Anna Lou, dans son appel à sa fille, lui avait promis que quand elle rentrerait elle aurait enfin le chat dont elle rêvait. Vogel s'en était remis à cette dernière phrase et, à présent, une étendue de petits chats en tout genre – des peluches, mais aussi en céramique ou en tissu – entourait la villa, occupant la totalité du muret d'enceinte et une bonne partie de la route. Au milieu des chats, des bougies et des lumignons produisaient une lueur rougeâtre et, dans le froid poignant de l'hiver, dégageaient une puissante sensation de chaleur. De nombreux dons étaient accompagnés d'un petit mot. Certains écrivaient directement à Anna Lou, d'autres s'adressaient à ses parents, d'autres encore ne laissaient qu'une prière.

Les allées et venues étaient quasiment constantes. Le maire avait été contraint de faire fermer les rues limitrophes pour empêcher une invasion de voitures. Malgré cela, le quartier avait été assiégé. Toutefois, tout se passait en bon ordre. Les pèlerins stationnaient devant la maison, se recueillaient pendant quelques minutes en silence et repartaient.

Vogel avait envoyé ses hommes se confondre avec la foule. Ils étaient en civil et portaient une oreillette bien cachée et un micro dissimulé dans le col de leur blouson. Sachant que les journalistes avaient le vice d'écouter les communications de la police, le commandant avait fait livrer des émetteurs sophistiqués, quasi impossibles à intercepter.

— N'oubliez pas que nous cherchons un suspect de sexe masculin. Concentrez-vous sur les hommes seuls, dit Borghi à la radio.

À côté de lui, Vogel scrutait attentivement la scène qui se jouait sous ses yeux. Ils se tenaient volontairement à l'écart de la foule.

Ils observaient ainsi depuis plus de deux heures.

Ils supposaient que le ravisseur était un homme parce que dans les manuels les cas d'enlèvement d'adolescents étaient très rarement l'œuvre de femmes adultes. Ils écoutaient les statistiques, mais aussi leur bon sens.

On pouvait même dessiner la personnalité du sujet. À la différence de ce que les gens imaginaient d'habitude, il ne s'agissait quasiment jamais d'idiots ou de marginaux. C'étaient des individus communs, avec un niveau d'instruction moyen, capables d'interagir avec les autres et donc d'altérer leur comportement pour passer inaperçus. Leur vraie nature était un secret qu'ils gardaient jalousement. Ils étaient habiles et prévoyants. Pour ces raisons, il était toujours difficile de les identifier.

Un des policiers parla à la radio :

— De mon côté tout est tranquille, je passe.

Ils avaient tous reçu l'ordre de venir au rapport toutes les dix minutes.

Vogel sentit le besoin d'intervenir pour maintenir la tension chez ses hommes.

— Si le ravisseur vient vraiment ici ce soir, il a prévu notre présence, mais il veut tout de même avoir la sensation de se promener tranquillement au milieu de ceux qui lui donnent la chasse. N'oubliez pas qu'il est ici parce qu'il veut profiter du spectacle. Si nous avons de la chance, ça ne lui suffira pas : il va vouloir emporter un souvenir.

Il leur recommandait de se concentrer non pas sur ceux qui déposaient un don, mais sur ceux qui, en cachette, essayaient d'emporter quelque chose.

À ce moment-là, Vogel et Borghi notèrent un mouvement étrange dans la foule, comme si quelqu'un avait donné un ordre silencieux et que tous les présents s'étaient tournés dans la même direction. Les deux officiers les imitèrent et s'aperçurent que c'était l'apparition des parents d'Anna Lou sur le seuil de la villa qui avait attiré l'attention.

Le mari tenait sa femme par les épaules. Autour d'eux, les membres de la confrérie. Ils portaient tous une petite croix en améthyste et ils s'étaient disposés en demi-cercle, dans une posture protectrice. Tout de suite, les caméras pointèrent l'objectif vers l'entrée de la maison.

Bien qu'elle fût très éprouvée, cette fois encore, Maria Kastner parla, s'adressant à la petite foule.

— Mon mari et moi voulons vous remercier. C'est un moment difficile de notre vie, mais votre affection et notre foi en le Seigneur sont un grand réconfort. Anna Lou serait heureuse de tout ceci, ajouta-t-elle en indiquant du bras l'étendue de petits chats et de bougies.

— Amen, répondirent à l'unisson les membres de la confrérie.

Des applaudissements montèrent de la foule.

Tout le monde semblait ému, mais Vogel ne croyait pas à la compassion. Il était même convaincu que beaucoup étaient là parce que convoqués par les médias, mus par une pure et simple curiosité. Où étiez-vous, le jour de Noël, quand cette famille avait besoin de réconfort ?

Borghi pensait la même chose. Il était moins cynique que Vogel, toutefois il ne put s'empêcher de remarquer à quel point les choses avaient changé depuis quelques jours. Le matin où ils avaient rendu visite aux Kastner, il n'y avait personne devant chez eux, à part le fourgon des chacals. L'officier se rappelait l'applaudissement de Vogel qui avait résonné dans le silence de ce petit quartier pavillonnaire. Borghi n'avait toujours pas compris le sens de ce geste ni pourquoi, en montant dans la voiture juste après, Vogel avait ressenti le besoin de le mettre en garde au sujet de Bruno Kastner.

« Cet homme meurt d'envie de nous dire quelque chose. »

76

Tandis que les parents d'Anna Lou recevaient les salutations de certains des présents, toujours sous le regard attentif des membres de la confrérie, une voix s'éleva dans la radio :

— À votre droite, commandant Vogel, quasiment au bout de la rue : le jeune homme en sweat-shirt noir vient de voler quelque chose.

Vogel et Borghi se tournèrent dans la direction indiquée par le policier. Il leur fallut quelques secondes pour l'apercevoir dans la foule.

L'adolescent portait un blouson en jean et la capuche de son sweat-shirt lui cachait le visage. Il avait probablement profité de ce moment de distraction générale pour s'emparer de quelque chose qu'il cachait maintenant sous ses vêtements en s'éloignant à la hâte.

— Il a pris un petit chat rose en peluche, je l'ai vu, assura l'agent.

Borghi fit un signe au policier qui était le plus proche du jeune homme. Celui-ci sortit un téléphone portable, avec lequel il prit une série de photos.

— Je l'ai, dit-il dans la radio. J'ai son visage. Je l'arrête.

— Non, intervint Vogel, péremptoire. Je ne veux pas qu'il ait de soupçons.

Entre-temps, le jeune homme avait sauté sur un skate et s'éloignait tranquillement.

Borghi regarda son supérieur d'un air incrédule.

— On ne le suit même pas ?

Vogel lui répondit, sans quitter le suspect des yeux :

— Pensez à ce qui se passerait si un des journalistes ici présents remarquait la scène…

Il avait raison, Borghi n'avait pas pris cet élément en considération.

— C'est un jeune homme sur un skate, le rassura Vogel, où peut-il bien aller ? Nous connaissons son visage, nous le retrouverons.

30 décembre
Sept jours après la disparition

Le restaurant au bord de la nationale était bondé.

Sur la baie vitrée qui donnait sur la pompe à essence, on pouvait toujours lire l'inscription *Bonnes fêtes*. Le propriétaire faisait la navette entre la cuisine et les tables pour s'assurer que tout le monde soit servi et satisfait. Il avait dû embaucher du personnel pour faire face à l'invasion soudaine de clients. Journalistes, techniciens télé, photographes et gens lambda se bousculaient à Avechot pour voir de près les lieux de l'histoire qui faisait la une dans tout le pays.

Vogel les appelait les « touristes de l'horreur ».

Nombre d'entre eux entreprenaient un long voyage en famille. Il y avait beaucoup d'enfants et, dans la salle, le climat était euphorique, typique des excursions. À la fin de la journée, ils emporteraient chez eux quelques photos souvenirs et l'impression d'avoir fait partie, de loin, d'un événement médiatique qui passionnait des millions de gens. Insouciants du fait que, à quelques centaines de mètres de là, des unités cynophiles et des plongeurs, encadrés par des équipes de recherche et la police scientifique, œuvraient pour trouver une trace, ou même seulement un indice, sur le sort d'une jeune fille de seize ans. Vogel l'avait prévu et il avait eu raison : la clameur médiatique avait convaincu ses supérieurs d'ignorer les restrictions budgétaires et de leur concéder les ressources dont ils avaient besoin. Ils feraient tout pour ne pas faire mauvaise figure devant l'opinion publique.

Vogel était assis à la table qu'il avait occupée le jour de Noël, alors qu'il était le seul client du restaurant. Comme toujours, il mangeait en prenant des notes dans son carnet noir avec son stylo en argent. Il écrivait avec minutie.

Ce matin-là, il portait un costume en tweed dans les tons gris-vert, avec une cravate foncée. Son élégance détonnait avec le reste de la salle. Mais il devait en être ainsi. Cela lui servait à marquer la différence entre lui et l'humanité bruyante et indécente qui l'entourait. Plus il les observait, plus il remarquait un aspect important.

Ils avaient déjà oublié Anna Lou.

L'héroïne silencieuse de l'histoire n'était plus sur le devant de la scène. Son mutisme était un prétexte pour les conversations des autres, pour pouvoir dire n'importe quoi sur elle et sa courte vie. Ainsi faisaient les médias, mais aussi les gens en général – dans la rue, au supermarché ou dans les bars. Sans pudeur. Vogel l'avait également pronostiqué. Quand ça se produisait, cela amorçait un drôle de mécanisme, et des affaires réelles devenaient une sorte de saga par épisodes.

Un crime se produisait toutes les sept secondes.

Toutefois, seule une infime partie faisait l'objet d'articles de journaux, de reportages télévisés ou d'épisodes entiers de talk-show à succès. Pour cette minorité d'affaires, on faisait appel à des experts criminologues et psychiatres, on dérangeait des psychologues et même des philosophes. On versait des fleuves d'encre et on réservait des heures et des heures dans les grilles des programmes télévisuels. Le tout pouvait durer des semaines, parfois des mois. Si on avait de la chance, des années.

Mais, surtout, ce que personne ne disait, un crime pouvait engendrer des profits considérables.

Un crime bien raconté générait d'excellents résultats en termes d'audience et rapportait des millions en sponsors et publicité, le tout avec un minimum de moyens.

Un envoyé spécial, une caméra et un caméraman.

Si un crime éclatant – comme un homicide atroce ou une disparition inexplicable – avait lieu dans une petite communauté, durant les mois d'exposition médiatique, cette communauté verrait le nombre de visiteurs augmenter, et donc sa richesse.

Personne n'était en mesure d'expliquer pourquoi un crime devenait soudain plus populaire qu'un autre. Mais tout le monde s'accordait sur le fait qu'il existait un élément impondérable.

Vogel avait une intuition particulière dans ce domaine, une sorte de flair, auquel il devait sa réputation.

Sauf dans l'affaire du mutilateur.

Il n'aurait pas dû oublier la leçon. Mais au vu du retentissement médiatique de la disparition d'Anna Lou, il avait enfin une chance de se racheter.

Bien sûr, il ne pouvait s'attendre à ce que tout se déroule selon le scénario qu'il avait en tête. Plusieurs épisodes désagréables s'étaient produits durant les jours suivant le pèlerinage spontané devant chez les Kastner.

Les habitants d'Avechot, qui au début avaient participé avec enthousiasme, avaient soudain pris leurs distances. C'était un effet naturel de la surexposition. Les journalistes avaient commencé à envahir la vie de tout le monde. Et comme il n'y avait pas encore de réponses, ils avaient insinué dans l'opinion publique l'idée que la solution du mystère se cachait dans ces maisons, parmi ces gens.

Ce n'était pas encore une accusation précise, mais cela y ressemblait beaucoup.

À Avechot, on s'était toujours montré méfiant envers les étrangers, et devenir l'objet de diffamations avait amplifié ce sentiment de défiance. La confrérie, en particulier, avait montré qu'elle n'appréciait en rien l'attention des médias.

Au départ, les habitants avaient évité les objectifs des caméras. Puis ils avaient répondu de façon brusque, parfois rageuse, aux questions des journalistes. Dans ce climat incandescent de colère prête à exploser, il était inévitable que quelqu'un paye les pots cassés.

C'était tombé sur un jeune étranger venu au village pour y chercher du travail. Sa seule faute, ou légèreté, avait été d'approcher une jeune fille du coin pour lui demander une information. Malheureusement pour lui, cela s'était passé sous les yeux des clients d'un bar qui d'abord l'avaient menacé, puis étaient passés à l'action en le malmenant.

Après le déjeuner, Vogel profita de cette nouvelle journée de soleil hivernal pour rentrer à pied à la salle opérationnelle. Il remarqua que la procureur Mayer l'attendait sur la place devant le gymnase.

Son expression ne laissait rien augurer de bon.

La femme avança vers lui d'un pas décidé, faisant résonner ses talons sur l'asphalte.

— Vous ne pouvez pas venir ici faire naître des soupçons dans la tête de ces gens et croire qu'il ne se passera rien, l'accusa-t-elle.

— Ils ont tout fait tout seuls, répondit Vogel.

Quand il était arrivé dans la vallée, il avait découvert une communauté plus confuse qu'effrayée. Au milieu des montagnes, ils se sentaient à l'abri des horreurs du monde. Ils n'étaient pas préparés à vivre dans l'incertitude. Aujourd'hui encore, ils étaient convaincus que le mal venait de l'extérieur. Mais au fond de leur cœur, ils le soupçonnaient d'avoir toujours été parmi eux, couvé en silence, protégé. Et Vogel savait que cela les atterrait plus que tout le reste.

— Il s'est passé exactement ce que je craignais, affirma Rebecca Mayer. Vous avez monté un spectacle.

— Connaissez-vous une seule affaire de fugue qui n'ait pas été résolue en quelques jours ? la défia Vogel. Vous savez très bien que nous devons désormais exclure cette éventualité et nous concentrer sur autre chose. Il ne s'agit plus d'une jeune fille qui a fait le mur, vous le comprenez ?

Comme il l'avait souhaité, la procureur n'avait pas été mise au courant de la piste du jeune homme au skate qu'ils avaient identifié devant chez les Kastner.

— Même en admettant qu'il y a un responsable à tout ceci, cela ne vous donne pas le droit d'impliquer la population d'Avechot en amenant ici des hordes de journalistes et de photographes. Parce que c'est vous qui les avez attirés ici, ne le niez pas.

Vogel n'avait pas envie d'entendre sa complainte. La journée avait été positive et sa promenade depuis le restaurant lui avait donné de l'énergie. Alors il tourna les talons pour s'en aller, avant de revenir sur ses pas.

— Pas de cri, dit-il.

Surprise, Rebecca Mayer le regarda sans comprendre.

— Anna Lou n'a pas crié quand on l'a emmenée. Si elle l'avait fait, les voisins l'auraient entendue. Il m'a suffi de taper des mains pour attirer l'attention. Un simple applaudissement dehors et tout le monde était aux fenêtres.

— Vous voulez dire que la jeune fille aurait volontairement suivi quelqu'un ?

Vogel se tut, laissant l'idée germer seule dans la tête de la magistrate.

— Elle lui a fait confiance et elle l'a très bien vu, dit-elle. Et si elle l'a vu…

— Si elle l'a vu, alors Anna Lou est déjà morte, compléta Vogel.

L'expression de la femme avait changé. La colère avait disparu pour laisser la place à l'effarement.

— Nous pouvons attendre qu'il se passe quelque chose ou empêcher que cela se reproduise, conclut Vogel. Que préférez-vous ?

Cette fois, il s'éloigna pour de bon. La magistrate resta quelques instants immobile, puis elle entendit tousser et se retourna.

Un peu plus loin, au coin du bâtiment, se tenait Stella Honer. Elle fumait une cigarette à l'écart et, visiblement, elle avait tout entendu.

— Si le public connaissait mes vices, ce serait la fin, plaisanta-t-elle en jetant son mégot par terre avant de l'écraser du bout de son escarpin. C'est déjà difficile pour une femme d'avancer, vous ne trouvez pas ? C'est un salaud, mais il connaît son affaire… Et des occasions comme celle-ci sont rares dans la carrière d'une procureur.

Rebecca Mayer ne répondit pas et la regarda s'éloigner.

Le gymnase aménagé en salle opérationnelle était en pleine ébullition. Le nombre de policiers avait été multiplié par cinq. De véritables bureaux avaient remplacé ceux des professeurs, avec ordinateurs et téléphones qui sonnaient en permanence. Le vieux tableau noir avait cédé la place à un vidéoprojecteur et à un grand écran blanc. Un énorme tableau d'affichage était couvert de rapports, photos et résultats d'analyses scientifiques. Au centre de la salle trônait une maquette de la vallée où étaient signalées les zones passées au crible par les équipes de recherche qui travaillaient vingt-quatre heures sur vingt-quatre, grâce à des équipements spéciaux permettant de voir de nuit.

— Monsieur, les secouristes alpins viennent de finir de contrôler les crevasses côté nord, expliqua un policier en bras de chemise et cravate à Borghi, qui supervisait les activités de recherche.

— Bien, qu'ils aillent maintenant sur le versant est, ordonna le jeune officier avant de s'adresser à un autre homme, assis à un bureau, en pleine conversation téléphonique animée : Où en est l'hélicoptère que nous avons demandé ?

— Il sera ici à la mi-journée, répondit l'autre en écartant un instant le combiné.

— Ils ont dit la même chose hier : appelle-les et ne raccroche pas avant d'avoir un horaire précis.

— Oui, monsieur.

L'hélicoptère était important, Vogel avait insisté sur ce point. Cela faisait beaucoup plus d'effet qu'un groupe de chiens flairant ici et là. Et puis, il serait visible depuis tous les recoins de la vallée. Les caméramans passeraient leur temps à le suivre. Borghi avait totalement épousé la philosophie de Vogel. Mais, tandis qu'il se dirigeait vers la maquette pour mettre à jour la position des unités sur le terrain, il fut forcé de constater que la stratégie et les efforts restaient vains, pour l'instant. Hormis le jeune homme au skate, ils n'avaient aucune piste concrète. Et aucune trace d'Anna Lou.

L'officier s'arrêta net devant la maquette. Il avait remarqué quelque chose. Il interpella un agent qui passait et lui indiqua discrètement la porte coupe-feu.

— Depuis combien de temps est-il ici ?

Le policier se retourna et vit à son tour Bruno Kastner, debout devant le mur, une lettre à la main. Il regardait autour de lui d'un air perdu et abattu, comme s'il attendait que quelqu'un remarque sa présence.

— Je ne sais pas, répondit le policier. Peut-être une petite heure.

Borghi alla vers lui.

— Bonjour, monsieur Kastner.

L'autre lui adressa un signe de tête.

— Que puis-je faire pour vous ?

Le colosse semblait désorienté. Il ne trouvait pas ses mots. Pour l'aider, Borghi s'approcha et lui posa une main sur l'épaule.

— Il s'est passé quelque chose ?

— C'est que… Je voudrais parler au commandant Vogel, s'il vous plaît.

Borghi comprit que cette requête était une sorte d'appel à l'aide. Il repensa à la prophétie de Vogel sur le fait que cet homme mourait d'envie de leur révéler quelque chose.

— Bien sûr, dit-il. Venez, je vous accompagne.

Dans le vestiaire où son bureau avait été installé, Vogel était assis, les pieds posés sur la table. Il lisait des papiers avec beaucoup d'attention, un petit sourire sur les lèvres.

Il ne s'agissait pas de rapports de police mais de chiffres d'audimat.

Tous les jours, il recevait un document qui l'informait du degré d'appréciation des talk-shows et des JT qui suivaient l'affaire Anna Lou, ainsi qu'un compte rendu de ce qui se passait sur Internet. Ils avaient gagné deux points d'audience. Bien, pensa-t-il, la nouvelle de la disparition ferait encore la une des journaux. En plus, l'affaire était toujours en tête de la liste des *trending topics* des réseaux sociaux et on la commentait sur tous les blogs.

Si l'on s'en tenait aux chiffres, le public ne s'était pas encore lassé d'eux. Mais Vogel savait que s'il ne servait rien d'autre aux médias, il perdrait vite leur attention, qui se tournerait vers des faits divers plus truculents.

Le public était une bête féroce. Et famélique.

Quand il entendit frapper à la porte du vestiaire, Vogel retira ses pieds du bureau et rangea les documents dans un tiroir.

— Entrez !

— Le père de la fille est ici. Vous avez un moment ? demanda Borghi.

Vogel acquiesça. Bruno Kastner fit son apparition, serrant sa lettre entre ses mains.

— Je vous en prie, monsieur Kastner, l'accueillit Vogel en se levant.

Il l'invita à prendre place sur un banc devant les armoires et s'assit à côté de lui. Borghi resta près de la porte, debout, les bras croisés.

— Je ne veux pas vous déranger, dit l'homme.

— Vous ne me dérangez pas du tout.

— L'après-midi où elle a disparu, je n'étais pas là. J'étais loin, chez un client. Et je ne peux pas m'empêcher de penser que si j'avais été à la maison, tout ceci aurait pu être évité. Quand ma femme m'a téléphoné pour me dire qu'Anna Lou n'était pas rentrée, une partie de moi avait déjà compris.

— Ce sont des remords inutiles, tenta de le rassurer Vogel.

Il ne lui révéla pas que son alibi avait été vérifié et qu'il avait été rayé de la liste des suspects.

— Nous avons entendu ce qu'ils disent à la télé… Vous pensez vraiment que quelqu'un a pris mon Anna Lou ?

Vogel lui offrit un regard faussement compassionnel, qui se posa ensuite furtivement sur l'enveloppe.

— Vous ne devez pas croire tout ce qu'affirment les journalistes.

— Mais vous cherchez quelqu'un, n'est-ce pas ? Ça, vous pouvez me le dire ?

— Par expérience, il vaut mieux que les parents ne connaissent pas les développements de l'enquête. Ne serait-ce que parce que nous suivons plusieurs pistes, sans en négliger aucune, ce qui peut vous embrouiller les idées.

Ou créer de faux espoirs, aurait-il voulu ajouter.

Bruno Kastner n'insista pas. Il regarda son enveloppe, mit un moment pour l'ouvrir et en sortir le contenu. Vogel et Borghi échangèrent un regard interrogateur.

L'enveloppe contenait une photo, sur laquelle la jeune fille posait, souriante, à côté de sa meilleure amie.

L'homme la lui tendit et Vogel la saisit sans comprendre.

— Cela fait des jours que je me torture…, affirma Bruno Kastner en serrant ses grosses mains si fort que les jointures blanchirent. Pourquoi elle ? Oui… Anna Lou n'est pas… belle.

Cette affirmation lui avait beaucoup coûté, pensa Borghi. Quel père en arrivait à affirmer cela au sujet de sa petite princesse ? Cet homme devait être à la recherche désespérée d'une explication.

En effet, remarqua Vogel, la différence entre les deux était évidente. L'une semblait une femme, l'autre une enfant. C'est pour cela qu'il l'a choisie, aurait-il voulu dire. La petite fille invisible, celle qu'on peut observer à distance sans éveiller les soupçons. Celle qu'on peut enlever un soir d'hiver, à quelques pas de chez elle, sans que personne s'aperçoive de rien. Mais Vogel comprit qu'il y avait autre chose, parce que les épaules puissantes de l'homme s'effondrèrent dans un geste de reddition.

— J'ai fait quelque chose dont j'ai honte, dit-il, la voix réduite à un filet, début d'une confession. L'autre fille sur la photo s'appelle Priscilla… Un jour, j'ai cherché son numéro dans le portable d'Anna Lou et je me suis mis à l'appeler. Dès qu'elle répondait, je raccrochais. Je ne crois pas qu'elle savait que c'était moi. Je ne sais pas pourquoi j'ai fait ça.

Vogel et Borghi se regardèrent, inquiets. Sur le visage de Bruno Kastner, durci par la fatigue des derniers jours, une minuscule larme apparut et glissa jusqu'à son menton. D'un geste quasi infantile, l'homme renifla et s'essuya du revers de la main.

Alors, Vogel l'attrapa par un bras, pour l'aider à se relever.

— Pourquoi ne rentrez-vous pas chez vous et n'oubliez-vous pas toute cette histoire ? Croyez-moi, cela vaut mieux.

Vogel fit un signe à Borghi pour qu'il raccompagne l'homme.

Le jeune homme s'approcha, mais Bruno Kastner n'avait pas terminé.

— Ma femme a la foi, la confrérie… Il est difficile d'être un père et un mari parfait avec un tel exemple de droiture à ses côtés. Parfois je l'envie, vous savez ? Maria ne vacille jamais, elle n'a jamais de doutes. Même pas maintenant, avec ce qui est arrivé. Au contraire, elle croit que cela fait partie d'un dessein, que Dieu a pensé que c'était mieux pour nous d'être confrontés à la douleur. Mais quelle douleur ? Nous devrions pleurer, mais pour quoi ? Si quelqu'un nous disait qu'Anna Lou est morte, au moins nous pourrions nous résigner. Mais là… J'ai été un père naïf, j'aurais dû m'occuper d'elle mais j'ai été… faible. J'ai cédé à la tentation.

— Je suis sûr que vous êtes un bon père, tenta Vogel pour le convaincre d'en finir avec cette histoire.

Si les médias venaient à l'apprendre, il était fini. Sa faute était quasiment insignifiante, mais Bruno Kastner deviendrait pour tous le père violeur de fillettes. Un monstre. Et cela nuirait à l'image de perfection que Vogel avait cousue autour de la famille. Cela détournait l'attention du vrai coupable, qui qu'il soit.

— Il y avait un garçon, lança l'homme en avançant vers la sortie.

— Quel garçon ? demanda Vogel, subitement intéressé.

— Sa mère ne lui aurait jamais permis de le fréquenter, il ne faisait pas partie de la confrérie. Mais je crois qu'il plaisait à Anna Lou.

— Quel garçon ? insista Vogel.

— Je ne sais pas qui c'est, mais je le voyais souvent près de chez nous. Sweat-shirt noir à capuche, toujours sur son skate.

Borghi s'alarma de cette révélation soudaine. Vogel, lui, parut seulement exaspéré.

— Pourquoi ne me le dites-vous que maintenant ?

L'homme leva les yeux vers lui.

— Parce qu'il est difficile de montrer quelqu'un du doigt quand on pense que Dieu a voulu nous punir pour nos péchés.

31 décembre
Huit jours après la disparition

Le jeune homme au skate s'appelait Mattia.

La police l'avait identifié depuis quelques jours, bien avant que Bruno Kastner vienne soulager sa conscience auprès de Vogel.

Cela s'était produit exactement douze heures après la nuit du pèlerinage devant chez Anna Lou, où le garçon avait emporté une peluche déposée devant la villa. Un petit chat rose.

Mais Vogel avait placé cette piste sous embargo. Le nom de l'adolescent et les faits de la soirée ne devaient en aucun cas filtrer jusqu'aux journalistes. Au risque de compromettre irrémédiablement le résultat visé.

Pourtant, Vogel savait bien que les journalistes cherchaient toujours à acheter des informations et il craignait qu'un des policiers locaux se laisse tenter par la perspective d'un treizième mois. Il avait habilement instillé chez ses hommes la peur d'être découverts. Il avait suffi de leur dire que toute fuite serait sanctionnée par un licenciement.

Mattia avait seize ans, comme Anna Lou. Son histoire était assez chaotique.

— J'ai parlé au psychiatre qui le suit, l'informa Borghi. Le médecin s'appelle Flores, il le voit depuis que Mattia et sa mère ont emménagé à Avechot, il y a neuf mois. Apparemment, la famille a beaucoup bougé, ces dernières années, toujours pour la même raison : les troubles du comportement dont souffre le jeune homme.

— Expliquez-moi ça, demanda Vogel, intéressé.

— Mattia est de tempérament solitaire, lut Borghi, incapable de s'intégrer ou de communiquer. En plus, il a des sursauts d'agressivité. Il a créé des problèmes dans tous les endroits où il a vécu avec sa mère : l'agression d'un autre adolescent ou encore une crise de colère incontrôlable. Ça a déjà eu lieu en public, il a saccagé un magasin sans raison. Chaque fois, la mère s'est sentie obligée de tout abandonner pour déménager.

La femme pensait probablement que c'était là le meilleur remède pour son fils, se dit Vogel. Elle était convaincue que le changement radical de lieu et d'habitudes arrangerait les choses. En réalité, cela les avait empirées. Peut-être parce que la mère avait honte ou parce qu'elle se sentait coupable envers son fils, qui avait grandi sans figure paternelle. Quoi qu'il en soit, la fuite était une constante de leur vie.

— Mattia a été soigné dans un institut spécialisé, par le passé, poursuivit Borghi. Flores m'a dit qu'il prenait actuellement un traitement pour l'aider à contrôler sa rage.

En prenant connaissance des tourments passés de Mattia, Vogel pensa que le mystère de la disparition d'Anna Lou était sur le point d'être résolu.

Jusque-là, ils n'avaient pas enquêté beaucoup sur le jeune homme. Ils savaient que sa mère cumulait les petits boulots mal payés, qu'elle avait été embauchée par une entreprise de nettoyage et que, le soir, elle faisait la plonge dans un des quelques restaurants restés ouverts à Avechot. La mère et le fils habitaient une maison modeste en banlieue. Vogel l'avait fait mettre sous surveillance, discrètement.

Mais Mattia ne s'était plus montré.

Il s'était évanoui dans la nature sans laisser de traces, comme Anna Lou Kastner. Même si les circonstances de leur disparition étaient différentes.

Sa mère n'avait rien changé à ses habitudes. Elle partait travailler et rentrait chez elle le soir, comme si de rien n'était. Elle n'avait pas signalé la disparition de son fils, probablement parce qu'il se cachait et qu'elle le protégeait. Elle était au courant que Mattia avait fait quelque chose. Mais pas la bagarre habituelle avec un de ses camarades de classe. Quelque chose de grave.

Les micros directionnels placés autour de l'habitation n'avaient capté aucun bruit en l'absence de la mère, preuve que le jeune homme n'y était pas. Vogel n'avait pas encore ordonné de perquisition, parce que cela aurait alerté la femme. Il la faisait suivre en espérant qu'elle les mène à son fils.

Mais cela n'arrivait pas.

Comme si les contacts entre eux avaient soudain cessé. En plus, le téléphone portable du jeune homme était toujours éteint.

Où qu'il soit, Mattia ne pouvait pas se cacher encore longtemps, sans nourriture et avec la police qui passait progressivement tout le territoire au crible à la recherche d'Anna Lou. Vogel le savait, aussi préférait-il attendre que ce soit lui qui sorte de l'ombre.

Les plongeurs inspectaient un puits qui accueillait le trop-plein d'eau du côté de la mine. D'après les cartes que Borghi avait prises à la mairie, il y en avait au moins une trentaine identiques, certains en fonctionnement et d'autres non. Sans parler de ceux qui n'étaient pas recensés. De plus, la vallée était traversée par une nuée de galeries souterraines qui formaient une maudite toile d'araignée.

Elles étaient parfaites pour cacher un corps. Il faudrait une éternité pour toutes les passer au crible.

Le ciel était de plomb, coincé entre les montagnes, comme une mâchoire se refermant lentement sur la vallée pour tout écraser. Assis dans sa voiture garée à quelques mètres du lieu où les plongeurs étaient à l'œuvre, Borghi les observait de derrière le voile de condensation qui recouvrait le pare-brise. Le silence autour de l'habitacle et le subtil halo de vapeur conféraient à la scène une ambiance irréelle de fable. Une fable maléfique, où la seule fin possible est dramatique.

Le lieutenant supervisait l'exploration sans grandes attentes : les plongeurs s'enfonçaient à tour de rôle dans l'eau trouble pour en ressortir quinze minutes plus tard en secouant la tête. Ce geste, cette chorégraphie se répétaient à l'infini.

La berline était garée dans un champ aride. Le froid du matin était mordant. Borghi joignit ses mains en coupe devant sa bouche et souffla dedans pour les réchauffer. Le soulagement ne fut que momentané. Pour la première fois depuis le début de l'enquête, il se sentait frustré.

Une partie de lui sentait qu'ils n'en viendraient jamais à bout, qu'Anna Lou Kastner resterait un nom sur la liste des personnes disparues mystérieusement.

Au bout d'un moment, on oubliait qu'elles avaient jamais existé.

Mais autre chose le troublait. Il repensait à ce que Vogel lui avait dit durant le premier briefing, quasi à la dérobée : Anna Lou n'avait que cinq numéros dans le répertoire de son téléphone portable.

Maman, papa, maison, maison des grands-parents et paroisse.

Son supérieur les avait cités pour souligner à quel point le comportement de la jeune fille était au-dessus de tout soupçon. Cette courte liste de noms et de lieux était à la mesure de sa vie, de son monde. Quelque chose de simple et de compréhensible, sans subterfuges ni secrets. À la lumière du jour.

Maman, papa, maison, maison des grands-parents et paroisse.

Tout l'univers d'Anna Lou se concentrait dans ces endroits, parmi ces personnes. Il y avait aussi le lycée, évidemment, et la patinoire. Mais ce qui comptait vraiment était enfermé dans cette espèce de classement. Ces numéros étaient ceux qu'elle appelait habituellement, auprès desquels elle aurait cherché du réconfort en cas de besoin.

Or la visite de Bruno Kastner la veille avait insinué un doute dans son esprit. Un soupçon qui était né quand il avait vu la photo que l'homme leur avait apportée.

Anna Lou à côté de sa meilleure amie, Priscilla.

Pendant tout ce temps, les enquêteurs avaient cherché ailleurs. Ils avaient mis sur pied des stratégies pour impliquer les médias et recevoir plus de fonds. Puis ils avaient utilisé ces ressources pour intensifier les recherches. Ils avaient même identifié le jeune homme au skate, qu'ils pourchassaient maintenant en secret. Pourtant, personne, pas même les médias, n'avait eu l'idée de parler à cette jeune fille, Priscilla, pour vérifier si elle savait quelque chose qui pouvait les intéresser. La raison était simple. Pour Borghi, il ne s'agissait pas uniquement de tuer le temps : il croyait à son idée.

Maman, papa, maison, maison des grands-parents et paroisse.

Si Priscilla, comme l'avait dit Bruno Kastner, était la meilleure amie d'Anna Lou, pourquoi son numéro ne figurait-il pas dans le répertoire de son téléphone ?

Borghi utilisa la manche de son manteau pour essuyer la condensation sur son pare-brise, puis il démarra. Le moment était venu d'aller découvrir la réponse.

Avechot se préparait à célébrer la nouvelle année avec sobriété. Les gens fêteraient ce moment chez eux, parce que le maire avait annulé tous les événements publics prévus.

— Il ne peut y avoir de joie si une partie de la communauté ne peut se réjouir avec nous, avait-il déclaré aux journalistes avant de laisser s'installer un silence lourd d'émotion.

Ces derniers jours, le maire avait été très actif : il cherchait à donner aux médias une image positive des habitants de la vallée. Pour faire taire les calomnies, il avait même recruté des volontaires pour les groupes de recherche. Ils battaient épaule contre épaule, aux côtés des forces de l'ordre.

Ce matin-là, l'homme avait présidé la rencontre tenue dans la salle des assemblées de la confrérie. Ce moment de prière collective était encore une fois dédié au retour d'Anna Lou. Les Kastner y avaient participé, eux aussi.

Borghi, depuis sa voiture, les vit quitter le bâtiment et se diriger vers chez eux, toujours escortés par un petit groupe de confrères et de consœurs qui les protégeaient de l'insistance des journalistes et des photographes en quête d'une phrase ou d'une image de leur douleur à leur arracher. Mais ce n'était pas eux qui intéressaient l'officier.

Il la vit sortir parmi les derniers. Priscilla, en parka verte et rangers militaires, les cheveux relevés, chaussait des lunettes de soleil bien que le ciel fût couvert. Sa tenue n'était pas voyante, mais elle avait tout de même bonne allure. Elle était accompagnée d'une femme adulte à qui elle ressemblait comme deux gouttes d'eau, très probablement sa mère. Elles ignorèrent les objectifs et les micros qui entre-temps s'étaient tournés vers les membres de la communauté religieuse. Tandis que la mère discutait avec des coreligionnaires, Priscilla traînait derrière, comme si elle voulait mettre de la distance entre elles. Elle regardait autour d'elle. À un moment, elle profita de la cohue pour s'éloigner.

Borghi la vit tourner le coin de la rue et monter dans une voiture de sport qui démarra rapidement. Un jeune homme était au volant.

Il les retrouva sur une placette derrière le petit cimetière du village. L'officier s'arrêta à une centaine de mètres de la voiture des deux jeunes gens. De là, il les observa retirer leurs vêtements en s'embrassant avec tellement de fougue qu'ils ne virent même pas qu'on les regardait. Quand Borghi en eut assez, il baissa sa vitre et plaça le gyrophare sur le toit de sa voiture. Puis il l'alluma et fit brièvement retentir la sirène.

Les deux jeunes gens s'arrêtèrent net, effrayés.

Il avança lentement, leur laissant le temps de se rhabiller. Quand il arriva à la hauteur de la voiture de sport, il coupa son moteur, descendit et vint à leur rencontre. Il s'approcha de la vitre, côté conducteur.

— Bonjour, jeunes gens.

Son sourire était volontairement menaçant.

— Bonjour, monsieur l'agent. Il y a un problème ? demanda le jeune homme d'un ton faussement assuré.

— J'imagine que tu as emprunté la voiture de ton père sans autorisation, mon garçon. Je ne crois pas que tu sois en âge de conduire. Je me trompe ?

Il s'agissait d'une tactique de flic. En réalité, il voulait faire remarquer que le garçon avait son permis mais que sa passagère était mineure.

— Écoutez, nous n'avons rien fait de mal, tenta de répondre l'autre d'une voix tremblante.

— Tu veux jouer les durs avec moi ?

Borghi feignit de perdre patience. Pour empêcher cet idiot de dire quoi que ce soit qui pourrait empirer la situation, Priscilla se pencha à la vitre.

— Je vous en prie, monsieur l'agent, ne dites rien à ma mère.

Borghi la regarda fixement pendant de longues secondes, comme s'il y réfléchissait.

— D'accord, mais je te ramène chez toi.

Tandis qu'ils roulaient dans les rues du village, Borghi en profita pour l'observer de plus près. Elle était petite, mais ses rangers la grandissaient. Elle avait trois trous à une oreille, ornés de petites boucles colorées. Un trait léger de crayon foncé lui entourait les yeux. Son visage était fin. Sous sa parka verte, son pull à col roulé noir laissait deviner ses petits seins fermes. Elle portait un leggings à fleurs avec une déchirure sur une cuisse. Un déodorant à la fraise trop sucré se mêlait à une vague odeur de transpiration, de fumée et de chewing-gum à la menthe. L'ensemble était typiquement adolescent.

Borghi voulait des informations. Il l'avait effrayée, elle était donc vulnérable. Il savait que Priscilla se montrerait sincère pour ne pas aggraver son cas.

— Qu'est-ce que tu peux me dire sur Anna Lou ?

— Qu'est-ce que vous voulez savoir ?

— Tu es sa meilleure amie, n'est-ce pas ?

— Elle est sympa, je trouve.

La fille regardait la route en rongeant ses ongles vernis de rouge.

— Que veux-tu dire ?

— Dans notre lycée, on parle beaucoup. Certains soutiennent qu'elle avait des secrets. Mais elle était gentille avec tout le monde et ne s'énervait jamais.

— Quel genre de secrets ?

— Qu'elle avait des histoires, qu'elle couchait avec des types plus vieux. Que des conneries.

— Vous sortiez ensemble ? Qu'est-ce qu'elle aimait faire ?

— Sa mère ne la laissait sortir qu'avec moi, mais à Avechot il n'y a pas grand-chose à faire. Et puis, elle ne pouvait me voir que l'après-midi, quand elle venait faire les devoirs à la maison.

— Mais vous n'étiez pas dans la même classe, fit remarquer Borghi.

— Non, en effet. Mais on se voyait quand même parce que Anna Lou était très forte en maths, elle me donnait un coup de main.

— Elle avait un petit ami ?

— Un petit ami ? répéta Priscilla avec un petit rire. Non, vraiment pas.

— Quelqu'un lui plaisait ?

— Oui, mon chat, répondit-elle en riant à nouveau avant de reprendre son sérieux. Anna Lou était différente. Elle n'était pas intéressée par des trucs comme plaire aux garçons ou sortir avec les amis.

— Alors elle ne voyait que toi, en plus bien sûr de ses camarades de classe.

— Exact.

Priscilla tenait à passer pour la personne qui connaissait le mieux Anna Lou. Peut-être pour dévier les soupçons, pensa Borghi.

— À ton avis, qu'est-ce qui s'est passé ?

— Je ne sais pas. On raconte plein de choses, par exemple qu'elle a fugué. Moi je n'y crois pas.

— Peut-être qu'il s'est passé quelque chose et qu'elle ne t'en a pas parlé.

— Impossible : s'il y avait eu quoi que ce soit, elle me l'aurait dit.

Elle mentait, Borghi en était certain.

— Même après que vous vous êtes disputées ?

— Comment le savez-vous ? demanda-t-elle en se tournant vers lui.

Borghi ne lui dit pas qu'il l'avait compris parce que Anna Lou avait effacé son numéro du répertoire de son téléphone. Il ralentit et s'arrêta. Puis il éteignit le moteur pour la regarder droit dans les yeux.

— L'histoire ne sortira pas d'ici, mais je veux la vérité.

Priscilla se remit à ronger son vernis.

— Je ne l'ai dit à personne parce que j'ai déjà assez de problèmes avec ma mère, se défendit-elle. Depuis que mon dernier beau-père est parti, elle n'en a que pour la confrérie. C'est le sixième ou septième salaud qui la largue. En général, il s'agit de misérables qui ont le cul dans la merde. Elle les ramasse tous, comme on fait avec les chiens errants. Elle les remet en forme, et ensuite ils s'en vont sans dire merci. Maintenant, elle raconte à tout le monde que la confrérie l'a sauvée. Et elle a décidé de me sauver, moi aussi. Elle dit que Jésus l'aime, mais pour moi c'est juste un type de plus sur la liste. Je l'accompagne aux réunions pour qu'elle soit contente, mais la religion ne m'intéresse pas.

— Anna Lou était ta couverture, n'est-ce pas ? Tant que tu la voyais, ta mère n'avait aucune raison de te casser les pieds avec tes fréquentations. Tu ne lui as rien dit de votre dispute, sinon elle aurait fait des histoires.

Priscilla eut un mouvement d'orgueil.

— Je ne suis pas une salope, j'aimais vraiment bien Anna Lou. Mais c'est vrai que, quand elle a disparu, ça faisait deux semaines qu'on ne s'était pas parlé.

— Pourquoi ?

— Ne vous faites pas d'idées bizarres. Rien d'important. Je lui ai juste ouvert les yeux sur quelque chose qui se passait.

— Quoi donc ?

— Le taré qui la suivait.

Mattia, pensa tout de suite Borghi.

— Tu sais qui c'est ?

— Bien sûr, il est dans ma classe, il s'appelle Mattia et il ne parle à personne, personne ne veut avoir affaire à lui.

— Pourquoi suivait-il Anna Lou?

— Je ne sais pas, peut-être parce qu'elle lui plaisait. Ou parce qu'elle était la seule à lui adresser la parole, mais ça l'encourageait, alors je lui ai dit qu'elle avait tort. Anna Lou ne serait jamais devenue sa petite amie, mais à mon avis le taré s'est fait des films, il était toujours derrière elle.

Borghi commençait à comprendre, mais une fois encore Priscilla ne disait pas tout.

— Alors tu l'as mise en garde et elle ne t'a pas écoutée: ça ne me semble pas être une raison valable pour mettre fin à une amitié.

Le scepticisme de Borghi convainquit la jeune fille de lui raconter le reste.

— D'accord, il s'est passé autre chose. Un jour, le type était derrière elle, comme toujours, il essayait de ne pas se faire remarquer mais il était nul. Alors je suis sortie de mes gonds: je me suis approchée et je lui ai dit ses quatre vérités. Je m'attendais à ce qu'il réagisse, qu'on se dispute. Mais il m'a regardée comme un chiot apeuré et il n'a pas dit un mot. Et puis il s'est pissé dessus.

— Il s'est pissé dessus?

— Oui. J'ai vu la tache sombre qui se formait sur son pantalon, à la hauteur du slip. Et puis l'urine a formé une sorte de flaque sous ses tennis. Je n'en croyais pas mes yeux, quel taré.

Borghi soupira en secouant la tête. *Les adolescents*, pensa-t-il. *Quel bazar.*

— Et Anna Lou t'en a voulu.

— Qu'est-ce que je pouvais faire ? Elle lui avait même fait un bracelet en perles, elle voulait le lui offrir. Alors elle s'en est prise à moi, elle a dit que je l'avais humilié et elle n'a plus voulu me parler.

Borghi comprit qu'il avait sous-estimé Anna Lou. Il la prenait pour une jeune fille faible et soumise. En fait, elle était décidée et savait être juste. Elle avait puni son amie pour sa cruauté inutile. L'officier ne pouvait pas demander à Priscilla si elle pensait que Mattia avait joué un rôle dans la disparition. Il était évident qu'elle ne le soupçonnait pas. D'ailleurs elle ne pouvait pas savoir que le jeune homme qui avait uriné dans son pantalon devant elle avait eu dans le passé des problèmes pour contenir sa colère. Alors il demanda :

— Pourquoi à ton avis Mattia représentait-il un danger pour Anna Lou ? D'accord, il la suivait, mais je ne comprends pas…

— Il la suivait avec une caméra.

À 20 heures, les journaux télévisés passaient des reportages sur les festivités de fin d'année dans toutes les villes du pays. Toutefois, quand vint l'heure des faits divers, on montra une petite villa sombre, située dans un quartier résidentiel d'un petit village de montagne, où deux parents s'inquiétaient encore du sort de leur fille.

Mélanger la douleur et l'amertume était une combinaison gagnante des médias. Vogel la connaissait bien.

Dans la chambre d'hôtel, la télévision était allumée, mais personne ne la regardait. Néanmoins, il entendait le son depuis la salle de bains. Vogel se tenait devant le miroir, en peignoir, et teignait ses sourcils en noir avec un petit pinceau. Délicatement, lentement. Ce faisant, il gardait la bouche entrouverte, geste involontaire qu'il ne voyait pas dans le miroir mais qui lui donnait un air ridicule.

L'armoire à côté du lit était grande ouverte et on apercevait la rangée de costumes élégants que Vogel avait apportés, comme s'il devait rester à Avechot pendant des mois. Chacun était pendu à son cintre en bois avec un sachet de lavande séchée, pour éloigner les mites et garder la fraîcheur du tissu. Les cravates en laine, soie ou cachemire étaient accrochées à une barre fixée à une des portes de l'armoire. Elles avaient des motifs différents, mais la main attentive de Vogel les avait rangées selon un dégradé de couleurs. Enfin, en bas trônaient ses chaussures – au moins cinq paires. Toutes à lacets, anglaises et italiennes, cousues à la main et cirées à la perfection. En rang serré, comme les soldats d'un peloton d'exécution.

Cette garde-robe ne constituait qu'une partie de celle que Vogel avait chez lui, fruit d'années de recherche et de passion. Chaque costume était associé à une eau de Cologne, rigoureusement vaporisée uniquement sur le mouchoir de la poche. Il était maniaque sur ce point. Sa collection de chemises et de boutons de manchettes, en revanche, représentait son obsession.

Il méprisait ses collègues aux tenues négligées. Ce n'était pas uniquement une question d'apparence ou de vulgaire vanité. Pour lui, ces vêtements étaient comme l'armure d'un chevalier. Ils exprimaient sa force, sa discipline et sa confiance en lui.

Mais ce soir-là, ses costumes étaient destinés à rester dans l'armoire, parce que Vogel n'avait aucune intention de sortir. Dehors, un orage menaçait, et il voulait rester au chaud dans sa chambre, attendant seul la nouvelle année, comme toujours. Il avait commandé un dîner léger et il ouvrirait une bouteille de cabernet sortie de sa cave, qu'il avait glissée dans sa valise avant de partir.

Tandis qu'il savourait d'avance la soirée qui l'attendait, devant le miroir, il récapitula les résultats de l'enquête.

Anna Lou connaissait le ravisseur. Elle l'avait suivi sans opposer de résistance.

Elle est quasi certainement morte. La gestion d'un otage était compliquée, surtout pour un ravisseur solitaire. Il l'avait sans doute tuée après l'enlèvement. Peut-être avait-elle survécu quelques heures.

La jeune fille tenait un faux journal intime pour sa mère. Mais où était le vrai? Et quel secret inavouable cachait-il?

Son portable sonna. Vogel soupira mais, l'odieux appareil ne s'arrêtant pas, il abandonna son opération de teinture des sourcils pour aller répondre.

— Mattia faisait des films d'Anna Lou, dit Borghi sans préavis.

— Quoi?

— Il la suivait partout et il la filmait.

— Comment l'avez-vous appris?

— C'est la meilleure amie de la fille qui me l'a dit, mais ensuite j'ai cherché d'autres confirmations. Il y a quelque temps, une patrouille l'a surpris en train de filmer les couples qui s'isolaient derrière le cimetière.

Vogel se réjouit de cette nouvelle. Apparemment, il n'était pas le seul à avoir des obsessions. Mais celle de Mattia était bien plus inquiétante que son innocente passion pour les vêtements recherchés. À la lumière de ces nouveaux éléments, il prit une décision.

— Nos hommes surveillent toujours la maison du jeune homme?

— Deux agents à la fois, avec des tours de quatre heures. Pour l'instant, ils n'ont rien remarqué d'anormal.

— Dites aux hommes de se retirer.

— Vous êtes sûr, monsieur? demanda Borghi après deux secondes de silence. Je pensais que cette nuit, vu que c'est le Nouvel An, Mattia profiterait de la cohue dans les rues pour rentrer chez lui faire des provisions.

— Il ne le fera pas, il n'est pas aussi stupide. Je suis convaincu qu'il va essayer de prendre contact avec sa mère, qui ce soir aussi fait la plonge.

— Monsieur, excusez-moi, mais je ne comprends pas : quel est le plan?

Mais Vogel n'avait aucune intention de partager sa stratégie avec lui.

— Faites ce que je vous dis, lieutenant, répondit-il calmement. Ayez confiance en moi.

— Bien, conclut Borghi sans conviction.

Comment crois-tu pouvoir comprendre mon plan? se demanda Vogel, agacé, en raccrochant.

1ᵉʳ janvier
Neuf jours après la disparition

Minuit venait de sonner, et donc l'entrée dans la nouvelle année, quand Vogel traversa le village dans une voiture de la police.

Dans les rues il n'y avait que quelques retardataires se rendant à la hâte à une fête privée. Vogel pouvait les voir par les fenêtres des maisons, célébrant en s'embrassant et en souriant l'arrivée d'une nouvelle année. Superstitions ridicules. Il n'en avait pas besoin. Se débarrasser du passé n'était qu'une façon de ne pas admettre ses propres échecs. Et le futur qu'ils accueillaient tous avec tant de joie ne serait, d'ici à douze mois, qu'une année inutile à oublier.

Vogel, lui, raisonnait comme les médias. Seul le présent comptait, rien d'autre. Certains en étaient les artificiers, d'autres le subissaient. Il faisait partie de la première catégorie, parce qu'il transformait n'importe quelle situation en succès. La seconde était composée de gens qui, comme Anna Lou, étaient prédestinés à des rôles de victimes et payaient le prix de la joie des autres.

Aussi, pour le moment, Vogel ne s'intéressait pas au Nouvel An. Il avait plus important à faire. Tout en conduisant vers son but, il prit son portable et composa un numéro qu'il connaissait par cœur.

Stella Honer répondit à la troisième sonnerie.

— Je t'écoute, dit-elle seulement.

— Vingt-cinq minutes avant les autres, tu t'en souviens ?

Alors Stella comprit que quelque chose allait se passer cette nuit-là.

Arrivé à une centaine de mètres de la maison où vivaient Mattia et sa mère, Vogel arrêta la voiture. Le petit chalet était perché en haut d'une colline entourée d'un pré aride et d'une haie qui aurait eu besoin d'être entretenue. Il faisait noir, hormis une lueur rougeâtre derrière une des fenêtres.

Vogel avait conscience que faire partir ses hommes n'était pas suffisant, parce que la maison était entourée de micros directionnels prêts à intercepter tous les sons à l'intérieur. Il devait agir avec une extrême prudence : personne ne devait savoir qu'il était là. Mais il avait une solution pour cela.

Il regarda l'heure et attendit quelques minutes. Puis, comme prédit par la météo, il se mit à pleuvoir. Des grondements intermittents parcouraient violemment le terrain et les maisons, couvrant donc tous les autres bruits.

Vogel descendit de sa voiture et emprunta à pas rapides le sentier d'accès. Une fois à l'abri sous l'auvent de la maison, il secoua l'eau de son manteau et monta deux marches avec précaution. Devant la porte d'entrée, il sortit de sa poche des gants en latex pour ne pas laisser d'empreintes et un tournevis, qu'il utilisa pour débloquer la serrure. Ce ne fut pas difficile. La porte s'ouvrit et, après s'être assuré qu'il n'y avait personne dans les environs, Vogel s'introduisit rapidement dans la maison.

Sa première impression fut celle d'une pauvreté indigne. Odeur de chou et d'humidité. Des vieux meubles et de la poussière. Du linge séchant entre deux chaises et de la vaisselle sale. Du froid. Pourtant, dans ce désordre, il y avait aussi l'amour d'une femme pour son fils inadapté. Le flic sentait la peur de la mère de Mattia. La terreur de ne pas s'en sortir, d'échouer, de voir tout s'écrouler d'un moment à l'autre. Parce qu'elle savait que l'enfant qu'elle avait mis au monde était dangereux pour lui et pour les autres. Et elle savait aussi que les psychiatres et les traitements n'y feraient jamais rien.

Les lattes du vieux parquet grinçaient sous les pas de Vogel, mais la pluie battait sur le toit, atténuant les bruits. Il fit le tour des lieux.

Il y avait un poêle dans un coin de la cuisine qui tenait également lieu de séjour, et d'où provenait la lueur rougeâtre qu'il avait aperçue par la fenêtre. Mais la chaleur émise était faible et ne parvenait pas à réchauffer la pièce. Il contourna un canapé défoncé pour entrer dans une autre pièce. Il vit un lit double au-dessus duquel trônait un petit crucifix en bois et des étagères qui servaient d'armoire, pour le reste les murs étaient nus. Sur une chaise, des serviettes s'amassaient et des pantoufles usées traînaient à côté de la table de nuit.

La troisième pièce était une salle de bains. Carrelage ébréché, journaux empilés. La chasse d'eau émettait une sorte de sanglot soumis, elle était visiblement cassée. La baignoire était petite et incrustée de calcaire.

Vogel se demanda où dormait Mattia. Peut-être sur le canapé du salon, ou bien dans le même lit que sa mère, mais il n'en était pas convaincu. Alors qu'il allait revenir sur ses pas pour vérifier, il aperçut un rectangle sur le mur du couloir. Dans le lambris, on le remarquait à peine.

Une porte.

Vogel s'approcha et la poussa. Elle donnait sur un escalier en brique qui descendait entre deux murs en pierre et conduisait vraisemblablement à la cave.

En bas, il faisait noir.

Vogel alluma l'écran de son téléphone portable et entama la descente, avec précaution. Les marches étaient raides et usées sur les bords. Il y avait une légère odeur de moisi, mais ce n'était pas humide. Arrivé en bas de l'escalier, Vogel éclaira autour de lui pour comprendre où il était.

Ce n'était pas une cave mais un sous-sol. À la façon dont il était meublé, il comprit que c'était la chambre de Mattia. Ou plutôt sa tanière.

Il n'y avait ni fenêtre ni prise d'air. D'ici, le bruit de la pluie était sourd, lointain. Comme une plainte.

Sur la droite, un lit de camp était collé au mur. Il était défait et des couvertures s'entassaient dessus. Il faisait beaucoup plus froid que dans le reste de la maison, remarqua Vogel. Mais peut-être qu'un adolescent pouvait s'en accommoder, si c'était le prix d'un peu d'indépendance.

Devant lui, il aperçut une table. Des photos étaient accrochées sur le mur au-dessus. Des agrandissements tirés de films.

Anna Lou apparaissait sur chacun d'entre eux.

Vogel s'approcha. Une trentaine de gros plans. La jeune fille avait toujours une expression spontanée. Elle ne souriait quasiment jamais. Pourtant, Vogel remarqua qu'elle avait une beauté cachée. Quelque chose qu'on ne remarquait pas à l'œil nu. Comme si Mattia, dans son projet photographique délirant, avait su saisir quelque chose que personne n'avait jamais vu. Pas même Bruno Kastner, qui ne considérait pas sa fille comme assez jolie pour intéresser un ravisseur.

Sur la table trônait un vieux PC. À côté, une caméra.

Vogel la souleva pour mieux la regarder. Apparemment, Mattia était parti tellement vite qu'il avait laissé chez lui l'objet dont il ne se séparait jamais. Puis le regard de Vogel se posa ailleurs.

Sur une étagère, il vit un petit chat rose en peluche, probablement celui que le jeune homme avait pris devant la maison des Kastner la nuit où ils l'avaient repéré. Vogel le prit, le retourna entre ses mains. Le jeune homme avait emporté un souvenir, cela aurait suffi pour que les médias l'épinglent. Au moment précis où un frisson le parcourait, il entendit un bruit dans son dos. Un bruit réel.

Sur le lit, quelque chose avait bougé.

Vogel posa le chat en peluche et se tourna lentement. Il vit la masse de couvertures s'animer. Une silhouette en sortit. Mattia avait sa capuche noire relevée sur la tête et l'ombre cachait son visage.

Le jeune homme se déplia lentement : il était bien plus grand et puissant que dans le souvenir de Vogel. Soudain, le policier comprit beaucoup de choses. Par exemple, que le jeune homme ne s'était pas enfui mais s'était terré chez lui. Les micros placés à l'extérieur n'auraient jamais pu percevoir sa présence là-dessous. Il était protégé par plusieurs mètres de terre et de roche.

Vogel avait les deux mains prises, par la caméra et par le téléphone qui l'éclairait. Il ne pouvait pas prendre son pistolet dans son étui, d'ailleurs le jeune homme était trop proche, il aurait pu lui sauter dessus et le désarmer. Alors il utilisa un autre genre d'arme, qu'il maniait avec habileté :

— Alors c'est ça que tu aimes faire ? demanda-t-il en indiquant la caméra de la tête, avec un sourire complice. Je parie que tu es bon.

Le jeune homme ne répondit pas.

Vogel sentait l'intensité de son regard sous sa capuche.

— Je peux te faire devenir célèbre, tu sais ? Tes vidéos pourraient passer à la télé, tu aurais toute l'attention que tu mérites. J'ai beaucoup d'amis journalistes, leurs employeurs paieraient cher pour tes films. Tout le monde parlerait de toi. Pense à ta mère : elle n'aurait plus à travailler. Elle pourrait avoir une vraie maison et tout ce qu'elle ne peut pas se permettre aujourd'hui. Et c'est toi qui pourrais lui donner tout ça… C'est simple à obtenir, Mattia. Nous devons juste sortir d'ici. Ensuite tu m'amèneras jusqu'à Anna Lou. Ou plutôt, on ira avec les journalistes. Tu seras le héros, personne ne se moquera de toi, tout le monde te respectera…

Il ne comprenait pas à quoi Mattia réfléchissait. De longues secondes défilèrent sans que rien se passe. Vogel espéra que ses mots avaient fait mouche. Puis le garçon avança d'un petit pas dans sa direction. Instinctivement, le policier recula. Mattia s'arrêta net. Puis il fit encore un pas. Vogel se cogna contre le coin du bureau. Cette fois encore, le jeune homme se bloqua.

Alors le commandant comprit. L'autre ne voulait pas lui faire peur, ni l'agresser. Il lui demandait seulement la permission d'avancer.

Pas vers moi, déchiffra Vogel. *Vers l'ordinateur.*

Il s'écarta pour laisser Mattia accéder au bureau et allumer le PC. Le système mit plusieurs minutes à démarrer. Puis le jeune homme ouvrit un dossier nommé «Elle». Sur l'écran apparurent les icônes de plusieurs vidéos. «Elle», c'était Anna Lou.

Le garçon chercha avec la souris celle qui l'intéressait et la lança.

Vogel, derrière lui, fixait l'écran, se demandant ce qu'il allait voir.

Le film commença. Anna Lou se trouvait dans la rue, portant le même sac à dos coloré que le jour de sa disparition ainsi qu'un sac contenant ses patins à glace. Elle marchait seule par une journée ensoleillée, ignorant qu'elle était filmée. Elle passa à côté d'un vieux 4 × 4 blanc. Puis l'image changea, Vogel comprit que Mattia avait fait un montage. Cette fois, Anna Lou était en compagnie de Priscilla, son amie. Elles bavardaient devant le lycée. Nouveau changement : la jeune fille, avec d'autres adolescents de la confrérie, vendait des gâteaux sur la petite place devant la salle des assemblées. Alors qu'il s'interrogeait sur le sens de ce montage, Vogel remarqua encore une fois le 4 × 4 blanc de la première scène. Il était probablement présent sur la deuxième, même s'il ne l'avait pas vu.

Les séquences suivantes confirmèrent ses soupçons.

Anna Lou avec ses parents lors d'un pique-nique en montagne – le 4 × 4 était garé dans le parking à côté d'autres voitures. Anna Lou qui sortait de chez elle avec ses petits frères – le 4 × 4 blanc était visible à quelques mètres de distance, sur la chaussée.

Les images défilaient. Vogel se tourna pour observer Mattia, concentré sur l'écran qui lui éclairait le visage. En espionnant Anna Lou, le jeune homme avait remarqué quelque chose.

Qu'il n'était pas le seul à la suivre.

Il filmait de trop loin pour qu'on puisse reconnaître le visage du conducteur ou lire la plaque d'immatriculation. Avec un logiciel spécialisé, on aurait certainement pu agrandir les images. Mais Vogel était convaincu que ce ne serait pas nécessaire.

— Tu sais qui c'est, n'est-ce pas ?

Mattia se tourna vers l'étagère où était posé le chat en peluche rose. Il l'indiqua du regard avant d'acquiescer timidement.

Il le connaissait.

23 février
Soixante-deux jours après la disparition

La nuit où tout changea pour toujours, le brouillard menaçait, avec sa candeur feinte qui ne parvenait pas à berner le noir de la nuit.

Le radiateur dans le bureau de Flores émettait une sorte de gargouillement. Un son guttural, quasi vivant – on aurait dit une voix humaine.

Vogel avait interrompu son récit et se concentrait sur un point vague du mur, entre les photos et les récompenses encadrées.

Flores s'aperçut que l'attention du policier était absorbée par un exemplaire de poisson empaillé argenté au dos traversé d'une bande rose.

— *Oncorhynchus mykiss*, cita-t-il de mémoire. Également connu sous le nom de truite irisée ou truite arc-en-ciel. Elle est originaire d'Amérique centrale mais vit aussi dans des pays asiatiques du Pacifique. Des années auparavant, on la trouvait dans certains lacs de montagne. Pour survivre, elle a besoin d'eau froide et oxygénée.

Le psychiatre avait volontairement fait une digression. Il ne voulait pas forcer l'autre à poursuivre, il devait être avant tout un médiateur, se poser comme intermédiaire entre le sujet et son conflit. Son instinct lui disait que le policier avait refoulé ou désespérément tenté de se cacher à lui-même ce qui s'était passé avant l'accident de la route, la raison pour laquelle ses habits étaient tachés du sang de quelqu'un d'autre.

— Les médias établissent les rôles, dit Vogel de but en blanc. Le monstre, la victime. La seconde doit être protégée de toute attaque ou soupçon : elle doit être « pure ». Sinon, on risque de fournir un alibi moral à celui qui lui a fait du mal. Pourtant, parfois – inutile de le nier –, certaines victimes ont joué un rôle dans ce qui s'est passé. Ce sont des fautes macroscopiques, de véritables provocations ou bien des inepties qui au fil du temps induisent une réaction. Je me rappelle l'affaire d'un chef de service qui écorchait volontairement le nom d'un de ses employés. Il le faisait devant tout le monde, pour la blague. Un matin, l'employé s'est présenté, à l'heure, avec un pistolet automatique.

— En a-t-il été ainsi pour Anna Lou Kastner ? demanda Flores.

— Non.

— Commandant Vogel, pourquoi n'essayons-nous pas d'oublier cette histoire et de nous concentrer sur ce qui s'est passé ce soir ?

— Mes vêtements tachés de sang. C'est vrai…, se rappela l'autre.

Flores ne pouvait lui demander directement à qui appartenait le sang, il devait procéder par étapes.

— Il serait important de savoir où vous étiez avant l'accident et où vous vous dirigiez quand c'est arrivé.

Vogel fit un effort.

— J'allais chez les Kastner… Oui, j'allais chez eux leur rendre un objet laissé en gage.

Il baissa les yeux sur le bracelet qu'il portait au poignet.

— Pourquoi à une heure aussi tardive ?

— Je voulais leur parler, leur dire quelque chose…

Mais le souvenir sembla s'éteindre dans sa tête.

— Quoi donc ?

— Je…

Flores attendit que la mémoire lui revienne. Il ne savait pas si Vogel faisait semblant, il pensait plutôt qu'une sorte de blocage l'empêchait de sortir ce qu'il avait à l'intérieur. Que voulait-il dire aux Kastner de si important ? Le psychiatre eut l'impression que, quoi que ce soit, il devait passer par le récit de ce qui s'était produit deux mois auparavant. Il essaya donc de le faire repartir de là.

— Avez-vous réellement cherché Anna Lou, ou bien le fait de la croire morte ne vous poussait-il à ne chercher qu'un corps qui serve de preuve pour coincer un éventuel assassin ?

Vogel sourit timidement. C'était une confession.

— Pourquoi ne pas le dire tout de suite, alors ? Pourquoi alimenter l'espoir ?

— À la question d'un sondage récent sur ce que doit être le but d'une enquête de police, répondit Vogel après une courte pause, la majorité des participants a répondu « la capture du coupable ». Seul un faible pourcentage a affirmé que le but d'une enquête de police doit être de « découvrir la vérité ». Vous comprenez ce que je veux dire ? Personne ne veut connaître la vérité.

— Pourquoi, à votre avis ?

— Parce que la capture du coupable nous donne l'illusion d'être en sécurité et au fond cela nous suffit. Mais il y a une meilleure réponse : parce que la vérité nous engage, nous rend complices. Vous avez remarqué que les médias et l'opinion publique, ce qui veut dire tout le monde, pensent au coupable d'un crime comme s'il n'était pas humain ? Comme s'il appartenait à une race extraterrestre, dotée d'un pouvoir spécial : faire du mal. Sans nous en apercevoir, nous en faisons… un héros, déclara-t-il avec emphase. Alors que le coupable est généralement un homme banal, dépourvu d'élans créatifs, incapable de sortir de la masse. Mais si nous l'acceptons, alors nous devons aussi admettre que, dans le fond, il nous ressemble un peu.

Vogel avait raison. Le regard de Flores s'attarda sur un vieux journal froissé posé sur son bureau. Le psychiatre savait exactement depuis combien de temps le quotidien se trouvait là et il se rappelait parfaitement pourquoi il ne l'avait pas jeté.

En première page figurait un nom.

Le nom du monstre de l'affaire Kastner.

Au fil des jours, puis des semaines et des mois, d'autres papiers et dossiers s'étaient amassés sur ce bureau, recouvrant le journal. Le destin des nouvelles était d'être enterrées vivantes. *Au fond, nous voulons tous oublier*, pensa le psychiatre. Lui, en particulier, aurait préféré ne pas se souvenir du pleur déchirant de Maria Kastner qui, le temps passant, était devenu une plainte soumise, quasi imperceptible. Flores avait suivi personnellement la famille dans le parcours initial d'acceptation de la douleur. Il s'était débattu avec les silences et la fermeture de Bruno Kastner, il avait empêché Maria de s'effriter peu à peu. Il avait fait son travail au mieux, tant que la confrérie le lui avait permis. Puis, lentement, il s'était éloigné de la famille.

— Monsieur Vogel, vous venez de dire que ce soir, vous vous rendiez chez les Kastner pour leur donner une nouvelle, j'ai oublié laquelle.

— C'est exact.

— Mais vous ne vous souvenez pas que plus personne n'habite cette maison, désormais.

La nouvelle sembla atteindre Vogel comme un coup de poing en plein visage.

— Vous ne pouviez pas l'ignorer, poursuivit le psychiatre. Alors que s'est-il passé, vous l'avez oublié ?

Vogel se tut un moment, puis prononça des mots tout bas, comme un avertissement :

— Il y a quelque chose de sournois, ici...

Flores frissonna quand l'autre le regarda dans les yeux.

— Quelque chose de maléfique s'est insinué dans vos vies, poursuivit le flic. Anna Lou n'était qu'une porte, une façon d'entrer. Une jeune fille pure, inconsciente : la victime sacrificielle parfaite... Mais le dessein qu'il y a derrière sa disparition est bien plus pervers. Il est trop tard pour le salut. Ce quelque chose est ici, désormais, il ne veut plus partir.

À ce moment-là, un coup violent les contraignit à se tourner tous les deux vers la fenêtre. Ils constatèrent avec horreur que par-delà la vitre, on ne distinguait plus rien, comme si leurs paroles avaient réveillé un spectre dans le brouillard, un spectre en colère venu les faire taire.

120

Flores se leva de son fauteuil et alla ouvrir la fenêtre. Il regarda autour de lui sans comprendre, tandis que la brume glaciale lui caressait le visage. Puis il entrevit une tache sombre à côté de la gouttière.

C'était un corbeau.

Il s'était réveillé en plein cœur de la nuit et avait pris la lumière des lampadaires qui se reflétait dans la neige pour celle du jour, alors il s'était envolé. Puis il avait sans doute perdu le sens de l'orientation et il s'était écrasé contre la vitre de la fenêtre.

Les corbeaux étaient les premières victimes les nuits de brouillard, on en trouvait des dizaines le lendemain matin, dans les champs ou dans la rue.

Flores vit que l'oiseau bougeait encore, son bec tremblait légèrement. Comme s'il voulait parler. Puis il se tut pour toujours.

Le psychiatre referma la fenêtre et se tourna vers Vogel. Pendant quelques secondes, aucun des deux ne parla.

— Comme je vous l'ai dit, après ce qui s'est passé, je pensais qu'on ne vous reverrait pas par ici, affirma Flores.

— Moi aussi, je le croyais.

— L'enquête a été un désastre, n'est-ce pas ?

— C'est vrai, admit Vogel. Parfois cela arrive.

S'il voulait savoir ce que l'enquêteur était venu faire à Avechot un soir de froid et de brouillard, Flores devait le forcer à affronter ses fantômes.

— Vous considérez n'avoir aucune responsabilité dans l'échec de l'enquête ?

— Je n'ai fait que mon travail.

— C'est-à-dire ?

— C'est-à-dire : rendre les spectateurs heureux, dit Vogel avec un sourire délibérément forcé, avant de reprendre un ton sérieux. Nous avons tous besoin d'un monstre, docteur. Nous avons tous besoin de nous sentir meilleurs que quelqu'un, précisa-t-il en pensant à l'homme au 4 × 4 blanc. Moi, je leur ai donné ce qu'ils voulaient.

22 décembre
La veille de la disparition

— La première règle de tout grand romancier est de *copier*. Personne ne l'admet, mais tout le monde s'inspire d'une œuvre précédente ou d'un autre auteur.

Loris Martini regarda fixement la classe pour s'assurer que la majorité des élèves lui prêtait attention. Certains ricanaient ou parlaient à voix basse et, dès qu'il se retournait, d'autres lançaient des boules de papier, convaincus qu'il ne s'en apercevait pas. Pourtant, le professeur préférait donner son cours debout, en se promenant entre les tables. Il pensait que cela stimulait la concentration.

Mais ce matin-là il régnait une atmosphère d'ennui, comme toujours la veille des vacances de Noël. Le lycée allait fermer ses portes pour quinze jours et les élèves se sentaient déjà en congé. Il fallait trouver une idée pour encourager la participation.

— Autre chose, reprit-il. Ce ne sont pas les héros qui déterminent le succès d'une œuvre. Oubliez un instant la littérature et pensez à vos jeux vidéo… Qu'est-ce que vous aimez faire, dans un jeu vidéo ?

La question éveilla l'intérêt de la classe. Un des garçons qui lançaient des boules de papier intervint :

— Détruire ! affirma-t-il avec enthousiasme, suscitant l'hilarité générale.

— Bien, l'encouragea Martini. Et quoi d'autre ?

— Tuer, ajouta un deuxième.

— Excellente réponse. Mais pourquoi aimez-vous tuer de façon virtuelle ?

Priscilla, la plus jolie fille de la classe, leva la main. Martini l'invita à répondre.

— Parce que dans la réalité c'est interdit.

— Bravo, Priscilla, la félicita l'enseignant.

La fille baissa les yeux et sourit. Un de ses camarades mima sa réaction mielleuse pour se moquer d'elle. Priscilla répondit en levant son majeur.

Martini était satisfait : il les avait amenés là où il voulait.

— Vous voyez, le mal est le véritable moteur de tout récit. Un roman, un film ou un jeu vidéo où tout va bien n'intéresse personne… Rappelez-vous : c'est le méchant qui fait l'histoire.

— Les gentils ne plaisent à personne, intervint Lucas, qui était connu pour ses mauvaises notes, surtout pour son atitude, et pour son tatouage sur le crâne, qui pointait derrière son oreille.

Il se sentait visiblement concerné et, vu que les gentils ne plaisaient à personne, il avait enfin trouvé un moyen de se racheter.

Le professeur avait une sensation étrange chaque fois qu'il arrivait à un petit résultat avec la classe. Il se sentait récompensé. Il pouvait sembler difficile d'expliquer ce que signifiait atteindre un objectif qui pouvait sembler très modeste, mais pas pour un enseignant, pas pour Loris Martini. À ce moment-là, il était parfaitement conscient d'avoir semé une idée dans leurs têtes. Et que cette idée n'en partirait plus. Les notions pouvaient être oubliées, mais la formation spontanée de la pensée suivait un parcours différent. Cette idée allait les suivre pour le restant de leurs jours, cachée dans un coin de leur cerveau mais prête à surgir quand ils en auraient besoin.

Ce sont les méchants qui font l'histoire.

Ce n'était pas uniquement de la littérature. C'était la vie.

Quand ses collègues parlaient de la classe, ils utilisaient des expressions comme « matériel humain » pour indiquer les élèves, ou bien ils se plaignaient ou instauraient une discipline de fer facilement contournée. Le jour de la rentrée, nombre d'entre eux l'avaient mis en garde, lui expliquant qu'il était inutile de fonder le moindre espoir parce que le niveau était catastrophique. Martini devait admettre que, au début de l'année scolaire, il était pessimiste quant au rendement de son « matériel humain ». Pourtant, les semaines passant, il avait trouvé le moyen de se frayer un chemin au travers de leur défiance pour gagner petit à petit leur confiance.

À Avechot, il y avait deux valeurs importantes : la foi et l'argent. Même si leurs familles faisaient pour la plupart partie de la confrérie, les élèves se moquaient de la première et vénéraient la seconde.

L'argent était un sujet de conversation permanent. Les adultes du village qui s'étaient enrichis grâce à la compagnie minière exhibaient leur aisance en conduisant de grosses cylindrées ou en portant des montres coûteuses. Ils étaient admirés et respectés par la plupart des jeunes, qui avaient tendance à compatir avec ceux qui ne pouvaient se permettre certains luxes, y compris leurs parents.

Le lieu où la différence entre les deux catégories sociales d'Avechot était le plus visible était justement le lycée. Les enfants des plus aisés étaient habillés à la mode et équipés de gadgets hors de prix, à commencer par le dernier modèle de smartphone. Très souvent, cela créait des tensions. Il y avait eu des bagarres dans la cour à cause du mépris pour ceux qui ne pouvaient se permettre ces privilèges. Et même quelques cas de vol.

Aussi, quand Martini s'était présenté à la classe avec ses vestes de velours côtelé consumées aux coudes, ses pantalons de futaine et ses vieilles Clarks déformées, les élèves s'étaient moqués de lui. Il avait compris qu'il n'avait pas leur respect. Et il devait admettre que l'espace d'un instant, il s'était senti en décalage. Comme si, jusqu'à ce jour précis, il avait passé sa vie à poursuivre le mauvais objectif.

— Je ne vous donnerai pas de devoirs pour les vacances de Noël, déclara-t-il à la satisfaction générale, qui s'exprima par des cris de joie. De toute façon, je sais que vous ne les feriez pas. Mais, entre deux casses dans les boutiques et deux attaques de banques, je veux que vous lisiez au moins un livre de cette liste.

Il brandit une feuille de papier. Le mécontentement fut général.

Seul un des élèves ne dit rien.

Il avait passé tout le cours la tête penchée sur sa table au fond de la classe, occupé à écrire ou à gribouiller dans le grand cahier qu'il ne quittait jamais, de même que sa caméra. Enfermé dans son monde où personne ne pouvait entrer, pas même ses camarades, qui l'isolaient donc encore plus. Martini essayait de temps à autre, toujours en vain.

— Mattia, ça va pour toi de lire au moins un livre dans les deux prochaines semaines ?

L'autre leva les yeux de sa feuille, puis s'y replongea sans répondre.

À ce moment-là, la cloche sonna, annonçant la fin du cours.

Mattia récupéra rapidement son sac à dos et le skate qu'il rangeait sous sa table et fut le premier à sortir de la salle.

Martini regarda une dernière fois ses élèves.

— Passez un joyeux Noël… et ne faites pas trop de bêtises !

Dans les couloirs du lycée, le va-et-vient des élèves qui s'apprêtaient à sortir était frénétique. Certains couraient en bousculant Martini, qui avançait à une allure normale, son sac de toile vert en bandoulière, l'air perdu dans ses pensées, comme toujours.

— Professeur Martini ! Professeur ! l'appela-t-on.

Il se retourna et vit Priscilla qui se dirigeait vers lui avec un grand sourire. Elle s'habillait comme un garçon, avec cette parka verte trop large et ces rangers pour avoir l'air plus grande, pourtant Martini la trouva très gracieuse. Il ralentit pour l'attendre.

— Je voulais vous dire que j'ai déjà choisi le roman que je lirai pendant les vacances, affirma-t-elle sur un ton trop enthousiaste.

— Ah oui ? Lequel ?

— *Lolita.*

— Pourquoi celui-ci?

Martini s'attendait à ce qu'elle dise que l'héroïne lui ressemblait.

— Parce que je sais que ma mère n'approuvera pas.

Martini sourit à cette motivation. Dans le fond, les livres étaient une rébellion.

— Alors bonne lecture.

Il fit mine de partir, parce qu'il avait remarqué depuis longtemps que Priscilla en pinçait pour lui. Ses camarades aussi s'en étaient aperçus. Il évitait donc de se montrer avec elle en public, il ne voulait pas qu'on pense qu'il l'encourageait.

— Attendez, professeur, il y a autre chose, poursuivit-elle l'air gêné. Vous savez que demain je passe à la télévision? C'est moi qui vais tirer les numéros de la tombola de bienfaisance de la confrérie… C'est juste une télé locale, mais il faut bien commencer, non?

Priscilla avait exprimé plusieurs fois le souhait de devenir célèbre. Un jour elle voulait participer à une émission de téléréalité, le lendemain être chanteuse. Dernièrement, elle s'était mis en tête de devenir actrice. Elle n'avait pas d'idée précise sur comment accéder au succès. Peut-être tout cela n'était-il qu'un appel à l'aide, une façon de clamer à tout le monde qu'elle voulait quitter Avechot. Même s'il était probable que d'ici quelques années, elle rencontre un jeune homme qui la mettrait enceinte, la contraignant à passer le reste de sa vie dans cet endroit. C'était ce qui était arrivé à sa mère, dans le fond. Martini ne lui avait parlé qu'une fois, le jour de la réunion parents-professeurs. Elle était identique à sa fille, en plus âgée. Elles n'avaient qu'une quinzaine d'années de différence, pourtant la mère de Priscilla avait des rides profondes autour des yeux et une tristesse inéluctable dans le regard. Martini avait pensé à une petite reine du bal qui reste danser seule dans la salle avec son diadème et son sceptre quand les lumières sont éteintes et que chacun est rentré chez soi. Priscilla lui ressemblait beaucoup. Il savait qu'elle était parmi les plus courtisées du lycée et faisait beaucoup parler d'elle. Il avait lu des phrases dédiées à elle et à sa mère sur les murs des toilettes des garçons.

— Tu as parlé à quelqu'un de ton envie d'apprendre à jouer ?

— Ma mère ne serait pas d'accord, parce que les gens de la confrérie lui ont mis en tête que les actrices étaient des filles de rien. Pourtant, quand elle était jeune, elle a essayé d'être mannequin. Ce n'est pas juste qu'elle m'empêche de poursuivre mon rêve juste parce qu'elle n'a pas réussi à réaliser le sien.

En effet, c'était injuste.

— Tu devrais étudier l'art dramatique, peut-être que tu la convaincrais.

— Pourquoi, vous pensez que je ne suis pas assez belle pour percer ?

Martini secoua la tête pour la blâmer.

— J'ai fait du théâtre à l'université.

— Alors vous pourriez me donner des cours ! Je vous en prie, je vous en prie !

Les yeux de la jeune fille brillaient d'excitation. Il était impossible de lui dire non.

— D'accord. Mais tu devras travailler dur, sinon ce ne sera que du temps perdu.

Priscilla posa son sac par terre.

— Vous ne le regretterez pas, dit-elle en arrachant un morceau de la page d'un cahier où elle écrivit quelque chose. Voici mon numéro de portable. Vous m'appellerez ?

Martini acquiesça en souriant. Elle partit, heureuse comme un papillon.

— Joyeux Noël, prof !

Le professeur observa le numéro sur le papier, écrit avec un stylo à encre rose. Priscilla y avait même ajouté un petit cœur. Il le mit dans sa poche et poursuivit vers la sortie.

Devant le lycée, des élèves bavardaient en riant sur fond de bruit de scooters. Lucas, l'élève rebelle, en conduisait un. Tandis que Martini cherchait les clés de sa voiture dans son sac, le jeune homme passa à côté de lui et le frôla pour le taquiner.

— Quand est-ce que vous changez ce tas de ferraille, prof ?

Cela fit rire ses amis. Mais Loris Martini avait appris à ne pas répondre aux provocations de Lucas. Ils avaient eu un différend dans le passé et l'élève l'avait menacé.

— Dès que je gagne au Loto.

Il trouva enfin ses clés et ouvrit la portière de son vieux 4 × 4 blanc.

Le 22 décembre était l'un des jours les plus courts de l'année solaire. Quand Martini arriva chez lui, la lumière baissait déjà.

Il franchit le seuil et la vit, installée dans un fauteuil en rotin près de la fenêtre. Un plaid était posé sur ses jambes et elle dormait, un livre à la main.

130

Clea était tellement belle dans la lueur du crépuscule qu'il en eut le cœur serré.

Ses cheveux châtains avaient des reflets de feu. Une ombre tombait sur la moitié de son visage, comme une peinture. Il aurait voulu s'approcher pour embrasser ses lèvres entrouvertes. Mais sa femme avait l'air si sereine qu'il n'eut pas le cœur de la réveiller.

Il posa son sac sur le parquet et s'assit sur la première marche de l'escalier qui montait à l'étage. Les mains jointes sous le menton, il la contempla. Ils étaient ensemble depuis au moins vingt ans, ils s'étaient rencontrés à l'université. Elle étudiait le droit, lui les lettres.

« En général les futurs avocats ou juges ne se mêlent pas à ceux qui considèrent que la littérature est la seule façon de raconter le monde », lui avait-elle dit lors de leur première rencontre.

Elle portait des lunettes de vue à grosse monture noire épaisse, trop grandes pour son visage, avait-il pensé. Une salopette en jean, un tee-shirt rose où on apercevait le logo de la fac et une paire de tennis blanches usées par le temps. Elle serrait des livres de droit contre sa poitrine, une mèche rebelle lui tombait avec insistance sur le front, qu'elle repoussait en soufflant vers le haut. Ils se trouvaient dans le parc qui entourait le campus, la journée de printemps était radieuse. Loris portait un vieux survêtement gris, il sortait de son entraînement de basket du jeudi matin, en nage. Il lui avait fait signe de loin tandis qu'elle retournait à sa chambre et il avait couru vers elle avant qu'elle entre dans le dortoir des filles. Il avait les cheveux en désordre et la main posée sur le mur en brique du bâtiment. Il était bien plus grand qu'elle, pourtant Clea n'avait pas semblé intimidée. Elle le regardait comme si elle n'avait pas peur de lui dire ce qu'elle pensait. Et elle était sérieuse.

En général les futurs avocats ou juges ne se mêlent pas à ceux qui considèrent que la littérature est la seule façon de raconter le monde... Au début il avait pris ça pour une boutade, une sorte de joute amoureuse.

« Certes, mais ça n'empêche pas les futurs juges ou avocats de se nourrir régulièrement », avait-il répondu avec un sourire.

Elle l'avait regardé d'un air soupçonneux. Il y avait un avertissement dans son regard. *Tu crois vraiment que c'est si simple de coucher avec moi ?* Loris avait senti les grincements sinistres de son ego qui s'effondrait.

« Merci, mais je me nourris régulièrement toute seule », avait-elle répondu en lui tournant le dos, avant de monter rapidement l'escalier de l'entrée.

Il était resté paralysé par la surprise – et la déception. Pour qui se prenait cette arrogante ? Ils avaient fait connaissance quelques jours auparavant à une petite fête à base d'alcool et de sandwichs rances organisée par les étudiants de sciences naturelles. Il l'avait tout de suite remarquée, avec son pull noir et ses cheveux relevés. Il avait cherché un prétexte pour l'approcher. L'occasion s'était présentée quand il l'avait vue parler avec un type qu'il connaissait à peine et dont il avait oublié le prénom – Max ou Alex, peu importait. Il les avait rejoints avec l'excuse de le saluer, dans l'espoir qu'il la lui présente. Le type avait pris son temps, peut-être qu'il avait des vues sur elle, lui aussi. Finalement, gêné d'assister en silence à leur conversation, il avait pris les devants :

— Je suis Loris, avait-il dit en lui tendant la main.

— Clea.

Elle avait plissé le front – un geste qui deviendrait familier au fil des ans : curiosité mêlée à du scepticisme. C'était probablement ainsi que les primates se sentaient observés au zoo, mais à ce moment-là Loris l'avait trouvée adorable.

Il n'avait pas perdu de temps. Ils s'étaient échangé les informations de base pour démarrer une conversation. Dans quel département tu étudies, d'où tu viens, que feras-tu après l'université. Puis il avait cherché un intérêt commun, un fil subtil par où commencer la trame d'une relation. Il avait remarqué plusieurs choses chez elle : d'une beauté spontanée mais assez fière pour ne pas s'en servir, intelligente mais ne cherchant pas à tout prix à humilier les autres, progressiste et tolérante et, enfin, orgueilleusement indépendante.

Il en avait donc conclu que, pour toutes ces raisons, ce qu'ils avaient en commun était sans doute le basket.

Loris avait disserté avec beaucoup de naturel sur les schémas et les joueurs, Clea connaissait les statistiques et les scores des matches. Le championnat des campus universitaires n'avait aucun secret pour elle.

Ils avaient bavardé toute la soirée et il avait même réussi à la faire rire deux ou trois fois. Il était sûr que l'inviter à sortir ne serait pas un problème, mais il n'avait pas voulu tenter sa chance tout de suite. La prochaine fois, avait-il pensé. Avec une fille comme ça, il ne fallait pas être pressé.

Toutefois, l'épilogue de la matinée devant le dortoir des filles était totalement inattendu. Elle l'avait congédié froidement, quasi agacée. Sûrement agacée, même. Loris n'avait pas eu l'idée de l'envoyer promener intérieurement.

Pourtant, il avait eu du mal à digérer ce refus. Les jours suivants, il y avait repensé, parfois en secouant la tête d'un air amusé devant l'absurdité de la scène, mais souvent avec colère. Sans qu'il s'en aperçoive, un petit ver s'était insinué dans son esprit et creusait un vide qui nécessitait d'être rempli.

Il n'arrivait pas à l'oublier.

Alors il prit la décision la plus folle de sa vie. Il acheta un costume bleu foncé et une chemise blanche dans un grand magasin, ainsi qu'une petite cravate rouge absurde. Il peigna en arrière sa mèche rebelle et, après avoir investi dans un bouquet de roses une somme disproportionnée pour ses finances, il se présenta à 9 heures du matin devant la salle où avait lieu le cours de droit privé comparé. Et il attendit. Quand la masse d'étudiants fit irruption dans le couloir tel un fleuve en crue, Loris ne se laissa pas renverser. Il resta stoïquement immobile au milieu du courant, dans l'attente de croiser un regard précis. Quand cela arriva, Clea comprit tout de suite qu'il était là pour elle. Elle s'approcha sans hésiter.

Loris lui tendit les fleurs, sérieux.

— Me permets-tu de t'inviter à dîner ?

Elle observa le cadeau, puis le scruta en plissant le front. La première fois, il lui avait fait sa demande en survêtement, en nage après un entraînement de basket et l'air de quelqu'un qui est certain d'obtenir une réponse affirmative. Cette fois Loris y avait mis du sien pour lui prouver à quel point il la respectait, et il tenait à sortir avec elle. Il n'avait pas eu peur de friser le ridicule. Le visage de Clea s'éclaira.

— Avec plaisir, répondit-elle.

Il repensa à cet épisode en la regardant dormir avec le soleil hivernal qui descendait comme une caresse sur son visage. Loris Martini remarqua que cela faisait long-temps qu'il n'avait pas vu un tel sourire sur ses lèvres. Cette pensée lui fit mal.

Ils étaient arrivés dans la vallée six mois auparavant. C'était elle qui avait proposé de déménager. Il avait trouvé un poste à Avechot et ils s'y étaient installés sans se poser de questions. Il n'était pas certain qu'un petit village de montagne soit le bon endroit pour recom-mencer, mais Clea avait été déterminée et déterminante dans son choix de partir. Pourtant, aujourd'hui, Martini craignait que sa femme ne soit pas heureuse. Il l'étudiait à distance, essayant de percevoir le signe de quelque chose qui n'allait pas. Peut-être que tout s'était passé trop vite. Peut-être qu'ils n'avaient fait que fuir, au final.

La chose, pensa-t-il. Oui, tout est la faute de *la chose*.

Cleà se réveilla doucement. D'abord elle ouvrit légè-rement les yeux, puis elle lâcha son livre et écarta les bras pour s'étirer. Au milieu de son geste, elle s'arrêta en s'apercevant de sa présence.

— Hé, le salua-t-elle avec une esquisse de sourire.

— Hé, lui répondit-il, toujours assis sur la marche.

— Depuis combien de temps tu es là ?

— Je viens d'arriver, mentit-il. Je ne voulais pas te déranger.

Clea écarta le plaid et regarda l'heure.

— Ouh, j'ai dormi longtemps. Il ne fait pas un peu froid, ici ? demanda-t-elle ensuite en serrant les bras contre sa poitrine.

— Peut-être que le chauffage ne s'est pas encore mis en route.

En réalité, ce matin-là, il avait décalé le démarrage de deux heures. La dernière facture avait été salée.

— Je m'en occupe et je vais faire un feu, aussi, dit-il en se levant. Monica n'est pas là ?

— Je pense qu'elle est dans sa chambre, répondit Clea avec inquiétude. À son âge, ce n'est pas bon de s'isoler comme elle le fait.

— Tu étais comment, toi, à son âge ? demanda-t-il pour dédramatiser.

— J'avais des amis.

— Moi, j'avais un masque de boutons et je passais mon temps à grattouiller une guitare. Imagine, je pensais que si j'apprenais à bien jouer, je serais accepté par les autres.

Mais Clea ne fut pas dupe. Elle était vraiment inquiète pour sa fille. Elle ne trouvait pas son attitude saine.

— À ton avis, elle nous cache quelque chose ?

— Oui, mais je ne pense pas que ça soit un problème, affirma Martini. À seize ans, c'est normal d'avoir des secrets.

23 décembre
Le jour de la disparition

À 6 heures du matin, il faisait encore noir.

Martini s'était levé tôt. Sa femme et sa fille dormaient encore. Il s'était préparé un café et l'avait bu debout, adossé à un meuble de la cuisine, savourant la tiédeur de la boisson dans l'atmosphère jaunâtre générée par le lustre accroché au-dessus de la table. Lentement, perdu dans ses pensées. Il portait des vêtements techniques et des chaussures de randonnée : il avait annoncé à Clea la veille au soir qu'il partirait en excursion dans la montagne.

Il sortit de chez lui vers 7 heures. La température était froide mais agréable. L'air piquait et les odeurs du bois étaient descendues jusque dans la vallée, chassant temporairement les effluves désagréables qui provenaient de la mine d'extraction. Il chargea son sac à dos dans son 4 × 4 et entendit son nom.

— Hé, Martini !

De l'autre côté de la rue, son voisin lui faisait signe, le bras levé. Loris lui répondit. Les Odevis s'étaient montrés cordiaux dès le début avec Clea et lui. Mari et femme avaient le même âge qu'eux, même si leurs enfants étaient beaucoup plus jeunes que Monica. Martini avait compris que M. Odevis avait des intérêts dans le bâtiment, mais il avait entendu dire que ses capitaux provenaient de la vente d'un terrain à la société minière. Ils s'en sortaient bien. Il était un peu fouineur, mais fondamentalement inoffensif. Sa femme était toujours bien mise et impeccable, on aurait dit une ménagère tout droit sortie d'une publicité des années cinquante.

— Où vas-tu de beau ? demanda Odevis.

— Je monte au pas, puis je poursuis vers le versant est. Je ne l'ai jamais exploré.

— La prochaine fois, je viens avec toi. J'aurais besoin de perdre quelques kilos, rit-il en tapant son ventre proéminent. Moi, je vais promener la chienne, ajouta-t-il en indiquant le garage ouvert et la Porsche bleue qui y était garée.

C'était son dernier joujou. Odevis aimait dépenser son argent et l'exhiber.

— La prochaine fois, c'est moi qui viens avec toi, lui répondit Martini.

— Alors, c'est confirmé pour Noël ?

— Bien sûr.

— On tient vraiment à vous avoir avec nous.

Clea avait accepté l'invitation sans le consulter, mais Martini ne lui avait rien reproché. Sa femme passait ses journées à la maison et il était compréhensible qu'elle veuille socialiser un peu. En plus, il lui semblait que les Odevis étaient à la recherche de nouveaux amis, peut-être parce qu'à cause de leur récent train de vie leurs relations avec leurs anciennes connaissances s'étaient un peu refroidies.

— Bien, alors bonne balade, dit l'homme en se dirigeant vers sa Porsche.

Le professeur le salua de nouveau et monta dans son vieux 4 × 4 blanc, qui avait accumulé trop de kilomètres et qui montrait des signes indéniables de fatigue, sous la forme de vibrations bruyantes et de fumée d'échappement trop dense. Il démarra et s'éloigna vers les montagnes, tandis que l'obscurité se dissipait.

Quand il rentra, il faisait déjà nuit. Il ouvrit la porte d'entrée et fut assailli par une odeur de soupe et de rôti. Il était presque 20 heures et ce parfum était le prélude d'une belle récompense après cette journée fatigante.

— C'est moi ! lança-t-il.

Mais personne ne répondit. Dans le couloir, il n'y avait que la lumière qui provenait de la cuisine et le bruit de la hotte empêchait sans doute Clea de l'entendre. Martini posa son sac par terre et retira ses chaussures pour ne pas salir le sol. Il avait de la boue partout et un bandage de fortune à la main gauche, mais il saignait toujours. Il la cacha derrière son dos et se dirigea pieds nus vers la cuisine.

Comme il s'y attendait, Clea était occupée aux fourneaux. Elle jetait parfois un coup d'œil au petit téléviseur posé sur un placard.

— Salut, dit Martini en essayant de ne pas lui faire peur.

— Salut, répondit-elle en se tournant vers lui avant de se concentrer à nouveau sur le téléviseur. Tu rentres tard.

La phrase avait été jetée là, sans véritable intention de reproche. En réalité, sa femme pensait à autre chose.

— J'ai essayé de t'appeler sur ton portable pendant tout l'après-midi, ajouta-t-elle.

Martini fouilla dans sa poche et en sortit l'appareil. L'écran était éteint.

— Il a dû se décharger, je ne m'en suis pas rendu compte. Excuse-moi.

Clea ne l'écouta pas. Oui, son ton était différent, Loris comprenait tout de suite quand quelque chose l'inquiétait. Il se colla à elle et lui déposa un petit baiser dans le cou. Clea tendit une main pour le caresser, mais sans quitter l'écran des yeux.

— Une jeune fille a disparu à Avechot, dit-elle en indiquant le JT local.

Le bruit de la hotte couvrait la voix du speaker.

Martini se pencha par-dessus son épaule pour regarder.

— Ça s'est passé quand ?

— Il y a quelques heures, dans l'après-midi.

— Il est peut-être un peu tôt pour affirmer qu'elle a disparu, dit-il pour la rassurer.

Clea se tourna vers lui, inquiète.

— Ils la cherchent déjà.

— Elle est peut-être partie de chez elle. Elle a dû se disputer avec ses parents.

— Il semble que non, répondit Clea.

— À cet âge, les jeunes passent leur temps à fuguer. Je les connais, je les côtoie tous les jours. Tu vas voir, elle reviendra dès qu'elle n'aura plus d'argent. Tu prends toujours les choses trop à cœur.

— Elle a le même âge que notre fille.

Martini comprit ce qui la rendait si anxieuse. Il lui enserra les hanches et l'attira à lui, il lui parla doucement comme lui seul savait faire.

140

— Écoute, c'est la nouvelle d'une chaîne locale, si c'était si grave que ça tous les journaux télévisés en parleraient.

— Tu as peut-être raison, admit Clea. En tout cas elle est dans ton lycée.

À ce moment apparut sur l'écran l'image d'une adolescente rousse avec des taches de rousseur. Martini la dévisagea puis secoua la tête.

— Ce n'est pas une de mes élèves.

— Qu'est-ce que tu t'es fait ?

Le professeur avait oublié sa main bandée.

— Oh, rien de grave, minimisa-t-il.

Elle observa sa paume blessée.

— Tu saignes beaucoup.

— J'ai glissé dans un talus, pour me rattraper je me suis accroché à une branche et je me suis coupé. Mais c'est superficiel.

— Pourquoi tu ne vas pas aux urgences ? Tu as peut-être besoin de points de suture.

— Mais non, dit Martini en retirant sa main, pas besoin. Ce n'est rien. Je vais aller nettoyer la blessure, changer le bandage et tu verras, ça va guérir tout seul.

Clea croisa les bras.

— Tu es toujours aussi têtu, tu ne fais jamais ce qu'on te dit.

— Parce que quand tu t'énerves, ça te rend encore plus belle.

Clea secoua la tête mais ne put s'empêcher de sourire.

— Va te laver, plutôt : tu pues le chevreuil !

Le professeur porta sa main blessée à son front et lui adressa un salut militaire.

— À vos ordres !

— Et dépêche-toi, le dîner est presque prêt, lui intima Clea tandis qu'il s'éloignait vers le couloir.

Dans le séjour, mari et femme se regardaient en silence pendant que le dîner refroidissait sur la table.

— Je vais monter et elle va m'entendre, menaça Clea.

Le professeur tendit la main pour caresser celle de son épouse.

— Laisse tomber, elle ne va pas tarder à descendre.

— Je l'ai appelée il y a vingt minutes et ensuite tu as frappé à sa porte. Je suis fatiguée d'attendre.

Il aurait voulu lui dire qu'elle ne faisait qu'empirer les choses, mais il craignait toujours d'interférer dans la délicate dynamique entre la mère et la fille. Clea et Monica avaient une façon de communiquer bien à elles. Elles s'affrontaient souvent, parfois pour des raisons futiles. Mais la plupart du temps elles s'en tenaient à une sorte d'armistice tacite, parce qu'elles étaient toutes deux orgueilleuses mais devaient continuer à vivre sous le même toit.

Ils entendirent la porte de la chambre de leur fille qui se refermait, puis ses pas dans l'escalier. Monica arriva dans le séjour tout habillée de noir, y compris son gilet trop grand et le trait de crayon sous ses yeux, qui durcissait son regard si tendre. C'était peut-être ce qu'elle recherchait, pensa Martini. Il expliquait à sa femme que sa fille traversait sa période *dark*, mais Clea répondait que cela durait depuis trop longtemps.

— On dirait une veuve, je ne la supporte plus, disait-elle.

Elles étaient identiques, pas uniquement physi-
quement. Martini trouvait chez l'une l'air juvénile de
l'autre, la même façon d'approcher le monde.

Monica s'assit à table sans leur accorder un regard.
La tête baissée, sa frange retombant sur ses yeux comme
un écran protecteur providentiel. Ses silences avaient
des airs de défi.

Martini coupa le rôti et fit le service, réservant son
assiette pour la fin. Il essayait de capter l'attention de
Clea pour qu'elle ne se lance pas dans une remontrance,
mais il lisait sur son visage qu'elle était sur le point
d'exploser.

— Alors, comment ça s'est passé aujourd'hui ?
demanda-t-il à sa fille avant que la dispute éclate.

— Comme d'habitude.

— J'ai appris que vous aviez eu une interrogation-
surprise en maths.

— Oui.

Monica jouait avec sa fourchette dans son assiette,
déplaçant la nourriture mais ne portant à ses lèvres que
de toutes petites bouchées.

— Tu as été interrogée ?

— Oui.

— Tu as eu combien ?

— Six, répondit-elle sur un ton aussi provocateur que
la stérilité de ses réponses.

Martini n'avait pas le cœur à la condamner. Dans
le fond, elle avait été la seule à n'avoir pas voix au
chapitre dans la décision de déménager à Avechot. Ils
étaient restés vagues sur les raisons. Monica n'avait pas
eu d'autre alternative que de subir le choix absurde et
incompréhensible de ses parents, mais elle était trop

maligne pour ne pas comprendre qu'on lui demandait de payer le prix d'une fuite.

La chose, se rappela Martini.

— Tu devrais chercher quelque chose à faire, Monica, commença Clea. Tu ne peux pas passer tout l'après-midi enfermée dans ta chambre.

Martini constata que sa fille ne répondait pas, mais sa femme n'avait pas l'intention de baisser les bras.

— Fais une activité, n'importe quoi. Va patiner, inscris-toi à la salle de gym, choisis un instrument de musique.

— Et qui me paiera les cours?

Monica avait levé les yeux de son assiette et fixait sa mère. Mais Martini savait qu'en réalité la phrase s'adressait à lui.

— Nous trouverons un moyen, n'est-ce pas, Loris?

— Oui, bien sûr.

Mais sa réponse n'était pas des plus encourageantes. Monica avait raison, avec son salaire, ils ne pouvaient pas se le permettre.

— Tu ne peux pas passer ton temps toute seule.

— Je peux toujours aller à la confrérie. C'est gratuit.

— Je dis seulement que tu as besoin de te faire des amis.

Monica frappa du poing sur la table, les couverts tintèrent.

— J'en avais, des amis, mais devine quoi: j'ai dû les abandonner!

— Tu vas vite t'en faire d'autres, la rassura Clea.

Martini perçut chez elle une petite faille, comme si elle ne savait pas quoi répondre.

144

— Je veux rentrer, je veux rentrer chez moi, protesta la jeune fille.

— Que tu le veuilles ou non, désormais notre chez-nous est ici.

Une fois encore les mots de Clea étaient forts, mais son ton traduisait une faiblesse.

Alors Monica se leva de table et monta l'escalier en courant pour s'enfermer à nouveau dans sa chambre. La porte claqua, puis ce fut le silence.

— Elle n'a même pas fini de manger, observa Clea.

— Tout à l'heure, je monterai la voir et je lui apporterai quelque chose à manger.

— Je ne comprends pas pourquoi elle est aussi hostile.

En fait, Clea comprenait très bien, Martini en était certain. De même qu'il était convaincu que, par dépit, sa fille repousserait la nourriture qu'il lui apporterait. Autrefois, les choses étaient différentes. Il jouait les médiateurs entre la mère et la fille. Mais dans tous les cas, il se sentait le drôle de type dégingandé qui vivait avec elles deux, qui se rasait le visage et non pas les jambes, qui ne démarrait pas au quart de tour une semaine par mois et qui tentait de temps en temps de donner son avis. Avec Monica, le rôle du père taciturne mais compréhensif avait toujours fonctionné. Puis quelque chose s'était brisé dans leur famille.

Mais il était convaincu de pouvoir arranger la situation.

Clea était au bord des larmes. Il savait reconnaître les pleurs nerveux. Cette fois, il s'agissait de larmes de douleur.

C'est à cause de la jeune fille qui a disparu, se dit-il. *Elle pense que ça pourrait arriver à notre fille, parce qu'elle ne la connaît plus assez.*

Martini se sentit coupable. Parce qu'il n'était qu'un prof de lycée, parce qu'il avait un salaire de misère, parce qu'il n'avait pas su offrir une autre vie aux deux femmes qu'il aimait le plus au monde et, enfin, pour avoir enfermé sa famille dans les montagnes, à Avechot.

Clea se remit à manger, mais les larmes coulèrent sur ses joues. Martini ne voulait plus la voir dans cet état.

Oui, il allait tout arranger, rétablir l'ordre des choses : il se le jura à lui-même.

25 décembre
Deux jours après la disparition

Le matin de Noël, le centre d'Avechot était noir de monde. Comme si les gens achetaient leurs cadeaux au dernier moment.

Martini flânait entre les rayonnages d'une librairie en parcourant les quatrièmes de couverture des romans en quête de lecture pour les vacances. Il avait des copies à corriger et il n'avait pas terminé de remplir les bulletins scolaires du premier trimestre, mais il ne voulait pas renoncer à un peu de temps pour lui. En réalité, il y avait encore beaucoup à faire dans la maison. Des petits travaux qu'il repoussait, mais que, sans aucun doute, Clea ne manquerait pas de lui réclamer. Comme le cabanon du jardin. Quand ils avaient choisi leur lieu de vie, sa femme était tombée amoureuse du petit espace vert derrière la maison. Elle pensait cultiver un potager ou planter des roses. Le cabanon était en mauvais état, mais Loris lui avait suggéré de le transformer en serre. Malheureusement pour lui, Clea avait accueilli sa proposition avec trop d'enthousiasme. Elle pensait qu'il n'attendrait pas l'été pour le rénover, qu'il serait prêt dès cet hiver. Il lui faudrait passer des heures dehors dans le froid, mais cela valait la peine s'il obtenait un sourire de gratitude.

À ce moment-là, il vit Clea entrer dans la librairie et le chercher du regard. Il lui fit un signe. Elle portait un sachet fermé par un ruban et ses yeux brillaient.

— Alors, tu as trouvé ? lui demanda-t-il quand elle le rejoignit.

— Exactement celles qu'elle voulait, acquiesça-t-elle.

— Bien. Elle arrêtera de nous détester… Au moins pour un moment.

Ils rirent.

— Et toi, que veux-tu ?

— Moi, j'ai déjà mon cadeau, dit-elle en lui enlaçant la taille.

— Allez, il y a bien quelque chose.

— «Je ne possède ni ne poursuis aucun plaisir. Sinon ce que j'ai déjà de toi ou que de toi je peux avoir», répondit-elle.

— Arrête de citer Shakespeare à mauvais escient et dis-moi ce que tu veux.

Il s'aperçut que le sourire de Clea s'était évanoui. Elle avait vu quelque chose derrière lui. Martini se retourna.

Non loin d'eux, la propriétaire de la librairie affichait derrière la caisse un tract avec le visage de la jeune fille disparue.

— Je ne peux pas imaginer comment se sentent les Kastner, disait-elle à une cliente. Toutes ces heures sans savoir ce qu'est devenue leur fille.

— Quelle tragédie, convint l'autre.

Martini saisit délicatement le menton de sa femme et la contraignit à se tourner à nouveau de l'autre côté.

— Tu veux qu'on parte ?

Elle acquiesça en se mordant la lèvre inférieure.

Un peu plus tard, posté devant le supermarché à côté d'un Caddie chargé de victuailles, le professeur attendait. Ils avaient profité des promotions de Noël pour faire les courses pour un mois. Après s'être fait prier, Clea s'était décidée à jeter un coup d'œil à une boutique de vêtements pour se choisir un cadeau. Il espérait la voir sortir avec quelque chose. Il fixait sa main gauche bandée. Il avait eu mal toute la nuit, au point de prendre un antidouleur qui ne l'avait pas aidé à dormir. Le matin, il avait à nouveau changé son bandage, mais il aurait eu besoin d'un antibiotique, la blessure risquait de s'infecter.

Il oublia sa main en apercevant au loin un visage familier.

Priscilla était assise sur le dossier d'un banc à côté d'un kiosque à hot dog, en compagnie de quelques amis. Ils plaisantaient mais semblaient s'ennuyer. Martini observa longuement sa plus jolie élève. Elle mastiquait un chewing-gum et se rongeait les ongles de temps en temps. Un garçon lui murmura quelque chose à l'oreille, elle sourit avec malice.

— Je pense avoir employé toute mon imagination pour trouver quelque chose qui me plaise vraiment dans ce magasin, dit Clea en se plantant devant son mari, un sac rouge à la main. Ta-taaa !

— Qu'est-ce que c'est ?

— Une écharpe très fine en fibre d'acrylique.

Martini l'embrassa sur les lèvres.

— Je ne doutais pas que tu critiquerais même le cadeau que tu t'es choisi toute seule.

Clea le prit par la main et poussa le chariot. Elle avait l'air heureuse.

— Je le dis toujours : en affaires, il faut savoir saisir les occasions.

Odevis parlait en ravivant de temps à autre le feu dans la grande cheminée de pierres avec un tison.

Loris et Clea étaient assis sur un des canapés blancs du salon. À leurs pieds, un tapis en poils de la même couleur et une table basse en cristal. Derrière eux, les restes du déjeuner de Noël étaient toujours sur la table et les bougies rouges décoratives se consumaient lentement. Il y avait aussi un grand sapin orné de guirlandes et de boules, qui arrivait presque jusqu'au plafond. D'une façon générale, tout dans cette maison avait un aspect à la fois opulent et un peu kitsch.

— Sans me vanter, j'ai toujours compris où allait l'argent, souligna le voisin pour renforcer la thèse qu'il venait de soutenir. C'est une question d'instinct. Certains en ont, d'autres non.

Martini et sa femme acquiescèrent à défaut de savoir quoi dire.

— Voilà le café, annonça la radieuse Mme Odevis en apportant un plateau en argent avec les tasses.

Martini vit qu'elle portait encore le collier en or et diamants que son mari lui avait offert, même si le contexte aurait dû lui suggérer quelque chose de moins ostentatoire. L'ouverture des paquets avait eu lieu en leur présence, avant de se mettre à table. Les Odevis ne s'étaient pas souciés de la gêne que cela pouvait procurer aux invités. Ils avaient voulu étaler leur opulence, Martini était en colère mais Clea ne lui avait pas encore

150

donné le signal du départ. Il se demanda pourquoi. Peut-être que sa femme tenait vraiment à l'amitié de ces rustres enrichis.

Pendant qu'ils discutaient, les enfants du couple, un garçon et une fille de dix et douze ans, jouaient sur la console reliée au grand écran plasma. Le volume d'un jeu de guerre était trop élevé mais personne ne leur disait de baisser. Monica, elle, était enfoncée dans un fauteuil, les jambes posées sur un des bras, ses rangers toutes neuves bien en vue. Le cadeau de Noël de ses parents n'avait pas éraflé sa carapace et, maintenant, elle pianotait sur son téléphone sans dire un mot depuis trois heures.

— Certains prétendent que la mine a tué l'économie de la vallée, mais c'est une absurdité ! poursuivit Odevis. À mon avis, ce sont les gens qui n'ont pas été assez malins pour en profiter. À propos, Clea, j'ai entendu dire qu'avant d'arriver à Avechot, tu étais avocate.

— Oui, admit-elle à grand-peine. Je travaillais comme associée dans un cabinet en ville.

— Et tu n'as pas voulu reprendre ici ?

Clea évita de regarder son mari.

— C'est difficile, dans un endroit qu'on ne connaît pas bien.

La vérité était qu'il aurait été trop coûteux d'ouvrir un cabinet.

— Alors je veux te faire une proposition, dit l'homme en souriant à sa femme qui l'encouragea à poursuivre. Viens travailler pour moi, on a toujours besoin de quelqu'un qui s'occupe de la paperasse légale. Tu serais parfaite comme secrétaire.

Clea ne dit rien. Elle se sentait en difficulté. Elle s'était querellée plusieurs fois avec son mari parce qu'elle voulait chercher un travail. Martini ne voulait pas qu'elle se contente d'un emploi de vendeuse, or secrétaire ne représentait certes pas un grand progrès.

— Je te remercie beaucoup, déclara-t-elle enfin avec un sourire de circonstance. Mais pour l'instant je préfère me consacrer à la maison, il y a encore beaucoup à faire, on dirait que les déménagements ne finissent jamais.

À ce moment-là, Martini s'aperçut que sa fille s'était soudain désintéressée de son portable et que, après avoir levé les yeux au ciel, elle l'avait fixé avec un regard clairement accusateur.

La proposition et le refus avaient créé un malaise, qui fut dissipé par la sonnerie providentielle du téléphone de la maison. Odevis alla répondre et, après avoir échangé quelques mots avec un mystérieux interlocuteur, raccrocha et prit la télécommande du téléviseur plasma.

— C'était le maire, annonça-t-il. Il m'a dit de regarder la télé.

Puis il changea de chaîne, ignorant les protestations de ses enfants en pleine partie de jeu vidéo.

Sur l'écran apparurent les visages éprouvés de Maria et Bruno Kastner.

Le père de la jeune fille montrait à la caméra une photo de leur fille en tunique blanche et crucifix en bois. La mère regardait fixement l'objectif.

« Notre fille Anna Lou est gentille, ceux qui la connaissent savent qu'elle a un grand cœur : elle aime les chats et elle fait confiance aux gens. Aujourd'hui, nous nous adressons aussi à ceux qui ne l'ont pas connue durant ses seize premières années de vie : si vous l'avez vue où si vous savez où elle se trouve, aidez-nous à la faire rentrer à la maison.»

Dans le salon des Odevis, comme probablement dans d'autres maisons d'Avechot, le climat de fête prit fin. Martini se tourna discrètement vers Clea qui, les yeux écarquillés et pleins de peur, observait cette femme comme si elle se regardait dans un miroir.

Quand Maria Kastner s'adressa ensuite directement à sa fille, la tiédeur de Noël s'évanouit, laissant place à un présage glacial dans tous les cœurs.

«Anna Lou… maman, papa et tes frères t'aiment très fort. Où que tu sois, j'espère que tu entends notre voix et notre amour. Quand tu rentreras à la maison, nous t'offrirons le petit chat que tu désires tant, Anna Lou, je te le promets… Le Seigneur te protège, ma petite fille.»

Odevis éteignit le téléviseur et se servit un verre de whisky.

— Le maire dit qu'un gros bonnet de la police est déjà arrivé à Avechot pour coordonner l'enquête. Un de ceux qu'on voit souvent à la télé.

— Au moins ça bouge, dit sa femme. Il ne me semble pas que les autorités locales se soient beaucoup impliquées dans les recherches jusqu'ici.

— Ils ne sont bons qu'à mettre des PV.

Odevis en savait quelque chose : il en avait pris plusieurs pour excès de vitesse avec sa Porsche.

Martini écoutait en buvant son café, sans intervenir.

— Quoi qu'il en soit, poursuivit Odevis, moi je ne crois pas à l'histoire de la petite sainte-nitouche qu'on raconte partout. À mon avis, Anna-Lou avait quelque chose à cacher.

— Comment peux-tu dire une chose pareille ? demanda Clea, indignée.

— Parce que c'est toujours comme ça. Peut-être qu'elle a fugué parce que quelqu'un l'a mise enceinte. Ça arrive à cet âge, ils couchent ensemble et ils regrettent quand c'est trop tard.

— Alors elle est où, maintenant, à ton avis ?

— Je n'en sais rien ! Elle reviendra. Ses parents et tous les autres de la confrérie tenteront d'étouffer l'affaire.

Clea attrapa la main de son mari, celle au bandage. Elle la serra sans se soucier de sa blessure. Martini encaissa la douleur, il ne voulait pas que sa femme se dispute. Il y avait toujours beaucoup à apprendre de gens aussi limités qu'Odevis. En effet, le voisin ne manqua pas d'achever son chef-d'œuvre de logique.

— Moi, je dis que ça doit être un de ces étrangers qui viennent me voir de temps en temps pour chercher du travail. Que ce soit clair : je ne suis pas raciste. Mais à mon avis ils devraient limiter l'entrée des personnes qui viennent de pays où le sexe est interdit. Forcément, ensuite ils viennent assouvir leurs besoins sur nos filles.

Martini se demanda pourquoi les racistes, avant de parler, jugeaient toujours nécessaire de préciser qu'ils ne l'étaient pas. Clea était au bord de l'explosion, mais, par chance, Odevis s'adressa à lui.

— Toi, Loris, qu'en penses-tu ?

Le professeur prit son temps avant de répondre.

— Il y a quelques jours, quand nous commentions la nouvelle avec Clea, je lui ai dit qu'Anna Lou avait probablement fugué et que tout rentrerait vite dans l'ordre. Mais maintenant, je pense que ça fait trop longtemps…

On ne peut pas exclure qu'il lui soit arrivé quelque chose.

— Oui, mais quoi ? insista Odevis.

Martini savait que ce qu'il allait dire augmenterait l'angoisse de Clea.

— Je suis un parent, et même un parent désespéré garde toujours un peu d'espoir, mais… Les Kastner devraient commencer à se préparer au pire.

Cette affirmation fit taire tout le monde. Ce ne fut pas tant l'effet du sens de ces mots, mais plutôt le ton sur lequel ils avaient été prononcés. Un ton convaincu, privé d'incertitudes.

— On remet ça l'an prochain ? proposa le voisin, un bras autour des épaules de sa femme, sur le seuil de leur splendide villa kitsch.

— Bien sûr, répondit le professeur sans conviction.

Monica était déjà rentrée chez eux, Clea et lui saluaient leurs hôtes.

— Bien, dit Odevis. Alors c'est décidé.

Martini et sa femme s'éloignèrent, enlacés. Pendant qu'ils traversaient la rue, ils entendirent le bruit de la porte qui se refermait dans leur dos. Clea s'éloigna un peu trop brusquement de son mari.

— Qu'est-ce qu'il y a ? Qu'est-ce que j'ai fait ?

— C'est parce qu'il m'a proposé un travail de secrétaire, pas vrai ? demanda-t-elle, en colère.

— Quoi ? Je ne comprends pas…

— Quand tu as dit ces trucs sur la famille d'Anna Lou. Que les Kastner devraient commencer à se préparer au pire…

— Et alors ? C'est ce que je pense.

— Non, tu l'as dit exprès. Tu as voulu me punir parce que je n'ai pas décliné l'offre d'Odevis avec assez d'affirmation.

— S'il te plaît, Clea, ne commence pas.

— Ne me dis pas de rester calme ! Tu sais très bien à quel point cette histoire m'a touchée. Ou bien tu as oublié que nous avons une fille de seize ans et que tout ça se passe dans l'endroit où *nous* avons décidé de l'emmener contre sa volonté ?

Clea avait croisé les bras et tremblait, pas uniquement de froid.

— D'accord, tu as raison. Je n'aurais pas dû.

Sa femme le regarda droit dans les yeux et comprit qu'il était sincèrement désolé. Elle s'approcha et posa sa tête sur son torse. Martini l'enlaça pour la réchauffer. Puis Clea leva le menton pour chercher son regard.

— Je t'en prie, dis-moi que tu ne le pensais pas vraiment.

— Je ne le pensais pas, mentit-il.

27 décembre
Quatre jours après la disparition

Ils arrivaient en groupes, ou bien seuls. Certains avaient emmené leur famille. Le va-et-vient était continu mais organisé. Ils s'approchaient de la maison et déposaient par terre un petit chat en tissu, en céramique ou en peluche. La lumière des bougies se reflétait sur leurs visages. Ils se recueillaient dans cette oasis de lumière et de chaleur au milieu de l'obscurité et du froid du soir et ils trouvaient du réconfort.

Clea avait vu à la télévision les images du pèlerinage spontané devant la villa des Kastner et elle avait tout de suite demandé à son mari de l'accompagner. Monica était restée à la maison, mais elle avait offert une de ses peluches préférées pour que sa mère l'apporte en cadeau à la jeune fille disparue.

Un petit chat rose.

Clea et sa fille s'étaient beaucoup rapprochées. *Le pouvoir du mal qui arrive à un autre*, pensa Martini. Il constituait un baume dans la vie des étrangers, qui redécouvraient ainsi la vraie valeur des choses. Par peur de les perdre, ils s'empressaient de les choyer, avant que quelqu'un ou quelque chose ne les emporte. Les Kastner n'avaient pas eu le temps. Ils avaient hérité le rôle ingrat d'être le début de la chaîne, de passer le message aux autres.

Le professeur se tenait dans sa voiture, garée à une centaine de mètres de la villa où avait grandi Anna Lou. Un cordon de police empêchait les véhicules d'approcher. Les gens affluaient à pied. Clea s'était agrégée à la petite foule, il avait préféré l'attendre.

Sa main bandée posée sur le volant, Martini observait la scène à travers le pare-brise.

Il y avait les fourgons des chaînes de télévision et les envoyés spéciaux des journaux télévisés, chacun éclairé par le faisceau d'un petit réflecteur. Ils racontaient le passé et le présent sans connaître le futur. Une tactique délibérée pour gagner de l'audience, laisser planer un secret sur toutes les histoires. Reporters, photographes et journalistes avaient accouru en masse, attirés par l'odeur de la douleur, qui était plus forte que celle du sang. D'ailleurs, le sang ne coulait pas encore à Avechot. La douleur des autres produisait d'étranges effluves, forts et poignants, mais aussi séduisants.

Il y avait aussi les gens. Communs. Beaucoup de simples curieux, mais de nombreux autres venus pour prier. Le professeur n'avait jamais été un homme de foi, il était donc étonné de voir à quel point les gens s'en remettaient aveuglément à Dieu dans de tels moments. Une jeune fille de seize ans avait disparu et sa famille était en peine depuis des jours. Un Dieu vraiment bon ne l'aurait jamais permis, pourtant c'était arrivé. Alors pourquoi le Dieu qui avait laissé ça se produire aurait-il dû remettre les choses dans l'ordre ? Même s'il existait, il ne le ferait pas. Il laisserait les choses suivre leur cours naturellement. Et puisque la nature prévoyait que la création soit précédée et suivie de la destruction, Anna Lou Kastner était sacrifiable, aux yeux du Seigneur. Là était peut-être la clé : le sacrifice. Sans sacrifice, il n'existait pas de foi, il n'existait pas de martyrs. Et dans le fond, ici-bas on commençait déjà à la sanctifier.

À ce moment-là, un groupe de lycéens passa devant le 4 × 4 blanc. Martini reconnut Priscilla. Elle suivait les autres, les mains dans les poches de sa parka verte, le dos courbé. Elle avait l'air triste.

Le professeur hésita puis sortit son portefeuille de la poche arrière de son pantalon. Il l'ouvrit et regarda le petit papier sur lequel Priscilla, juste avant les vacances, avait noté son numéro de portable dans l'espoir de recevoir de précieux cours d'art dramatique. Martini prit son téléphone et écrivit un message. Ensuite il regarda la jeune fille. Il attendit.

Priscilla bavardait avec une amie quand son attention fut attirée par une sonnerie ou une vibration. Martini la regarda glisser une main dans la poche de sa parka et observer longuement l'écran de son portable. Elle lut le texto. L'étonnement se lut sur son visage, puis la gêne. Finalement, elle rangea son téléphone sans rien dire aux autres. Il était clair qu'elle était troublée.

Clea apparut à la vitre côté passager, de retour de la villa. Martini se pencha pour lui ouvrir la portière. La femme monta dans la voiture.

— C'est déchirant, dit-elle. Les parents de la fille sont sortis pour remercier les gens. Tout le monde est ému, tu aurais dû venir.

— Je ne préférais pas.

— Tu as raison. Ce n'est pas dans ta nature… Mais tu pourrais te rendre utile.

Martini reconnut une supplication dans les yeux de sa femme.

— Que veux-tu dire ?

— J'ai entendu que des groupes de recherche en montagne sont en train de s'organiser. En six mois, tu as visité le coin en long et en large lors de tes randonnées, non ? Donc tu pourrais…

— D'accord, l'interrompit-il avec un sourire.

Clea se jeta à son cou et lui planta un gros bisou sur la joue.

— Je le savais, tu es un brave homme.

Martini démarra. Tout en manœuvrant pour sortir du parking, sans que sa femme s'en aperçoive, il regarda une dernière fois en direction de Priscilla.

La jeune fille bavardait à nouveau avec ses amis comme si de rien n'était.

Elle n'avait pas répondu à son texto.

31 décembre
Huit jours après la disparition

Les équipes de recherche suivaient une méthode spéciale.

Les volontaires avançaient lentement sur le terrain en lignes de maximum vingt hommes, espacés d'au moins trois mètres, exactement comme les groupes de secours qui cherchent les disparus après une avalanche. Mais au lieu d'être équipés d'un bâton à planter dans la neige, ils avaient été formés pour utiliser leur vue, balayant la portion de sol dont ils étaient responsables et traçant du regard les lignes imaginaires d'un rectangle idéal appelé « grille ».

Le but n'était évidemment pas uniquement de trouver un corps enfoui, pour cela il y avait les chiens. Ils devaient surtout trouver une trace, un indice qui permette de découvrir la position actuelle de la victime.

Anna Lou n'avait pas encore le statut officiel de victime, pensa Martini en avançant avec les autres le long d'une pente au milieu des bois. Pourtant elle l'était devenue, comme une promotion gagnée sur le terrain. Désormais, les gens étaient convaincus que la fin ne serait pas heureuse. Et dans le fond, un peu cyniquement, tout le monde l'espérait. Les gens attendaient un final dramatique. Ils voulaient être bouleversés.

Le professeur prenait part aux opérations depuis quelques jours. Les équipes étaient toujours guidées par un membre de la police. Pour que le niveau de concentration ne chute pas, les hommes se relayaient toutes les trente minutes. Les tours duraient quatre heures en tout.

Le dernier jour de l'année, Martini assurait le tour du début d'après-midi. C'était le plus court, parce que, vers 15 heures, le soleil se cachait derrière les montagnes, décrétant la fin des activités d'exploration pour les volontaires, qui n'étaient pas équipés pour des recherches nocturnes.

Les premières fois, les recherches s'étaient déroulées dans le silence le plus total, les hommes veillant à ne rien laisser échapper. Mais par la suite, un dangereux climat de camaraderie s'était instauré : certains s'autorisaient à faire la conversation ou, pire, à apporter de la nourriture ou de la bière, comme s'il s'agissait d'une randonnée. Malgré tout, personne n'avait le cœur à les arrêter.

Aucune trace d'Anna Lou, bien sûr. Ni de son ravisseur fantôme.

Pour respecter la promesse faite à sa femme et faire son devoir au mieux, Martini n'avait socialisé avec personne. Il restait dans son coin, n'échangeait pas un mot avec les autres, qui souvent ne faisaient que colporter des ragots.

Ce jour-là, il s'aperçut que le climat était différent. Tout le monde était plus appliqué et impliqué. La raison était la présence de Bruno Kastner. Le père de la jeune fille disparue avait déjà pris part aux recherches, mais ils ne s'étaient jamais croisés. Après avoir tenu une séance dans la salle des assemblées de la confrérie, l'homme s'était uni à leur groupe. En l'observant, Martini remarqua que, malgré la tension qui l'éprouvait, il était animé d'une incroyable force intérieure. Il ne craignait pas de trouver un signe qui annoncerait la fin de l'espoir pour sa fille. Peut-être cela aurait-il représenté une libération, pour lui. Le professeur se demanda comment il se serait comporté, à sa place. Il n'y avait pas de réponse : il fallait ressentir soi-même la sensation déchirante de la perte.

Au terme des opérations, les volontaires revinrent à leur point de départ. Dans une clairière, une tente avait été installée, où les chefs de groupe se rendaient tour à tour pour faire leur rapport. Les zones déjà explorées étaient signalées sur une grande carte. Certaines, les plus inaccessibles, nécessitaient un autre passage des équipes. Puis on établissait le programme pour le lendemain.

Les volontaires avaient garé leurs véhicules non loin et s'apprêtaient à rentrer chez eux. Martini était appuyé au coffre de son 4 × 4 blanc et retirait ses chaussures pleines de boue.

— Alors, écoutez-moi tous, dit à haute voix le chef de groupe, autour duquel les gens présents vinrent immédiatement se poster. J'ai parlé avec la salle opérationnelle de la vallée, ils disent que les prévisions météo sont très mauvaises. À partir de cette nuit, il va pleuvoir pendant au moins quarante-huit heures, nous devons donc suspendre les recherches jusqu'au 2 janvier.

Les hommes le prirent mal. Certains avaient roulé beaucoup de kilomètres pour arriver là, à leurs frais, laissant leurs familles. C'était un coup dur, pour eux.

Le chef de groupe tenta de calmer les mécontents.

— Je sais que pour vous ce ne serait pas un problème, mais nous ne pouvons pas faire notre travail correctement dans ces conditions : nous nous donnerions une peine inutile, croyez-moi.

Il finit par les convaincre. Martini les vit retourner tristement à leurs véhicules. Toutefois, un petit groupe se forma sur le trajet.

Au milieu, il y avait Bruno Kastner.

Ils passaient à côté de lui, un par un, pour lui serrer la main ou lui donner une tape silencieuse sur l'épaule. Le professeur aurait pu se joindre à eux et montrer sa solidarité à ce père, mais il n'en fit rien. Il resta à côté de son 4 × 4. Puis, sans que personne fasse attention à lui, il monta à bord et partit le premier.

En peignoir et pantoufles dans le couloir, il frappait avec insistance à la porte de la salle de bains depuis au moins dix minutes. À l'intérieur, on entendait une chanson rock, mais aucune réponse. Martini perdait patience.

— Tu as bientôt fini ?

Clea monta, une pile de linge propre dans les mains.

— Ça fait une heure qu'elle est enfermée là-dedans. Qu'est-ce qu'elle fait ?

— Elle se fait belle, idiot, sourit sa femme avant d'ajouter à voix basse : Elle est invitée à une fête ce soir.

— Qui l'a invitée ?

— Peu importe, c'est bon signe, non ? Elle commence à se faire des amis.

— Alors ça veut dire qu'on va passer le réveillon tous les deux ?

— Tu as une idée en tête, professeur ? demanda-t-elle en lui faisant un clin d'œil.

— On peut encore s'offrir une pizza et une bouteille de vin, non ?

Quand Clea passa à côté de lui, les mains pleines, il en profita pour lui pincer les fesses.

Monica partit vers 20 heures. Elle était toujours habillée en noir, mais au moins elle avait mis une jupe. En la voyant, Loris Martini se rendit compte que sa fille serait bientôt une femme. Cela arriverait du jour au lendemain, sans préavis. La petite fille qui se lovait dans ses bras pendant les orages ne lui demanderait plus de la protéger. Mais il savait qu'elle aurait toujours besoin de lui. Il devait seulement trouver un moyen de veiller sur elle sans qu'elle s'en aperçoive.

Pendant que Clea était sous la douche, Martini courut à la pizzeria du coin commander deux *capricciose* à emporter. En rentrant, il trouva sa femme sur le canapé, vêtue d'un pyjama doux en flanelle, un plaid sur les jambes.

— Je croyais que c'était une soirée coquine, pas câline, protesta-t-il.

Clea fit glisser son pyjama pour lui montrer la lingerie en dentelle noire qu'elle portait en dessous.

— Il ne faut jamais se fier aux apparences.

Il s'approcha, posa les pizzas sur la table basse et l'embrassa en lui prenant le visage des deux mains. Après un long échange de saveurs et de chaleur, sans un mot elle le conduisit à l'étage du dessus, dans leur chambre.

Depuis combien de temps n'avaient-ils pas fait l'amour ainsi ? Le professeur se le demanda en regardant le plafond, allongé à côté d'elle. Ils étaient nus. Bien sûr, il y avait eu d'autres moments de sexe après *la chose.* Mais c'était la première fois qu'il n'y avait pas pensé pendant qu'ils le faisaient. Ils avaient eu du mal à retrouver une complicité ou simplement l'envie de le faire. Au début ils faisaient l'amour avec rage, comme par vengeance. C'était devenu une façon de se reprocher les faits sans devoir se disputer. À la fin, ils étaient toujours épuisés.

Mais pas ce soir-là.

— Tu penses que notre fille est heureuse ? demanda Clea de but en blanc.

— Monica est une adolescente. Les adolescents sont tous accablés.

— Je ne me contenterai pas d'une blague comme réponse. Tu as vu ce soir comme elle était contente, quand elle est sortie ?

Elle avait raison, un air d'euphorie avait plané sur la maison, à nouveau après tant de temps.

— J'ai compris une chose grâce à ce qui est arrivé à cette jeune fille, Anna Lou.

Clea se fit plus attentive.

— Qu'on a toujours peu de temps pour connaître ses enfants. À l'heure qu'il est, ces parents, les Kastner, sont sans doute en train de se demander où ils se sont trompés, quelle a été l'erreur qui les a conduits à cette souffrance, à quel moment de leur vie passée est intervenue la petite déviation qui les a menés là… La vérité est que nous n'avons pas le temps de nous demander si nos enfants sont heureux, parce qu'il y a plus important à faire : nous demander si nous sommes heureux, nous, pour eux, et nous assurer que nos erreurs ne leur retombent pas dessus.

Clea se sentit concernée, mais ne le montra pas. Elle l'embrassa encore, reconnaissante pour cette pensée.

Ils descendirent à la cuisine où ils mangèrent de la pizza froide en buvant dans des verres dépareillés un vin rouge que le professeur gardait de côté pour une pareille occasion. Loris lui racontait des anecdotes sur ses collègues et les élèves, juste pour la faire rire. Ils semblaient revenus aux temps de l'université, quand ils n'avaient plus de sous à la fin du moins et partageaient une boîte de thon dans le studio où ils s'étaient installés.

Il aimait tellement sa femme. Il aurait fait n'importe quoi pour elle. *N'importe quoi.*

Ils étaient tellement unis ce soir-là qu'ils ne se rendirent pas compte que minuit avait passé et que l'année nouvelle commençait. Ce fut la pluie battante qui les ramena à la réalité.

— Je vais appeler Monica, dit Clea en se levant pour aller chercher son portable. Avec ce déluge, il faut que tu ailles la chercher.

La jeune fille de l'université redevint l'épouse et la mère qu'elle était depuis des années. Martini assista à la transformation tandis qu'elle attendait en silence une réponse à l'autre bout du fil. Puis elle se serra dans son vieux cardigan, celui qu'elle ne portait qu'à la maison. Elle n'avait pas froid, mais peur.

— Je n'arrive pas à la joindre.

— Minuit vient de passer, tout le monde téléphone pour souhaiter la bonne année, le réseau est surchargé, c'est normal.

Mais Clea l'ignora et essaya à nouveau, en vain.

— Et s'il lui était arrivé quelque chose ?

— Tu es parano, là.

— Alors j'appelle le lieu de la fête.

Martini la laissa faire. Clea trouva le numéro et appela.

— Comment ça, elle n'est pas venue ?

La phrase était sortie sur un ton déchirant. Tandis que son esprit élaborait une série de scénarios catastrophe, l'expression de son visage changea rapidement, suivant un crescendo d'émotions négatives. Quand elle raccrocha, l'angoisse se transforma en terreur.

— Ils disent qu'elle n'est pas venue.

— Maintenant, calme-toi et réfléchissons à où elle peut être allée, dit Martini.

Mais quand il s'approcha d'elle, elle le repoussa d'un geste péremptoire.

— Tu dois la trouver, Loris. Promets-moi que tu la trouveras.

Il prit sa voiture et tourna dans Avechot sans savoir où aller. L'orage avait vidé les rues de passants. L'eau l'empêchait même de bien voir parce que les essuie-glaces du 4 × 4 ne dégageaient pas suffisamment le pare-brise.

Il comprit vite que Clea l'avait contaminé avec sa panique. Il fit lui aussi un funèbre parallèle entre Monica et Anna Lou.

Non, impossible, se dit-il en chassant cette idée.

Vingt minutes avaient passé depuis qu'il était parti de chez lui, qui semblaient une éternité. Bientôt, sa femme appellerait pour avoir des nouvelles, il en était certain. Et il n'aurait rien à lui dire.

Monica disparue dans le néant. La police qui diffuse une alerte. Les journaux télévisés qui annoncent la nouvelle. Les équipes de recherche dans les bois.

Non, ça n'arrivera pas. Pas à elle.

Mais le monde était plein de monstres. Des monstres insoupçonnables.

Il pensa au père d'Anna Lou, il le revit recevoir des tapes d'encouragement sur l'épaule. Il revit son regard résigné. Parce qu'un parent connaît toujours la vérité, même s'il lui est impossible de l'admettre. Ce matin-là, il avait essayé de se mettre à sa place, sans succès. Et maintenant ?

Je dois la trouver. Je l'ai promis. Je ne peux pas perdre Clea. Pas à nouveau.

Il devait rester lucide, mais c'était quasi impossible.

Alors il eut l'idée de revenir au point de départ. La fête.

Cinq minutes plus tard, il était à la porte de la petite villa d'où provenaient des sons étouffés, une musique puissante et rythmée. Il sonna, frappa plusieurs fois pour se faire ouvrir. En attendant, la pluie glaciale trempait ses cheveux et ses vêtements. Quand quelqu'un s'aperçut enfin de sa présence, il entra avec rage dans la maison.

Dans le séjour, une soixantaine de jeunes gens s'amassaient. Certains dansaient, d'autres étaient avachis sur les canapés. Le volume de la musique était trop fort pour s'entendre parler, mais l'alcool détendait tout le monde. La pénombre et la fumée dense des cigarettes l'empêchaient de distinguer un visage familier.

Il reconnut enfin deux ou trois de ses élèves, dont Lucas, le rebelle au crâne tatoué derrière l'oreille.

— Professeur, bonne année! l'accueillit-il à grands effluves d'alcool quand Martini s'approcha.

— Tu as vu ma fille?

L'autre fit mine de réfléchir.

— Voyons voir… Comment elle est? Vous pouvez me la décrire?

Martini sortit une photo de Monica de son portefeuille.

— C'est elle, tu la connais?

— Elle est mignonne, commenta Lucas pour le provoquer. Peut-être qu'elle était ici ce soir.

Mais Martini n'avait pas envie de plaisanter. Il l'attrapa par son tee-shirt plein de sueur et le poussa violemment contre le mur le plus proche. Il n'avait jamais eu de réaction similaire, du moins pas en public. Plusieurs personnes se tournèrent dans leur direction.

— Les gars, une bagarre! annonça une voix.

Un groupe se forma autour d'eux. Mais le professeur avait les yeux rivés sur Lucas.

— Alors, tu l'as vue oui ou non?

Le jeune homme n'était pas habitué à être traité ainsi, il était évident qu'il avait envie de réagir à l'affront.

— Je pourrais porter plainte contre vous, pour ça, dit-il avec un sourire menaçant.

— Je ne le répéterai pas.

D'un geste sec, Lucas écarta les mains du professeur.

— Oui, je sais où elle est, admit-il avant d'ajouter, triomphant: Mais ça ne va pas vous plaire.

Il avait cessé de pleuvoir quand Martini arriva près de la maison. Les lumières étaient éteintes à l'intérieur. La sonnette résonna dans un silence total. Puis quelqu'un alluma une lampe dans le couloir.

Martini vit la scène à travers les vitres en verre dépoli de la porte : un mirage, ou bien un cauchemar.

Un jeune homme torse nu, la peau parfaitement lisse, lui ouvrit la porte. Pieds nus, il ne portait qu'un pantalon de survêtement. Derrière lui, Monica passa la tête par la porte d'une chambre. Elle était habillée, mais ses cheveux décoiffés en disaient long.

Sur le chemin du retour, aucun des deux ne parla, au début. Martini s'était contenté d'annoncer à sa femme par téléphone que tout allait bien, qu'ils rentraient, mais il n'avait rien voulu ajouter.

— La fête était nulle alors on est partis, se justifia la jeune fille.

Son père se taisait.

— On s'est endormis et on a perdu la notion du temps. Je suis désolée.

Martini serrait le volant avec rage, ignorant la douleur à sa main bandée.

— Tu as fumé ? demanda-t-il durement.

— Que veux-tu dire ?

— Tu sais ce que je veux dire. C'était de l'herbe ?

Elle secoua la tête mais elle savait qu'il était inutile de mentir.

— Je ne sais pas ce que c'était, mais je te jure qu'il ne s'est rien passé d'autre.

Martini essayait de garder son calme.

— Quoi qu'il en soit, tu verras ça avec ta mère.

Quand il gara le 4 × 4 blanc dans l'allée, Clea se tenait sur le seuil, serrée dans son cardigan. Monica descendit la première de la voiture. Son père la regarda courir vers la maison. Sa mère tendit les bras et la serra contre elle. C'était une étreinte libératoire. Martini observa la scène à travers le pare-brise, sans oser l'interrompre par sa présence. Il repensa à ce qui était arrivé à sa famille à peine six mois plus tôt, quand il avait été sur le point de tout perdre.

La chose.

Non, ça n'arriverait plus. Jamais plus.

3 janvier
Onze jours après la disparition

Les prévisions avaient vu juste. La pluie était tombée sans discontinuer pendant deux jours entiers.

Mais le troisième matin le soleil brillait faiblement derrière la couche de nuages blanchâtres.

Martini avait décidé que c'était le bon jour pour s'occuper du cabanon dans le jardin. Il avait l'intention de distraire Clea de l'histoire de la jeune fille disparue, aussi l'idée de remettre au goût du jour le projet de potager et de serre tombait-elle à pic. Sa femme n'avait rien à faire et passait ses journées à regarder des programmes qui traitaient exclusivement de l'affaire Anna Lou Kastner. Sans vérité officielle et certaine, chacun y allait de sa propre version. Les experts n'étaient pas les seuls à se prononcer : on invitait aussi des starlettes ou des gens du monde du spectacle. C'était indécent. On formulait les hypothèses les plus absurdes et fantaisistes, les aspects les plus insignifiants de la vie d'Anna Lou étaient sélectionnés, analysés et discutés comme s'ils pouvaient cacher la clé de l'énigme.

Tout cela donnait l'impression que les bavardages auraient pu continuer pour l'éternité.

Chez le professeur, on vivait désormais avec la télévision en toile de fond permanente. Ce matin-là, il s'était donc rendu chez le quincaillier. Il avait acheté un rouleau de toile plastifiée et un autre de tôle, ainsi qu'une série de boulons, d'écrous et des étaux en acier pour bloquer les câbles. Pendant qu'il chargeait le tout dans le grand coffre du 4 × 4, il avait été distrait par un bruit.

Le frottement d'un skate sur l'asphalte.

Il se retourna et vit Mattia, qui transpirait à quelques mètres de lui.

— Mattia ! appela-t-il en levant le bras pour le saluer.

Son élève ne l'avait pas remarqué, et quand il le vit il eut une réaction étrange. D'abord il ralentit, puis il s'éloigna en accélérant.

Martini soupira : il ne comprenait vraiment pas ce jeune homme. Il monta en voiture et prit le chemin de chez lui.

En général, il empruntait une route qui contournait le village, pour éviter le centre. La circulation y était fluide, mais, ce matin-là, il fut pris dans un embouteillage. Il y avait peut-être eu un accident, cela arrivait parfois au carrefour plus haut. En effet, il lui sembla remarquer les lumières d'une voiture de police. Pourtant, en avançant, il ne vit aucun véhicule endommagé.

Il ne s'agissait pas d'un accident : il y avait un barrage.

Cela arrivait souvent, ces jours-ci, à Avechot, à cause de la jeune fille disparue. À part exaspérer la population, Martini ne comprenait pas le sens de ces contrôles. C'était un peu comme fermer l'étable quand les vaches se sont enfuies. Toutefois il soupçonnait les policiers, devant le mystère qui s'épaississait de jour en jour et l'attention croissante des médias, de vouloir prouver à l'opinion publique qu'ils faisaient quelque chose.

Les automobilistes n'avaient aucune possibilité d'éviter le barrage, pas de rues sur les côtés, et une marche arrière aurait attiré l'attention. Martini se résigna et attendit patiemment son tour. Mais tandis qu'il avançait lentement, il sentit monter en lui une angoisse étrange. Des fourmillements au bout des doigts, une sensation de vide dans l'estomac.

— Bonjour, pouvez-vous me donner vos papiers, s'il vous plaît ? demanda l'agent en uniforme en se penchant par la fenêtre ouverte.

Le professeur avait déjà tout préparé, il lui tendit son permis et sa carte grise.

— Merci, dit l'homme avant de s'éloigner vers sa voiture.

Martini observa la scène. Les policiers n'étaient que deux. Le second se tenait au milieu de la chaussée avec une palette qu'il utilisait pour indiquer aux voitures de s'arrêter. L'agent avec qui il avait parlé était monté dans la voiture et dictait le contenu de ses papiers à la radio, Martini le voyait clairement par la lunette arrière. Au bout d'un moment, il se demanda pourquoi cela prenait tant de temps. Ce n'était peut-être qu'une impression, c'était sans doute identique pour tous les automobilistes arrêtés, mais le soupçon que quelque chose n'allait pas s'insinua en lui.

Enfin, l'agent sortit de sa voiture et revint vers lui.

— Monsieur Martini, pourriez-vous nous suivre, s'il vous plaît ?

— Que se passe-t-il ? demanda-t-il d'une voix un peu trop inquiète.

— Juste une formalité, ça ne prendra que quelques minutes, répondit gentiment l'autre.

Ils l'avaient escorté jusqu'au petit poste de police d'Avechot, où ils l'avaient installé dans une sorte de salle des archives. À côté des fichiers et des dossiers rangés sur les étagères, il y avait de tout. De vieux ordinateurs inutilisés, des lampes, des articles de bureau, et même un rapace empaillé.

Au centre, une table et deux chaises. Le professeur observait la chaise vide devant lui, se demandant qui allait venir l'occuper. Il se trouvait là depuis quarante minutes et personne n'était venu. Le silence et l'odeur de poussière étaient agaçants.

La porte s'ouvrit soudain et un homme d'une trentaine d'années entra, en costume cravate. Il tenait dans sa main la carte grise du 4 × 4 et le permis de conduire de Martini. Il avait l'air doux, il lui sourit.

— Désolé de vous avoir fait attendre. Je suis le lieutenant Borghi.

Martini serra la main qu'il lui tendait et se détendit un peu.

— Pas de souci.

Borghi s'assit sur la chaise vide et posa les papiers sur la table avant d'y jeter un rapide coup d'œil, comme s'il ne les avait pas contrôlés avant.

— Alors, monsieur… Martini, dit-il en lisant son nom.

Le professeur se demanda si c'était une feinte pour lui indiquer qu'il n'avait rien à craindre, étant donné qu'il savait déjà comment il s'appelait.

— Oui, c'est moi, confirma-t-il.

— J'imagine que vous vous demandez pourquoi nous vous avons arrêté. Nous faisons des contrôles aléatoires, ça ne prendra que quelques minutes.

— C'est pour la jeune fille disparue…

— Vous la connaissez ? demanda Borghi sèchement.

— Elle a le même âge que ma fille et elle fréquente le lycée où j'enseigne, mais, honnêtement, je ne me souviens pas d'elle.

Le jeune officier marqua une pause, Martini eut l'impression qu'il l'étudiait.

— Je vais vous poser une question de flic, annonça-t-il ensuite en souriant. Où étiez-vous le 23 décembre à 17 heures ?

— En montagne. J'ai fait une randonnée de plusieurs heures. Je suis rentré chez moi pour le dîner.

— Grimpeur ?

— Non, passionné de trekking.

Borghi fit une grimace d'approbation.

— Bien. Et dans quelle zone étiez-vous ?

— Je suis monté au pas puis j'ai choisi un parcours sur le versant est.

— Il y avait quelqu'un avec vous ? Un ami, une connaissance ?

— Non, personne. J'aime marcher seul.

— Alors quelqu'un vous a-t-il vu ? Un autre promeneur, un chercheur de champignons… quelqu'un qui peut confirmer où vous étiez ?

— Je ne me souviens pas d'avoir croisé qui que ce soit, dit Martini après réflexion.

— Qu'est-ce que vous avez à la main ?

Martini regarda son bandage à la main gauche, comme s'il l'avait oublié.

— J'ai glissé, ce jour-là. J'ai mal posé mon pied et pour freiner ma chute je me suis instinctivement raccroché à une branche qui dépassait. Ça a du mal à guérir.

Borghi le regarda à nouveau. Martini se sentait mal à l'aise. Puis l'officier sourit encore.

— Bien, nous avons terminé, dit-il en lui rendant ses papiers.

— C'est tout ?

— Je vous avais dit que ça ne prendrait que quelques minutes, non ?

Borghi se leva, imité par Martini. Ils se serrèrent la main.

— Merci pour votre temps, professeur.

Ce soir-là, pour le dîner, Clea avait préparé du poulet rôti et des frites, le plat préféré de la famille. Quand quelque chose n'allait pas ou quand ils voulaient se réconforter, les Martini s'asseyaient autour d'un poulet.

Il ne connaissait pas la raison pour laquelle sa femme avait choisi ce menu. C'était peut-être pour fêter la sérénité retrouvée avec Monica. Il n'avait pas raconté l'épisode du Nouvel An, il espérait que sa fille le ferait. Elle n'en avait pas eu le courage, mais son sentiment de culpabilité l'avait poussée à se rapprocher de sa mère.

Ils mangèrent dans une atmosphère joyeuse, pour changer. Enfin une conversation légère. Le sujet était les voisins. Les Odevis étaient l'objet de railleries amusées, Clea et Monica se moquaient d'eux et parlaient sans relâche. Heureusement, se dit Martini. Comme ça, personne ne s'apercevait qu'il était lui-même si silencieux.

En sortant du poste de police, il avait conduit jusque chez lui avec un sentiment net de soulagement. Mais, les heures passant, d'étranges questions prenaient forme dans sa tête. Pourquoi l'avaient-ils relâché aussi vite ? Devait-il vraiment croire à la gentillesse de l'officier Borghi ? Son absence d'« alibi » pour la journée du 23 avait-elle éveillé les soupçons chez eux ?

Après le dîner, il essaya de corriger des copies, mais il était distrait. Vers 23 heures, il alla se coucher, conscient qu'il aurait du mal à trouver le sommeil.

Tout ira bien, se dit-il en se glissant sous les couvertures. *Oui, tout ira bien.*

— *Grimpeur ?*
— *Non, passionné de trekking.*
— *Bien. Et dans quelle zone étiez-vous ?*
— *Je suis monté au pas puis j'ai choisi un parcours sur le versant est.*
— *Il y avait quelqu'un avec vous ? Un ami, une connaissance ?*
— *Non, personne. J'aime marcher seul.*
— *Alors quelqu'un vous a-t-il vu ? Un autre promeneur, un chercheur de champignons... quelqu'un qui peut confirmer où vous étiez.*
— *Je ne me souviens pas d'avoir croisé quelqu'un, dit Martini après réflexion.*
— *Qu'est-ce que vous avez à la main ?*

Vogel interrompit la vidéo de l'interrogatoire. Un gros plan du professeur se figea sur l'écran. Il se tourna vers Borghi et la procureur Mayer.

— Pas d'alibi et une blessure à la main, affirma-t-il triomphant.

179

— Mais cet homme a un passé immaculé, aucun précédent ne peut nous laisser penser qu'il est capable d'un acte violent, objecta la magistrate.

Après avoir visionné toutes les vidéos de Mattia, Vogel était convaincu que le jeune homme leur fournissait la piste qu'ils cherchaient. C'était son super témoin. Sa mère et lui avaient été mis sous protection.

La police s'était mise sur les traces du professeur. Durant les soixante-douze dernières heures, ils ne l'avaient pas perdu de vue. Les hommes l'observaient à distance, le filmaient en secret et notaient tous ses faits et gestes. Rien d'anormal n'avait émergé, mais Vogel ne s'attendait certes pas à trouver une preuve écrasante pour l'arrêter. Et puis, dans ces cas, il fallait aider un peu le destin. Il avait donc organisé le faux barrage ce matin-là. Mais d'abord, il avait fait sortir Mattia de son refuge et il lui avait expliqué quoi faire en voyant le professeur dans la rue. Il avait besoin d'une identification formelle.

Tandis que, devant la quincaillerie, Martini se demandait pourquoi le jeune homme prenait la fuite, depuis une voiture banalisée, Vogel disséquait toutes les expressions de son visage.

L'emmener au poste de police et le faire attendre quarante minutes dans une salle d'archives poussiéreuse n'avait servi qu'à le mettre sous pression. Quant à Borghi, il avait bien joué son rôle. Il s'était gentiment contenté des réponses. Toutefois, les questions n'avaient pas été pensées pour que l'interrogé se contredise mais pour insinuer un doute chez lui.

Tout cela porterait ses fruits les heures suivantes, Vogel en était convaincu.

La procureur Mayer, un peu moins.

— Vous savez combien des gens qu'on a interrogés informellement ces jours-ci n'avaient pas d'alibi crédible pour le 23 décembre ? Douze. Dont quatre qui ont un casier.

Vogel s'attendait au scepticisme de la magistrate. Pour lui, en revanche, Loris Martini avait le profil idéal.

— L'invisibilité est un talent, affirma-t-il. Cela nécessite du contrôle et beaucoup de discipline. Je suis convaincu que, dans son esprit, le professeur Martini a déjà commis des actes indicibles, se demandant à chaque fois s'il en serait vraiment capable. Mais on ne naît pas monstre. C'est comme l'amour : il faut la bonne personne… Quand il a rencontré Anna Lou, il a enfin compris quelle était sa vraie nature. Il est tombé amoureux de sa propre victime.

Borghi assistait à l'échange sans faire de commentaires. S'il avait suivi son instinct, il aurait dit que le professeur lui avait semblé trop tranquille, durant l'interrogatoire.

— Vous avez dit au début qu'Anna Lou connaissait probablement son agresseur, qu'elle l'a suivi sans problème, affirma Rebecca Mayer. Or nous n'avons aucune certitude que ces deux-là se connaissaient.

— Martini enseigne dans le lycée de la jeune fille. Elle le connaît forcément de vue.

— Peut-être qu'Anna Lou lui a fait confiance sans savoir qui il était ? Il faut plus qu'une connaissance superficielle pour convaincre une jeune fille de monter dans une voiture quand il fait nuit. Surtout quand la jeune fille en question a été élevée en évitant tout contact autre qu'avec les membres de la confrérie… et il ne me semble pas que le professeur Martini en fasse partie.

— Alors comment expliquez-vous les vidéos de Mattia ?

— Ces images ne constituent pas encore une preuve, vous le savez bien.

Mais elles le deviendront, pensa Vogel. Il regarda le visage de l'homme sur l'écran.

Oui, le professeur Martini était parfait.

5 janvier
Treize jours après la disparition

La lumière jaune du crépuscule formait une sorte d'aura bleue autour des montagnes.

Le professeur conduisait sur la route nationale. Sa femme était assise à côté de lui. Le chauffage du 4 × 4 était allumé et grognait un peu, une agréable tiédeur régnait dans l'habitacle. Clea avait arrêté de parler depuis quelques minutes, elle semblait profiter de la torpeur de cette atmosphère relaxante. Martini se tournait vers elle de temps à autre, Clea accueillait son regard d'un sourire.

— Tu as eu une bonne idée, dit-elle. Ça fait longtemps que nous n'étions pas allés au lac.

— Depuis l'été dernier. Mais je le trouve encore plus beau l'hiver.

— Je suis d'accord.

Ils avaient passé la journée sur un petit lac d'altitude. Il fallait marcher deux heures pour l'atteindre. Ce n'était pas un parcours difficile comme ceux qu'il empruntait seul. Clea n'était pas entraînée et l'avait choisi exprès. Dans le bois, des torrents croisaient le sentier qui était régulièrement entretenu pour permettre aux promeneurs d'atteindre leur but. L'absence anormale de neige en cette saison facilitait la montée. La récompense, une fois arrivés en haut, était la découverte d'une petite vallée entourée de sommets rocheux, à quelques pas d'un énorme glacier. Au pied de celui-ci, un miroir d'eau limpide dont la surface était striée de reflets dorés. Tout autour, une forêt de rhododendrons dont les fleurs rouges sortaient en été. À côté du lac se trouvait un refuge où l'on pouvait manger les plats typiques de la région. Le menu, entrée, plat, dessert, était fixe. Mais Martini et sa femme y allaient surtout pour la soupe de légumes secs et le pain noir. Le temps était passé vite et, quand ils étaient arrivés à la voiture, il faisait presque nuit.

— À quoi penses-tu ? lui demanda Clea.

— À rien.

Il était sincère. Les questions qui l'avaient assailli jusqu'à la veille le laissaient désormais en paix. Toutefois, il ne lui avait pas raconté le barrage et l'espèce d'interrogatoire qu'il avait subi.

— Tu devrais te couper les cheveux, dit-elle en passant une main dans ses boucles châtains.

Martini aimait les petites attentions de sa femme. Elles le confortaient dans l'idée qu'elle avait encore envie de s'occuper de lui.

— Tu as raison, demain j'irai chez le coiffeur.

Ils étaient heureux et fatigués. Contents à l'idée de rentrer prendre une bonne douche. Martini remarqua un voyant allumé sur le tableau de bord.

— Il faut qu'on prenne de l'essence.

— Ça ne peut pas attendre demain ? demanda Clea qui n'avait vraiment pas envie de s'arrêter.

— Malheureusement non.

Une dizaine de kilomètres plus loin se trouvait une station-service. En s'arrêtant, ils s'aperçurent qu'elle était pleine de voitures et de camping-cars. Bizarre, il n'y avait jamais personne d'habitude. *La jeune fille disparue*, pensa Martini. *Ils sont venus ici jouer les curieux.*

Il régnait une ambiance festive. Les cris du groupe, constitué d'adultes et d'enfants, étaient à la limite du supportable. Quand vint leur tour, Martini fit le plein puis entra pour payer. Il se mit dans la queue de la caisse. Une jeune employée dynamique essayait d'accélérer les opérations. Sur une étagère en hauteur, dans un coin près du plafond, était posé un téléviseur. Les voix des clients couvraient le son, mais on voyait sur l'écran les images de l'énième reportage sur Anna Lou Kastner. Martini soupira et s'en désintéressa.

Son tour arriva enfin.

— J'ai fait le plein à la pompe n° 8, communiqua-t-il à la caissière.

— Vous êtes du coin, j'imagine, dit la femme en vérifiant le montant sur son ordinateur, exaspérée.

— Comment vous le savez ?

— Je vous ai vu soupirer, déclara-t-elle avant d'ajouter à voix basse : Mon chef est content de cette invasion, ça fait marcher les affaires, mais moi je rentre chez moi les pieds en feu et avec un mal de crâne que je ne vous raconte pas.

Martini sourit de la confidence.

— Ça ne durera peut-être pas longtemps.

— Espérons, mais aujourd'hui c'est une journée spéciale : les télés passent et repassent les mêmes images.

— Quelles images ?

Mais la caissière s'était distraite de son activité principale, la queue s'allongeait.

— Excusez-moi, vous avez dit la pompe n° 8 ?

— Oui, c'est ça.

La femme se tourna vers la vitre à travers laquelle on voyait bien le 4 × 4 blanc. Puis elle regarda Martini, l'air hébété.

— Il y a un problème ?

La caissière leva les yeux vers la télévision. Martini l'imita.

Sur l'écran défilait une vidéo amateur. On apercevait Anna Lou à différents moments de sa vie. Elle marchait dans la rue avec son sac à dos coloré et un sac contenant ses patins à glace. En compagnie d'une amie, et Martini reconnut tout de suite Priscilla. Elle sortait de chez elle avec ses petits frères. Puis les images s'arrêtèrent et zoomèrent sur le 4 × 4 blanc toujours visible au fond, à quelques mètres de distance.

Le professeur comprit quelle était la nouvelle éclatante qui passait depuis le matin. La même qui avait poussé tous ces gens à venir à Avechot. Il y avait enfin une piste. Un 4 × 4 blanc semblable au sien.

Non, pas juste « semblable » : c'était le sien.

Le scoop portait la signature de la célèbre journaliste Stella Honer. Une inscription apparut en surimpression : DÉVELOPPEMENT INATTENDU : QUELQU'UN LA SUIVAIT.

Le professeur laissa un billet de cinquante euros sur le comptoir, bien qu'il dût bien moins. Ignorant l'expression atterrée de la caissière, il partit. Il n'avait pas encore franchi la porte qu'il entendit quelqu'un crier dehors :

— Eh, c'est celle-là, la voiture !

186

Un groupe d'hommes s'était formé. Ils contrôlaient le numéro de la plaque. Heureusement, Clea, occupée à envoyer un texto, ne s'était aperçue de rien. Martini accéléra le pas, tandis que le regard des présents se posait sur lui et ne le quittait pas. Arrivé au 4 × 4, il se pressa de monter à bord.

— Qu'est-ce qui se passe? demanda Clea en voyant son air agité.

— Je t'expliquerai après.

Sans perdre de temps, il introduisit la clé de contact. La voiture ne démarra pas parce que ses mains tremblaient. Les gens avaient commencé à les entourer. Dans les regards des hommes, femmes et enfants, il reconnut le même émerveillement mêlé à la crainte qu'il avait vu dans les yeux de la caissière. *Si l'un d'entre eux décide de faire quelque chose, les autres le suivront*, pensa Martini, terrorisé. Finalement, il réussit à mettre le moteur en marche, appuya sur l'accélérateur et partit. Il se retrouva vite sur la route nationale, jeta un coup d'œil dans son rétroviseur. Ils étaient toujours là, à le fixer d'un air menaçant.

— Tu veux bien me dire ce qui se passe? demanda à nouveau Clea, inquiète.

Il n'avait pas le courage de la regarder.

— Rentrons à la maison.

Sur le chemin du retour, il fut assailli par le flot de questions de sa femme. Il tenta d'expliquer une situation que, dans le fond, il ne comprenait pas lui-même.

— Qu'est-ce que ça veut dire, qu'ils t'ont arrêté?

— Il y a deux jours, lors d'un barrage.

— Pourquoi tu ne me l'as pas dit?

— Parce que ça ne me semblait pas important. Ils ont arrêté plein de gens, pas seulement moi. C'est arrivé à d'autres que je connais, mentit-il.

Martini s'attendait à trouver la police devant chez eux. Étrangement, leur rue était déserte. Pas âme qui vive.

— Allez, on rentre, dépêche-toi, dit le professeur à sa femme.

Quand ils franchirent le seuil, ils trouvèrent leur fille debout dans le salon. Elle regardait l'écran du téléviseur.

— Maman, qu'est-ce qui se passe ? demanda-t-elle terrifiée. À la télé ils disent que la fille qui a disparu… que quelqu'un la suivait… et puis ils montrent une voiture, on dirait la nôtre.

Clea prit Monica dans ses bras sans savoir quoi dire, puis regarda son mari, attendant qu'il parle. Mais Martini était cloué dans le couloir.

— Je ne sais pas, je ne comprends pas. Il doit y avoir une erreur.

Le 4 × 4 blanc apparut sur l'écran.

— Mais c'est notre voiture ! s'exclama Clea, incrédule et bouleversée.

— Je sais, c'est fou.

Monica se mit à pleurer.

— Je te l'ai dit : je suis allé au poste de police, ils m'ont posé quelques questions puis ils m'ont renvoyé chez moi. J'étais convaincu qu'il n'y avait aucun problème.

— Tu étais convaincu ?

Le ton de Clea était accusateur.

Martini était de plus en plus agité.

— Oui, ils m'ont demandé où j'étais quand la fille a disparu. Des trucs comme ça…

Clea se tut quelques secondes, comme pour se rappeler.

— Tu étais en montagne, ce jour-là. Tu es rentré le soir, dit-elle calmement.

Mais au fond de son cœur, elle se rendait compte que son mari n'avait pas d'alibi.

— Oui, ils ont fait une erreur, dit-elle fermement, parce qu'elle n'imaginait pas d'autre hypothèse. Tu vas appeler la police et leur demander des explications.

Sa détermination cachait son manque de confiance.

Martini réussit enfin à entrer dans le salon, il alla jusqu'au téléphone et composa un numéro.

— Je suis Loris Martini, je voudrais parler au policier que j'ai vu l'autre jour, s'il vous plaît. Je crois qu'il s'appelait Borghi.

En attendant qu'ils le lui passent, le professeur regarda sa femme et sa fille. Elles étaient confuses, apeurées. Les voir ainsi le faisait souffrir. Mais le pire était que dans l'étreinte où elles s'étaient réfugiées, elles ne le regardaient pas, comme si elles avaient déjà pris leurs distances.

Au bout de quelques minutes, une voix répondit :

— Oui, c'est Borghi.

— Vous pouvez me dire ce qui se passe ? Pourquoi ma voiture est-elle à la télé ? demanda Martini hors de lui.

— Je suis désolé, professeur. Il y a eu une fuite. Ça n'aurait pas dû arriver.

— Une fuite ? Je suis accusé de quelque chose ?

— Je ne peux rien vous dire de plus. Nous vous appellerons, mais je vous conseille de prendre un avocat. Bonsoir.

Quand Borghi raccrocha brusquement, Martini resta avec le combiné contre l'oreille, ne sachant que faire, tandis que Clea et Monica imploraient une réponse.

À ce moment-là, un éclair surgit, lumière furtive dans la pièce.

Ce n'était pas une hallucination : ils se regardèrent tous les trois sans comprendre. L'éclair revint et, au bout de quelques secondes, un autre encore. On aurait pu croire à un orage, mais il n'y avait pas de tonnerre.

Martini s'approcha d'une fenêtre et regarda dehors, sa femme juste derrière lui.

Les éclairs venaient de la rue. Des silhouettes sombres comme des ombres tournaient autour de la maison. De temps à autre, un éclair apparaissait. On aurait dit des Martiens, curieux et menaçants.

C'étaient des photographes.

6 janvier
Quatorze jours après la disparition

Durant la nuit, les fourgons de télévision avaient pris possession de la rue des Martini. Les premiers arrivés occupaient les meilleures places pour filmer la petite villa, qui allait passer à l'écran en continu, vingt-quatre heures par jour.

À côté des groupes de journalistes, des curieux avaient franchi les barrières installées par la police pour délimiter une zone de sécurité. Toutefois, cette précaution n'aurait pu les protéger, lui et sa famille, si la foule décidait d'appliquer un critère de justice sommaire, pensa le professeur vers 9 heures du matin en regardant discrètement par la fenêtre.

La nuit avait été difficile. Personne n'avait fermé l'œil. Monica s'était écroulée un peu avant l'aube et Clea s'était enfermée dans un mutisme douloureux. Martini ne pouvait tolérer tout cela. Il devait faire quelque chose.

— Borghi a dit qu'ils m'appelleraient, mais je n'ai pas l'intention d'attendre, annonça-t-il à sa femme. Je n'ai rien fait et ils n'ont rien pour prouver le contraire, sinon ils m'auraient déjà arrêté, tu ne crois pas ?

Clea réfléchit à cet aspect et sembla reprendre un peu confiance.

— Oui, tu dois aller les voir et clarifier ta situation.

Martini se rasa et enfila son plus beau costume, il mit même une cravate, décidé à sortir de chez lui et à se montrer tel qu'il avait toujours été aux yeux de ceux qui le connaissaient : un homme comme il faut. Quand il franchit le seuil, une rafale de flashes se déclencha. Ils venaient de tous les coins, comme un bombardement. Il se cacha le visage d'une main, pour ne pas être aveuglé. Puis il se dirigea vers son 4 × 4, mais il changea d'avis. Après l'histoire des vidéos, il ne fallait plus qu'il soit associé à ce véhicule. Et puis, il aurait eu du mal à sortir de l'allée, avec ce rassemblement. Il décida de partir à pied.

Un policier lui hurla :

— Monsieur Martini, il vaudrait peut-être mieux rentrer chez vous.

Ce n'était pas un ordre, il lui conseillait seulement de ne pas affronter la foule, cela pouvait être dangereux.

Martini l'ignora et continua à marcher. Il dépassa les barrières. Caméramans et journalistes armés de micros se jetèrent sur lui.

— Pourquoi votre voiture apparaît-elle sur les lieux fréquentés par la jeune fille ?

— Vous connaissiez bien Anna Lou ? Vous la suiviez ?

— La police vous a déjà convoqué pour vous interroger ?

— D'après vous, elle a été tuée ?

Martini se taisait, tentant de poursuivre son chemin, mais ils le ralentissaient. En même temps, un grondement monta de la foule présente. Le professeur n'entendait pas les insultes qui lui étaient adressées, mais il sentait que les voix étaient énervées. Ils ne s'approchaient pas encore, mais leurs intentions étaient évidentes. Quand on lança le premier objet sur lui, Martini ne comprit même pas ce que c'était. Il n'entendit que le bruit sec qu'il produisit en heurtant l'asphalte à quelques mètres de lui. Ce geste fut immédiatement imité. D'autres objets jaillirent – canettes de bière et pièces de monnaie. Les journalistes, craignant d'être atteints, s'éloignèrent de quelques pas, libérant un espace autour de lui et en faisant une cible facile.

Martini leva les bras pour se protéger, mais c'était inutile. La police n'arrivait pas à contenir la rage des gens. À ce moment-là, on entendit un crissement de pneus. Martini s'était penché pour esquiver la pluie d'objets qui s'abattait sur lui, mais il se releva juste assez pour voir une Mercedes aux vitres teintées s'arrêter à quelques mètres de lui. La portière arrière s'ouvrit et un homme vêtu d'un élégant costume rayé lui tendit la main.

— Venez! lui cria-t-il.

Martini ne savait pas qui il était, mais il ne put qu'accepter son invitation. Il monta et la voiture repartit à toute vitesse, l'arrachant à un lynchage certain.

Tout d'abord, l'homme élégant lui tendit une boîte de kleenex.

— Nettoyez-vous, professeur.

Puis il s'adressa au chauffeur :

— Emmène-nous dans un endroit où on peut parler tranquillement.

Martini découvrit qu'il était recouvert d'une substance jaunâtre qui, à l'odeur, semblait être de la moutarde.

— Ils m'ont bombardé !

— Vous ne devriez pas affronter ainsi la foule. C'est une provocation, vous comprenez ?

— Qu'est-ce que je devrais faire, alors ?

— Par exemple, me faire confiance, dit l'homme en riant avant de lui tendre la main. Je suis l'avocat Giorgio Levi.

— Vous n'êtes pas d'ici, répondit Martini en l'observant d'un air soupçonneux.

— Non, bien sûr que non !

Son rire était profond, sincère.

— Le soupçon se propage dans une communauté de la même manière qu'une épidémie, vous le saviez ? Il suffit de pas grand-chose pour que la contagion devienne impossible à arrêter. Les gens ne cherchent pas la justice, ils veulent un coupable. Pour donner un nom à la peur, pour se sentir en sécurité. Pour continuer de croire que tout va bien, qu'il y a toujours une solution.

— Je devrais peut-être porter plainte contre les médias et la police.

— Je ne vous le conseille pas.

— Alors qu'est-ce que je peux faire ?

— Rien, répondit sèchement l'avocat.

— Vous voulez dire que je dois me laisser détruire sans réagir ? demanda le professeur, incrédule et indigné.

— C'est une guerre perdue d'avance, il ne sert à rien de la mener. Plus vite vous le comprendrez, mieux ça vaudra. Nous devons plutôt concentrer nos forces sur votre image d'homme honnête, de bon mari et de bon père de famille.

— Mais à la télé, ils disent que je suivais la fille depuis un mois avant sa disparition. C'est absurde !

— Pas *vous*, précisa l'avocat. Votre *voiture* la suivait... Dorénavant soyons attentifs aux mots que nous employons, professeur : sur les vidéos, on ne voit que votre 4 × 4.

— Les journalistes disent que c'est un de mes élèves qui a fait les vidéos.

— Il s'appelle Mattia, lui révéla Levi.

Martini fut surpris.

— Disons que ces vidéos sont une absurde coïncidence, poursuivit l'avocat. Vous et Anna Lou habitez le même quartier, c'est plausible. Mais je dois vous mettre en garde contre autre chose...

La Mercedes s'arrêta. Martini regarda dehors et reconnut l'arrière du cimetière d'Avechot, où les jeunes allaient parfois faire l'amour ou fumer de la marijuana.

— Le flic qui vous poursuit s'appelle Vogel, expliqua l'avocat sur un ton inquiet. Je ne le définirais pas comme un enquêteur de première catégorie, mais pas non plus comme un limier. Il n'a pas de compétences criminologiques et il ne s'intéresse pas aux méthodes de la police scientifique ou à l'ADN. Pour atteindre son but, il utilise les médias.

— Je ne comprends pas...

— Vogel sait que les vidéos ne constituent pas une preuve. En outre, elles ont été tournées par un jeune homme obsédé par Anna Lou connu pour ses crises d'agressivité, sous psychotropes et suivi par un psychiatre, un certain Flores. Ce Mattia n'est donc pas une source très fiable. Vogel ne peut pas s'en servir. C'est pour ça que vous êtes toujours libre, professeur.

— Ils n'ont pas peur que je m'enfuie ?

— Où iriez-vous ? rit Levi. Vous êtes passé au JT national, professeur. Tout le pays connaît votre visage.

Martini observa l'homme plus attentivement. Il était plus vieux que lui mais faisait moins que son âge. Peut-être grâce à ses cheveux, encore fournis et de leur couleur originale. Les femmes le trouvaient sans doute charmant. Il sentait bon l'eau de Cologne, mais ce n'était pas uniquement pour ça. Son calme et son charisme inspiraient la confiance.

— Alors que faites-vous ici ?

— Je suis venu vous défendre, bien sûr !

— Combien ça va me coûter, de vous embaucher ?

— Pas un centime. Je me payerai avec la publicité autour de l'affaire. Mais il y aura des frais. Pour commencer, un détective privé qui mène une enquête parallèle à celle de la police. Et puis, en cas de procès, des expertises et des experts en tout genre, quelqu'un qui fasse des recherches juridiques.

Martini essaya d'évaluer le coût.

— Il faut que j'en parle avec ma femme.

— Bien sûr.

L'avocat sortit de la sacoche en cuir qui était à ses pieds une boîte blanche : un téléphone portable flambant neuf, encore emballé.

— À partir de maintenant, pour me contacter, vous utiliserez celui-ci, parce que le vôtre est probablement sur écoute. Et ne sortez pas de chez vous si vous ne pouvez pas vous déplacer en toute sécurité.

196

Vogel arrangea sa cravate en cachemire devant le miroir de sa chambre d'hôtel. Il l'avait achetée avant de partir pour Avechot, savourant d'avance le moment – et l'occasion – où il la porterait.

Une petite foule de journalistes l'attendait en bas. Il aimait l'idée de les faire mariner. Dans le fond, ils lui avaient donné assez de mal, ces derniers mois.

L'affaire du mutilateur.

Il en avait payé les conséquences, mais maintenant, il était à nouveau en piste et ces salauds étaient encore une fois à ses pieds, espérant obtenir des nouvelles avec lesquelles assouvir leur appétit insatiable, au moins pour un temps.

Le mutilateur avait été une erreur, il devait bien l'admettre. Mais il n'en commettrait plus. Il n'avait pas mis longtemps à reconstruire sa réputation et à redevenir l'idole des médias. Il était sur le point de récupérer son pouvoir d'autrefois, il fallait donc être prudent.

Stella avait été maligne dans son utilisation des vidéos de Mattia. Le montage avec le zoom sur le 4 × 4 du professeur était un chef-d'œuvre médiatique. En outre, Borghi avait été un allié fidèle, contre toute attente. Ce garçon avait peut-être un avenir, s'il l'entraînait avec lui dans ses prochaines affaires. Le problème, c'était la procureur Mayer. Une petite pute pédante. Il n'y avait rien de pire qu'une magistrate idéaliste. Mais il saurait la dompter, il fallait seulement flatter son ego, lui faire ressentir la chaleur des projecteurs. Personne ne pouvait y renoncer, même au risque de s'y brûler.

Avec le mutilateur, il avait couru ce risque. Mais le pire était derrière lui.

On frappa à la porte.

— Monsieur, vous devez descendre, on n'arrive plus à les tenir, lui dit Borghi.

Peu après, Vogel se planta devant l'assemblée bruyante et anxieuse de savoir, réunie dans la salle à manger de l'hôtel. Les chaises étaient toutes occupées et de nombreux journalistes se tenaient debout. Au fond de la pièce, les caméras reposaient sur leurs pieds.

— Je n'ai pas grand-chose à vous dire, malheureusement, commença-t-il devant le nid de micros. Nous n'en aurons que pour quelques minutes.

Il y eut des protestations, mais Vogel était trop expert pour se laisser entraîner dans une interview collective. Il ne dirait que ce qui l'arrangeait.

— Pourquoi n'avez-vous pas encore arrêté le professeur Martini ? demanda un journaliste de la presse écrite.

— Parce que nous voulons lui assurer toutes les garanties prévues par la loi. Pour l'instant, il n'est que suspect.

— À part le 4 × 4 blanc, lui avez-vous trouvé des liens avec Anna Lou Kastner ? demanda une envoyée spéciale vêtue d'un tailleur bleu ciel.

— Cela est une information confidentielle, répondit Vogel.

C'était une de ses phrases préférées : ce n'était pas une confirmation, mais pas non plus un démenti. Il voulait que tout le monde croie que la police avait un as dans sa manche.

— Nous savons que le professeur Martini s'est installé récemment dans la vallée avec sa famille, dit Stella Honer. Sa femme a quitté son travail d'avocate pour suivre son mari à Avechot. D'après vous, ils fuyaient quelque chose ?

Vogel se félicita de la question. Stella était toujours forte pour saisir les aspects insolites des faits.

— Nous enquêtons sur le passé de cet homme, mais je peux vous dire que pour l'instant, il est irréprochable.

La défense de Martini était calculée, elle servait à indigner le public, qui avait fait son choix et qui n'aimait pas être contredit.

— En fait, c'est vous qui détruisez sa réputation avec cette fuite, affirma-t-il sans pudeur. Je n'ai rien d'autre à vous dire.

— Alors pourquoi nous avoir convoqués ? se plaignit quelqu'un.

— Pour vous mettre en garde, affirma Vogel. Nous ne pouvons pas vous empêcher de diffuser une nouvelle, mais il est nécessaire que vous sachiez que toute information qui sort sans l'accord de la police peut ruiner l'enquête et, avec elle, la jeune Anna Lou Kastner. Le fait qu'elle ne soit pas ici avec nous ne signifie pas que nous devons l'ignorer.

Il fit en sorte de prononcer cette dernière phrase à l'intention des caméras pointées sur lui. Puis il s'écarta des micros et se dirigea vers la sortie, tandis que les questions pleuvaient. Mais Vogel ne les écoutait plus. Il fut distrait par la vibration de son téléphone portable. Il le prit et observa le texte qui s'affichait à l'écran.

« J'ai besoin de vous parler. Rappelez-moi à ce numéro. »

Sans doute un journaliste en quête d'un scoop. Il effaça le message, agacé.

— En réalité, nous ne les fréquentons pas. La mère et la fille semblaient sympathiques, mais lui, il ne m'a jamais plu, disait Odevis, dont le visage entrait à peine dans l'écran de la cuisine des Martini. Pour tout vous dire, j'avais remarqué certaines attitudes, disons, bizarres. Par exemple, le matin où la pauvre Anna Lou a disparu, nous nous sommes croisés quand il sortait de chez lui. Je l'ai salué, mais il ne m'a même pas regardé. Il a mis un sac à dos dans le coffre de son 4 × 4 défoncé et… Oui, il était très pressé, comme s'il avait quelque chose à cacher.

Après avoir écouté l'incroyable mensonge du voisin, Martini fut tenté de donner un coup de poing dans un placard. Mais il s'arrêta juste à temps, à cause de sa main bandée.

Assise à la table, Clea éteignit la télévision.

— Cette mauvaise blessure n'a pas encore guéri, je t'avais dit de la montrer à un médecin, dit-elle avec un calme résigné.

— Quel salaud ! s'exclama Martini encore bouillant de rage.

— Pourquoi, tu t'attendais à quoi ?

Le professeur tenta de reprendre le contrôle de lui-même. Il alla s'asseoir à côté de sa femme. Il était 23 heures passées, la maison était silencieuse. La table de la cuisine, éclairée par le plafonnier, semblait un refuge de lumière dans l'obscurité. Des factures et des reçus étaient étalés devant les deux époux, ainsi qu'une copie de leur dernière déclaration de revenus. Clea avait tout recompté à la calculatrice au moins dix fois. Le résultat était toujours le même.

— On n'a pas assez d'argent pour payer les frais que prévoit l'avocat Levi, dut admettre Martini, désolé.

— On pourrait suspendre le paiement du loyer pendant un moment.

— Oui, bien sûr ! Et où on ira vivre quand ils nous expulseront ?

— On y pensera quand ça arrivera. Entre-temps, je pourrais demander un prêt à mes parents.

Martini secoua la tête, soulignant qu'ils se trouvaient dans une situation absurde et que tout s'enchaînait trop rapidement.

— On doit se passer de Levi, il n'y a pas d'autre possibilité.

— On n'a plus de provisions.

— Quel rapport ?

— Aujourd'hui je suis sortie pour aller au supermarché. Quelqu'un m'a reconnue, j'ai eu peur et je suis rentrée sans rien acheter.

En voyant la rage apparaître sur le visage de son mari, Clea lui prit la main. Elle lui parla tout bas, la voix pleine de douleur.

— Monica a été insultée sur Internet. On l'a forcée à fermer son profil Facebook.

— Ce sont des cons frustrés qui cherchent à attirer l'attention, je ne m'inquiéterais pas pour ça.

— Oui, je sais… mais dans quelques jours elle doit retourner au lycée.

Elle avait raison. Il n'y avait pas pensé.

— Tu ne peux pas les laisser te lyncher ainsi sans réagir. Toutes les accusations contre toi se répercutent sur nous.

— Bien, je dirai à Levi de continuer.

On sonna à la porte de la maison. Mari et femme se regardèrent sans mot dire, sans comprendre qui cela pouvait être, à cette heure. Puis il se leva pour aller ouvrir.

— Bonsoir, professeur Martini, dit Borghi à la porte.

Derrière lui, au moins cinq voitures de police étaient garées, gyrophares allumés, ainsi qu'un fourgon de la police et une dépanneuse. Une parade pour les médias.

— J'ai ici un mandat de perquisition et de séquestre, annonça Borghi en lui montrant le document.

Clea apparut derrière son mari, mais, en voyant tous les policiers, elle s'arrêta net.

— Nous devons aussi prendre vos empreintes digitales et prélever des échantillons corporels, poursuivit l'officier. Vous êtes d'accord pour procéder ici ou vous voulez que nous nous rendions dans une structure prévue à cet effet ?

— Non, ça va, faisons ça ici, répondit Martini, perdu.

Borghi se tourna vers les policiers qui attendaient et leur fit signe d'approcher.

Le professeur était assis au milieu du salon. Trois techniciens de la police scientifique, combinaisons blanches et gants en latex, s'affairaient autour de lui. Tandis que l'un d'eux prélevait des échantillons de salive avec un tampon, le second procédait à un prélèvement sous l'ongle de la main droite à la recherche de matériel organique appartenant à Anna Lou. Le troisième s'occupait de la main gauche. Il lui retira le bandage et préleva un échantillon de tissu de la blessure qui n'avait pas encore guéri. Enfin, il photographia la plaie avec un reflex spécial, qui permettait de prendre des photos de très près.

Martini subissait tous les traitements sans réaction, comme hébété.

Autour, les agents fouillaient ses affaires, les souvenirs d'une vie. Il y avait un va-et-vient incessant. Les policiers sortaient de la maison en emportant des sachets transparents contenant les objets les plus disparates : couteaux de cuisine, chaussures et même des outils de jardinage. Dans l'allée de la villa, la dépanneuse chargeait le 4 × 4 devant les yeux attentifs de tout le voisinage, qui avait été réveillé par le vacarme. Sous leurs blousons d'hiver, ils étaient en pyjama et commentaient la scène avec une expression de dégoût.

Dans un coin du séjour, Clea observait son mari en serrant dans ses bras sa fille qui avait été tirée de son lit. Elles semblaient toutes deux très secouées. Pour la énième fois, Martini se sentit coupable.

9 janvier
Dix-sept jours après la disparition

Ils avaient choisi le meilleur technicien de la police scientifique pour s'occuper de la voiture de Martini.

C'était un petit bonhomme d'un certain âge à l'aspect curieux. Bien que quasi chauve, il avait les cheveux rassemblés en queue-de-cheval. En plus, la peau qui dépassait de sa blouse blanche était entièrement couverte de tatouages. Son nom était Kropp.

— Nous avons effectué tous les tests possibles, c'est pour ça que ça a pris du temps, se justifia-t-il devant Vogel et Rebecca Mayer.

La police avait réquisitionné un garage d'Avechot pour permettre à l'équipe d'œuvrer dans les meilleures conditions. Tout le hangar avait été recouvert de bâches plastifiées. Sur le sol, une toile cirée avait été étendue. La voiture se trouvait sur un pont. Les techniciens la démontaient pièce par pièce. Elles étaient divisées en plusieurs groupes et passées au crible par des machines sophistiquées.

— Alors, vous avez du nouveau, oui ou non? demanda Vogel, impatient.

Mais Kropp ne semblait pas pressé. Il parla avec flegme.

— Le premier résultat est que la voiture a été nettoyée récemment, mais uniquement à l'intérieur.

La nouvelle ne pouvait que faire plaisir à Vogel.

— Il y a des résidus de détergent et de solvants, ce qui pourrait nous laisser penser qu'il a voulu effacer des traces, poursuivit le technicien.

— D'ailleurs, pourquoi ne se consacrer qu'à l'habitacle si on n'a rien à cacher ? fit remarquer Vogel à Rebecca Mayer.

— Du sang ou d'autres fluides organiques ? demanda la procureur, qui ne se contentait pas du résultat.

Le technicien secoua la tête, sa queue-de-cheval ondulant dans son dos.

— Bref, il n'y a rien qui prouve qu'Anna Lou est montée dans sa voiture, poursuivit Rebecca Mayer.

— Vous espériez vraiment qu'on trouve du sang ? intervint Vogel.

Il aurait voulu lui demander d'où provenait son ingénuité têtue. Était-elle sérieuse ou cherchait-elle à l'énerver ?

— Vous ne comprenez pas que c'est une bonne nouvelle qu'on n'ait rien trouvé ?

— Comment ça ?

— Les indices ne sont pas toujours tangibles. Le vide, par exemple, est un indice : cela signifie que dans cet espace se trouvait quelque chose qui a disparu. La question à poser au professeur Martini est pourquoi il n'a nettoyé sa voiture qu'à l'intérieur.

— Ça, commandant Vogel, c'est une opinion, pas un fait. Plus précisément, c'est *votre* opinion. Une personne sensée a mille raisons de ne pas laver la carrosserie de sa voiture en hiver, surtout quand elle vit à la montagne et qu'elle part souvent en excursion. La boue, la neige et la pluie la saliraient à nouveau en quelques jours. Tandis qu'il est normal de vouloir que l'intérieur soit propre, quand on transporte des passagers.

Rebecca Mayer faisait tout pour l'énerver, mais au fond Vogel admirait son obstination. Ce qu'il ne comprenait pas, c'était pourquoi la procureur démontait toujours l'évidence, même quand cela allait contre son propre intérêt. Ils n'avaient rien d'autre sous la main que ce modeste professeur, l'enquête avait coûté des millions aux contribuables et on viendrait bien vite la voir pour lui demander des comptes.

— Le mécanisme qu'on a enclenché doit porter ses fruits, tenta d'expliquer calmement Vogel. Nous sommes obligés de bâtir une accusation pour un procès, vous devez l'admettre. Notre devoir n'est pas de juger les preuves et les indices, mais de les porter devant un juge et un jury.

— Vous avez raison, notre devoir n'est pas de juger les preuves, répéta Mayer, décidée. Notre devoir est de les *trouver*. Je le répète : il nous faut de l'ADN.

Kropp, qui jusque-là avait assisté à l'échange avec une certaine indifférence, décida d'intervenir.

— En fait, nous avons trouvé de l'ADN.

Ils se retournèrent vers le technicien, se demandant pourquoi il ne l'avait pas dit plus tôt.

— Il y a quelque chose, et c'est assez bizarre, poursuivit Kropp. De l'ADN de chat. Ou mieux, *des poils de chat*.

— Des poils de chat ? répéta Vogel, incrédule.

— Un spécimen tacheté, roux et marron. Il y en a beaucoup sur les sièges et sur les tapis.

— Les Martini n'ont pas de chat, dit Rebecca Mayer.

Mais Anna Lou les adorait, aurait voulu ajouter Vogel. Toutefois il se tut en voyant Borghi entrer dans le garage. Le jeune homme parlait au téléphone en le cherchant du regard. Il était inquiet.

— Excusez-moi, prit congé Vogel pour le rejoindre.

Entre-temps Borghi avait raccroché.

— Nous avons un problème, dit-il à voix basse.

La mère d'Anna Lou, pieds nus et en chemise de nuit, ramassait les petits mots et retirait les fleurs séchées de l'étendue de petits chats que les gens avaient déposés devant chez eux des jours auparavant. Le pèlerinage avait pris fin dès que la nouvelle de l'existence d'un suspect avait été diffusée. La pitié avait été remplacée par de la curiosité morbide. Personne ne s'intéressait plus vraiment au destin de la jeune fille disparue. Même pas les médias, qui avaient quitté les lieux. Quand Vogel et Borghi arrivèrent à bord de la berline, seuls quelques photographes immortalisaient la scène.

— Renvoyez-les, ordonna Vogel à son subordonné. Madame Kastner, je suis le commandant Vogel, vous vous souvenez ?

La femme se retourna et l'observa, déboussolée. La petite pluie fine qui tombait pénétrait le tissu de sa chemise de nuit, révélant de façon indécente qu'elle ne portait rien en dessous. Vogel retira son manteau et le lui posa sur les épaules.

— Il fait froid. Pourquoi n'entrons-nous pas ?

— Je dois finir de ranger, répondit la femme comme si c'était la tâche la plus importante au monde.

Alors Vogel lui montra le bracelet en perles fait par Anna Lou, celui qu'elle lui avait mis au poignet le jour de Noël, la première fois qu'il leur avait rendu visite.

— Vous vous rappelez la promesse que vous m'avez demandé de vous faire ? Eh bien, il y a du nouveau… Mais allons en parler à l'intérieur, d'accord ?

Maria Kastner sembla y réfléchir un moment.

— Cet homme, ce professeur… Vous pensez vraiment que c'est lui ? Je veux dire, ce n'est pas le genre, à mon avis : je pense qu'il est innocent… Parce que, s'il garde Anna Lou prisonnière, vous auriez déjà découvert où est ma petite fille, pas vrai ?

Vogel chercha une réponse. De toute évidence, la femme refusait de regarder la réalité en face.

— Nous le surveillons, la rassura-t-il.

— Les jours passent, Anna Lou doit avoir faim. Si cet homme est sous surveillance, alors qui lui apporte à manger ?

Pour la première fois de sa carrière et de sa vie, Vogel resta sans voix. Heureusement pour lui, à ce moment-là, Bruno Kastner arriva, prévenu de ce qui se passait devant chez lui.

— Excusez-moi, j'étais au travail, se justifia-t-il avant de prendre sa femme par le bras pour la conduire vers la porte d'entrée. Ce sont les médicaments pour dormir que lui a prescrits son psychiatre.

— Monsieur Kastner, j'ai besoin que votre femme soit le plus lucide possible. Il faudrait peut-être revoir le dosage.

Il pensait que les médias allaient profiter de la confusion de la femme, notamment pour lui attribuer des affirmations infondées.

— J'en parlerai au docteur Flores, assura Bruno Kastner en tournant le dos à Vogel.

Ce dernier regarda ce mari qui prenait soin de sa femme avec tant de tendresse. Puis il fixa à nouveau le bracelet de perles qu'il portait au poignet.

Stella Honer se trouvait dans le salon d'une habitation modeste mais digne. Le canapé où elle était assise était recouvert d'une housse usée, peut-être pour cacher le tissu original abîmé, ou pour le préserver de l'usure du temps. Comme toujours, la journaliste était impeccable. Tailleur gris et foulard de soie rose noué autour du cou. D'une main, elle tenait un micro.

La caméra élargit le champ et la personne qui habitait la maison apparut à côté d'elle.

Cette fois, Priscilla ne portait pas sa tenue de rebelle habituelle. Elle était plus sobre, en jean bien repassé, non déchiré, et chemisier blanc. Ses trois boucles à l'oreille avaient disparu, de même que le trait de crayon noir qui durcissait son regard. Malgré son maquillage, elle ressemblait à une petite fille. Elle serrait un mouchoir dans ses mains.

— Alors, Priscilla, peux-tu nous dire comment ça s'est passé ? demanda doucement Stella Honer.

La jeune fille acquiesça, comme pour se donner du courage.

— J'étais à la veillée devant chez les Kastner, j'avais apporté un petit chat en tissu pour Anna Lou. J'étais avec des amis, nous étions tous secoués. Soudain j'ai reçu un texto... Il était du professeur Martini.

La jeune fille s'arrêta, incapable de poursuivre.

— Pourquoi cela t'a-t-il étonnée ?

— Je... Je respectais le professeur Martini, je pensais que c'était quelqu'un de bien... mais après ce qui s'est passé...

Stella Honer laissa le silence se prolonger pour permettre aux téléspectateurs de bien anticiper les paroles de la jeune fille. Elle était forte pour créer le suspense.

— Qu'y avait-il écrit dans le message ?

Comme on lui avait dit de le faire avant de commencer le direct, Priscilla sortit son portable de la poche de son jean et lut le texte, la main et la voix tremblantes.

— « Ça te dirait de passer chez moi demain après-midi ? »

Autre pause à effet, voulue par Stella Honer, cette fois parce qu'elle avait vu une larme pointer sur la joue gauche de la jeune fille. Or elle ne voulait pas qu'elle pleure. *Pas encore.* Alors, pour lui donner le temps de se reprendre, la journaliste prit délicatement le téléphone des mains de Priscilla et le montra à la caméra.

— On nous accuse souvent de raconter une vérité partielle, altérée pour manipuler le public. Mais ceci n'est pas une invention journalistique, regardez : c'est réellement arrivé.

Elle laissa le temps suffisant pour que les téléspectateurs lisent ce qu'il y avait sur l'écran, puis s'adressa à nouveau à son hôte.

— Qu'as-tu pensé, Priscilla ?

— Au début rien, juste que c'était bizarre. Puis, quand j'ai entendu à la télé que la police soupçonnait le professeur, j'ai pensé à Anna Lou et que peut-être, après elle, ça pouvait être mon tour…

Stella Honer acquiesça gravement et posa sa main sur celle de Priscilla. Comme prévu, ce geste déclencha la réaction que la journaliste attendait. Priscilla se mit à pleurer. Stella Honer ne lui demanda plus rien, elle laissa savamment la caméra faire un gros plan sur le visage de la jeune fille.

— Ce ne sont que les fantasmes d'une gamine qui mourait d'envie de passer à la télé.

La voix de Martini était désespérée.

Sa femme, elle, était avant tout en colère.

— En attendant, cette *gamine* t'a coûté ton job ! Tu me dis comment on va faire, maintenant ?

Deux jours avant la fin des vacances de Noël, le proviseur du lycée avait appelé le professeur pour lui communiquer que ses cours étaient suspendus, ainsi que, plus grave, son salaire.

— Comment on va faire pour payer les frais de ta défense ? On est criblés de dettes et tu fais le crétin avec une élève ? Une gamine ?

— Je connais Priscilla. Cet air défait, ces vêtements, ce n'est qu'une mise en scène !

Vogel écoutait, confortablement assis dans son bureau de fortune dans les vestiaires du gymnase scolaire. Il portait un casque, avait posé ses pieds sur le bureau et se balançait sur sa chaise, les mains croisées sur ses genoux. L'idée de placer des micros chez les Martini durant la perquisition n'avait rien donné jusque-là, mais c'était peut-être en train de changer. Vogel semblait amusé par la dispute entre les conjoints.

D'ailleurs, c'était lui qui avait convaincu le proviseur d'intervenir avant que l'interview de Priscilla par Stella Honer déclenche la colère des parents. Colère qui, évidemment, s'abattrait sur lui. L'homme, un bureaucrate mollasson, s'était laissé convaincre trop facilement.

— Pourquoi lui as-tu envoyé ce message ? demanda Clea.

— Elle m'avait demandé de lui donner des cours de théâtre. Pardon, mais si j'avais voulu abuser d'elle je n'aurais pas été assez stupide pour lui donner rendez-vous chez nous, tu ne crois pas ?

Clea Martini se tut, elle sembla vaciller. Mais elle reprit vite sa voix agacée.

— Je te connais depuis une éternité, je sais que tu es un homme bon… Mais je ne sais pas à quel point tu es innocent.

La phrase, suivie d'un bref silence, eut l'effet d'une bombe. Clea poursuivit :

— Tu es assez intelligent pour comprendre la différence entre deux choses : même les hommes bons commettent des erreurs… Hors d'ici je ne croise que des regards hostiles. J'ai toujours peur que quelqu'un puisse te faire ou nous faire du mal. Monica ne sort plus de la maison, elle a perdu le peu d'amis qu'elle avait et elle ne supporte plus la tension.

Vogel savait ce qui allait se passer, il l'avait voulu et projeté.

— Petites ou grandes que soient tes erreurs, reprit la femme, je resterai à tes côtés le restant de mes jours. Je l'ai promis et je le ferai. Mais ta fille n'est liée par aucun serment… Pour cette raison, je vais l'emmener loin d'ici.

Vogel se retint d'exulter.

— Tu veux dire loin de moi.

Ce n'était pas une question, mais un constat amer.

La femme ne répondit pas. Peu après, on entendit le bruit d'une porte qui s'ouvrait et se refermait. Vogel retira les pieds de son bureau et se pencha, portant les mains à son casque et serrant les écouteurs sur ses oreilles pour se concentrer sur le silence.

Martini était encore dans la pièce. On entendait sa respiration. Faible, rythmée. La respiration d'un homme traqué qu'il ne pouvait pas encore envoyer en prison, mais qui était prisonnier de son existence, à laquelle il ne pouvait pas échapper.

Vogel avait fait le vide autour de lui. Maintenant que sa femme et sa fille l'avaient abandonné, il allait s'écrouler. Il était fini.

Mais, à ce moment-là, il se passa quelque chose que Vogel n'avait pas prévu. C'était absurde, privé de sens.

Le professeur se mit à chantonner.

Doucement, à mi-voix. Cette allégresse détonnait avec ce qui venait de se passer. Vogel écoutait, perplexe, la petite chanson. C'était une comptine. Il ne saisit que quelques mots.

Elle parlait de fillettes et de petits chats.

10 janvier
Dix-huit jours après la disparition

Levi l'avait appelé sur le téléphone sécurisé qu'il lui avait remis la première fois, demandant à le rencontrer. Puis il avait envoyé son chauffeur le chercher chez lui. Les journalistes avaient suivi la Mercedes mais avaient dû renoncer quand le professeur était descendu de la voiture pour rentrer dans l'enceinte d'une villa privée.

L'avocat l'avait louée pour suivre l'affaire de près.

Quand Martini franchit le seuil, il se retrouva devant une scène à laquelle il ne s'attendait pas. Le séjour avait été transformé en bureau et un petit groupe de collaborateurs était en plein travail. Certains étudiaient des textes de loi et des dossiers, d'autres téléphonaient ou discutaient de stratégie de défense. Ils avaient même dressé un panneau avec les résultats de l'affaire. Ils étaient tellement occupés qu'ils ne s'aperçurent pas de sa présence.

Levi l'attendait à la cuisine pour un entretien privé.

— Vous avez vu cette organisation ? Juste pour vous, se vanta l'avocat.

Martini pensa à ce que ça allait lui coûter, maintenant qu'il n'avait plus de travail.

— Franchement, je suis en train de perdre espoir.

— Vous ne devriez pas, le reprit Levi en lui faisant signe de s'asseoir, tandis que lui restait debout. J'ai appris que votre femme et votre fille étaient parties hier.

— Elles sont chez mes beaux-parents.

— Franchement ça vaut mieux, croyez-moi. La situation est tendue et je pense que ça va empirer dans les prochaines semaines.

— Et vous avez le courage de me dire de ne pas perdre espoir ? lança Martini avec un sourire amer.

— Bien sûr, parce que je m'y attendais.

— C'est Vogel, n'est-ce pas ? C'est lui qui tire les ficelles…

— Oui, mais ça le rend prévisible. Il suit le scénario habituel, cet homme n'est pas capable d'inventivité.

— Mais tout le monde l'écoute.

L'avocat s'approcha du frigo dont il sortit une bouteille d'eau minérale. Il la déboucha et la tendit au professeur.

— La seule chose qui peut vous sauver, c'est de rester lucide et de garder votre calme. Donc, du calme… et laissez-moi faire.

— Ce policier a détruit ma vie.

— Mais vous êtes innocent, n'est-ce pas ?

Martini regarda la bouteille.

— Parfois, je viens à en douter.

Levi rit, bien que le professeur ne l'ait pas dit sur le ton de la blague. Puis il lui posa une main sur l'épaule.

— Même Vogel a un point faible et c'est là-dessus que nous l'attaquerons… Ça va lui faire mal, très mal.

Martini regarda Levi, le regard plein d'espoir.

— Vous avez entendu parler de l'affaire Derg ? demanda l'homme de loi.

— Je ne crois pas.

— Cette affaire a eu un très gros écho médiatique il y a environ un an. Peut-être que vous la connaissez sous le nom dont l'ont affublée les journaux : *le mutilateur*.

— Oui, oui, j'en ai entendu parler… Mais je ne m'intéresse pas beaucoup aux faits divers, en général.

— Eh bien, la police a longtemps chassé un terroriste en série qui cachait de petits explosifs dans des produits de supermarché qu'il remettait en rayon : une boîte de céréales, un tube de mayonnaise, une boîte de conserve. Les explosions ont blessé plusieurs personnes, elles leur ont arraché des doigts ou des phalanges, une fois même une main entière.

— Mon Dieu. Ça n'a jamais tué personne ?

— Non, mais ça n'aurait pas tardé à arriver : le mutilateur se serait lassé et aurait tenté de jouer la surprise. Tout le monde s'y attendait, dans le fond. C'était la panique générale. Mais avant qu'il y ait un mort, Vogel a réussi à débusquer un comptable innocent passionné de maquettes et d'électronique : M. Derg. Le hasard a voulu que cet homme ait perdu son index droit dans son enfance. À l'époque, on avait parlé d'un banal accident domestique. En réalité, c'était sa mère qui l'avait mutilé avec une cisaille à volaille pour le punir. Elle souffrait de troubles psychiques et torturait son fils.

— Mon Dieu…

— Voilà : vous pensez exactement comme tout le monde, c'est-à-dire que Derg était un coupable parfait.

216

— C'est vrai, admit Martini. Son comportement violent à l'âge adulte est plausible par rapport à ce qui lui est arrivé enfant.

— C'est comme ça qu'on crée les monstres. Mais ce n'est pas ça qui nous intéresse. Dans l'affaire Derg non plus, il n'y avait pas de preuves, juste des indices. Vogel a monté un show pour les médias et a convaincu un procureur d'incriminer Derg. Mais, à la fin, le comptable a été innocenté pour insuffisance de preuves.

— Pourquoi?

— L'explosif utilisé par le mutilateur était rudimentaire. Même un dilettante aurait pu l'assembler, avec des substances trouvables en quincaillerie. Toutefois, il a un inconvénient: il laisse des traces chimiques sur ceux qui le manipulent. Et Derg n'avait pas de traces sur lui…

— Et ça a suffi à le disculper?

— Bien sûr que non. Mais écoutez ça: l'indice le plus compromettant a été trouvé lors d'une perquisition de la police. Derg avait chez lui une boîte de biscuits identique à celle dans laquelle le mutilateur avait caché un de ses explosifs et, en plus, dont le numéro de série indiquait qu'elle avait été achetée dans le même magasin que celui où le fou avait frappé. Pourtant, Derg avait nié y être allé.

— Alors comment…

— C'est là que c'est fort: celui qui a placé cette boîte chez lui pour l'incriminer n'a pas vérifié la date de fabrication des biscuits. Ils avaient été produits au moment où Derg était déjà en prison, en attendant le procès, donc ça ne pouvait pas être lui qui les avait achetés. Résultat? Ils l'ont libéré et innocenté.

— Et Vogel?

— Vogel s'est sauvé en déchargeant sa responsabilité sur un de ses subordonnés, un jeune officier qui a été renvoyé. Il fait toujours ça : il choisit un bouc émissaire pour le sacrifier en cas de nécessité... Donc, après Derg, les médias ont perdu confiance dans les tuyaux qu'il leur passait et, peu à peu, ils l'ont laissé tomber.

— Jusqu'à maintenant, commenta le professeur. Je suis son occasion de revenir sous les feux de la rampe.

— Quand cela arrivera, nous le ferons apparaître pour ce qu'il est : un mystificateur.

Martini semblait avoir repris un peu confiance.

— Je vais m'en sortir, alors.

— Oui, mais à quel prix ? Derg a passé quatre ans en prison, dans l'attente que son procès prenne fin. Entre-temps, il a eu une congestion cérébrale et il a perdu son travail, ses amis et sa famille.

Le professeur se rendit compte que les paroles de Levi avaient un but précis.

— Que puis-je faire pour l'éviter ?

— Oublier que vous êtes innocent.

Martini ne comprit pas le sens de la phrase, mais l'avocat le congédia avec une poignée de main, sans explications.

— Je vous appellerai bientôt, promit-il.

La nuit précédente, Borghi n'avait pas réussi à trouver le sommeil. Il s'était retourné dans son lit en pensant à la scène à laquelle il avait assisté devant chez les Kastner, à cette mère sonnée et bouleversée qui se promenait en chemise de nuit parmi les petits chats que les gens avaient offerts à sa fille. Maria tentait de donner un sens à sa douleur.

Les chats sont la réponse, s'était-il dit.

Les poils du spécimen roux et marron tacheté qui avaient été retrouvés dans l'habitacle du 4 × 4 du professeur n'avaient aucun sens. Quand il avait appris ce détail, Borghi n'avait pas raisonné tout à fait comme Vogel.

Les Martini n'avaient pas de chat. Anna Lou aurait tant voulu en avoir un.

Dans son insomnie, Borghi avait conclu que la clé pour arriver à la solution de l'énigme était justement la jeune fille. Ils ne se demandaient plus ce qu'elle était devenue. Les médias, le public et même la police étaient passés à un autre genre de questions. Comment le professeur l'a-t-il tuée ? L'a-t-il violée d'abord ? Ils considéraient comme acquis qu'elle avait été tuée et, même sans le dire ouvertement, ils tentaient d'assouvir leur curiosité avec des détails scabreux.

Par exemple, personne ne se demandait : « Pourquoi l'a-t-il tuée ? »

La raison pour laquelle un professeur apparemment innocent d'un village de montagne aurait pu tuer une jeune fille invisible comme Anna Lou n'était pas évoquée. Pourtant, elle était déterminante.

Pourquoi l'a-t-il tuée ?

À l'aube, Borghi avait compris qu'il fallait repartir d'elle, d'Anna Lou Kastner. Dans le fond, que savaient-ils de cette jeune fille ? Uniquement ce que leur avaient dit ses parents et ses connaissances. Mais cela suffisait-il ? À l'école de police, il avait appris une leçon.

Que les victimes aussi ont une voix.

On se résignait trop vite au fait qu'elles ne pouvaient plus donner leur propre version des faits. Mais elles pouvaient. Le passé parlait généralement à leur place. Il fallait juste que quelqu'un l'écoute.

Pour cette raison, après avoir découvert que le lycée fréquenté par Anna Lou et par le professeur avait un vieux dispositif de surveillance vidéo pour décourager les actes de vandalisme, Borghi s'était enfermé dans une sorte de cagibi où s'entassaient de vieux magnétoscopes et il contrôlait depuis des heures les films où apparaissait la jeune fille. Des scènes de la vie quotidienne, où Anna Lou se montrait dans toute sa naïveté. Les classes n'étaient pas filmées, mais à la cantine, au gymnase ou dans les couloirs elle était toujours la même. Timide, réservée, mais souriant à qui lui adressait la parole. Aucun comportement anormal, dans cette conduite.

Le système de surveillance était remis à zéro tous les quinze jours. Les bandes étaient réutilisées, en effaçant les enregistrements précédents. Heureusement les vacances de Noël avaient interrompu le cycle, préservant les contenus des quinze derniers jours précédant la disparition.

Néanmoins, cela représentait des heures et des heures de visionnage. Borghi choisissait au hasard les moments sur lesquels se concentrer pour chercher la fille sur l'écran. Assis sur une chaise pliante devant un écran en noir et blanc et accompagné d'un thermos de café refroidi depuis longtemps, il avait visionné beaucoup de films. Il n'avait jamais vu Anna Lou avec le professeur. À ce moment précis, il observait le dernier jour avant les vacances, qui était aussi la veille de sa disparition. Son portable sonna.

— Pourquoi tu ne m'as pas appelée hier soir ? demanda Caroline d'un ton agacé.

— Excuse-moi, tu as raison. Je suis très pris par le travail.

— Ton travail est plus important que ta femme enceinte.

Ce n'était pas une question mais une accusation.

— Bien sûr que non. Je ne voulais pas me justifier, c'est la vérité. Quand je travaille, je ne peux pas t'appeler, mais je pense tout le temps à toi.

À l'autre bout du fil, Caroline soupira. Elle était peut-être dans un «bon» jour, au niveau hormonal. Mais Borghi ne pouvait pas le lui dire, cela l'aurait mise hors d'elle.

— Tu as reçu ce que je t'ai envoyé?

— Oui, et merci. J'avais bien besoin de vêtements de rechange.

— Hier soir, mon père t'a vu à la télé.

Borghi imaginait le sourire sur son visage. Voilà pourquoi elle n'était pas fâchée : elle était fière de lui.

— Ah oui? Et je passais bien?

— Je te dis juste que j'espère que notre fille me ressemblera, dit-elle en riant. Ma mère voudrait qu'on reste un peu ici, après la naissance.

Ils en avaient déjà longuement parlé. Caroline soutenait que sa mère pourrait les aider, les premiers temps, mais cela impliquait qu'il déménage, lui aussi, et même s'il s'entendait bien avec ses beaux-parents, Borghi ne voulait pas risquer la cohabitation. Il avait peur que cela se prolonge indéfiniment.

— On peut en parler à mon retour? Il reste quelques mois, avant l'accouchement.

Caroline l'ignora.

— Papa a déjà préparé une chambre pour nous au bout du couloir. Celle de mon frère avant qu'il aille vivre seul. Elle est éloignée, nous aurons notre intimité.

À son ton, il semblait que Caroline avait déjà décidé pour tous les deux. Borghi aurait voulu répondre mais il sursauta sur sa chaise pliante. Il avait aperçu quelque chose sur l'écran.

— Excuse-moi, Caroline, je te rappelle.

— Chaque fois qu'on se parle, tu me raccroches au nez !

— Je sais, pardonne-moi.

Il raccrocha sans attendre sa réponse, puis se concentra sur la vidéo.

Pour la première fois, Anna Lou et le professeur étaient sur le même plan.

Le couloir du lycée était désert. Seule la jeune fille y marchait, des livres dans les mains. Le professeur arriva de la direction opposée.

Ils passèrent l'un à côté de l'autre, se frôlant presque.

Borghi revint en arrière pour revoir la scène. Un détail le frappa. Si les médias le découvraient, cela créerait un sacré bazar. Il fallait informer Vogel.

À 23 heures, Martini était assis sur le canapé de son salon, dans le noir. Il entendait dans la rue les voix des troupes qui campaient devant chez lui. Il ne comprenait pas ce qu'ils disaient, mais de temps à autre il les entendait rire.

C'est toujours bizarre que la vie des autres continue alors que la tienne s'est arrêtée, pensa-t-il. Il se sentait bloqué dans sa vie.

Il avait éteint les lumières pour empêcher les gens dehors de lorgner par les fenêtres pour voir ce que faisait le monstre. Mais il y avait une autre raison. Il voulait éviter le regard de Clea et de Monica qui le suivaient, dans la maison, depuis les photos encadrées. Elles étaient parties loin de lui et il voulait leur échapper. Il était en colère, parce qu'il comprenait tout à fait leur position. Dans le fond, c'était pour leur bien.

Une vibration le sortit de sa torpeur. En même temps, une petite lumière s'alluma sur une étagère. Martini se leva pour aller vérifier : un message apparaissait sur l'écran du téléphone que Levi lui avait remis.

« Au cimetière, dans une demi-heure. »

Le professeur se demanda pourquoi l'avocat lui proposait un rendez-vous dans un lieu aussi insolite au lieu de le rencontrer dans la villa qu'il avait louée pour en faire son QG. Il repensa aux paroles de l'homme de loi le matin même.

Oubliez que vous êtes innocent.

Il allait peut-être obtenir une réponse. Il élabora un plan pour sortir de chez lui sans être vu. Il monta à l'étage récupérer un vieux blouson et une casquette. Il comptait les utiliser pour se camoufler et marcher dans la rue sans être importuné. Pour semer les journalistes, il sortirait par-derrière et escaladerait la haie du jardin.

Il lui fallut plus d'une demi-heure pour arriver au cimetière. Il voulait être sûr que personne ne l'avait suivi. Le portail n'était pas fermé à clé. Il le poussa et avança entre les tombes.

La lune était pleine et grise. Martini déambula un moment, sûr de voir débarquer l'avocat Levi. Mais ensuite, il aperçut un petit point rouge intermittent au loin. Il le suivit comme un phare qui lui indiquait la bonne direction. Quand il arriva devant, il comprit qu'il s'agissait d'une cigarette. La pointe s'allumait et s'éteignait chaque fois que Stella Honer aspirait une bouffée.

— Rassure-toi, je suis ici en amie, dit la femme, amusée.

Assise sur une pierre tombale, elle croisait les jambes comme si elle se trouvait dans un salon.

— Que voulez-vous ? demanda-t-il durement.

— T'aider.

Il était agacé que Stella Honer s'adresse à lui sur ce ton confidentiel.

— Je n'ai pas besoin de votre aide.

— Tu veux que je te prouve que je suis ton amie ? Bien… Ta femme était sur le point de te quitter pour un autre homme, il y a six mois. Vous avez déménagé ici pour tenter de repartir de zéro.

La chose, pensa Martini. Comment savait-elle ?

— Tu vois ? Nous sommes amis, poursuivit Stella en remarquant que le professeur était plus déboussolé qu'en colère.

Vogel, qui lui avait passé l'information, avait prévu qu'il réagirait ainsi.

— J'aurais pu me servir de la nouvelle, mais je ne l'ai pas fait… Je sais que Clea est partie avec votre fille, mais, si tu veux qu'elles reviennent, tu as intérêt à être malin.

— Quand ma position sera clarifiée, elles reviendront et nous reprendrons notre vie d'avant.

— Pauvre coco, tu penses vraiment que c'est ce qui va se passer ? demanda Stella Honer en penchant la tête sur le côté.

224

— Je suis innocent.

— Alors tu n'as rien compris. Tout le monde se fiche de savoir si tu es innocent ou non. Les gens ont décidé. Les policiers ne te laisseront jamais en paix : ils dépensent de l'argent à foison pour résoudre cette affaire, ils n'ont pas les ressources pour se permettre une autre enquête et, surtout, un autre coupable.

Martini déglutit. Il fit tout pour avoir l'air calme.

— Donc, soit moi, soit personne d'autre…

— Exact. La seule raison pour laquelle tu es encore libre est qu'ils n'ont pas trouvé de cadavre. Sans corps, ils ne peuvent pas t'accuser d'homicide. Mais tôt ou tard, ils le trouveront, c'est toujours comme ça.

— Si je suis fini, alors pourquoi j'aurais besoin de vous ?

Le professeur gardait son ton formel pour maintenir une distance.

La femme marqua une brève pause et sourit. Ses yeux profonds brillaient à la lueur de la lune.

— Tu as besoin de moi pour tirer le meilleur avantage de cette histoire. Tu pourrais obtenir beaucoup des médias, précisément ceux qui te sont hostiles aujourd'hui : une interview de toi vaut de l'or. Et moi je suis prête à payer… Naturellement, l'offre est valable tant que tu es libre : en prison tu ne vaudras plus rien.

— C'est Levi qui a organisé cette rencontre ? Donc son discours de ce matin…

Martini eut une grimace de dégoût.

— Ton avocat est un homme pragmatique. Si tu veux espérer t'en sortir, il te faudra assez d'argent pour payer une contre-enquête soignée, avec experts et détectives privés.

— Oui, il m'a déjà dit ça.

— Et où penses-tu trouver l'argent? Tu as pensé à ce qui arrivera à ta famille quand tu seras en prison? Comment vivront-elles?

Il aurait dû s'énerver, pourtant il éclata de rire. Cette réaction surprit la journaliste, mais Martini ne pouvait plus s'arrêter.

— C'est bizarre… Pour tout le monde je suis le monstre, même sans preuve. Même ma femme a des doutes. Mais vous savez ce que je vous dis? Je vous dis, déclara-t-il en retrouvant son sérieux, que moi je sais *exactement* qui je suis. Je ne vais donc pas me mettre à spéculer sur le dos d'une jeune fille disparue et sur la douleur de sa famille uniquement pour me sauver ou pour sauver ma femme et ma fille. Transmettez à mon avocat.

Martini tourna les talons.

— Vous êtes un idiot, vous savez? dit Stella Honer au bout de quelques secondes.

Elle dut se contenter pour toute réponse du dos du professeur qui s'éloignait.

Ce soir-là, Vogel avait mangé un dîner léger dans sa chambre d'hôtel et il prenait des notes dans son carnet noir avant d'aller se coucher. Il était assis en robe de chambre dans un fauteuil et souriait tout seul. Il était certain que cette vieille fouine de Levi avait déjà commencé à bouger ses pions sur l'échiquier.

Quand il avait appris la présence de l'avocat en ville, il n'avait pas été très étonné. Levi faisait partie des meubles depuis si longtemps qu'il était normal de le voir apparaître. Son numéro de cirque était toujours une surprise. Il pouvait être le prestidigitateur qui étonne la foule, ou bien le clown qui entre pour distraire le public pendant que le lion dévore le dompteur. Dans ce cas, Levi avait sans aucun doute contacté Stella Honer pour qu'elle convainque le professeur de se donner en pâture aux bêtes féroces.

Martini allait accepter. Ils finissaient tous par accepter. Même Derg avait mis le masque du monstre, pendant un moment. Le temps suffisant pour encaisser un peu d'argent avant de clamer à nouveau son innocence.

Si le professeur passait à la télévision, pour Vogel tout serait plus simple. Le sot chercherait sans doute l'empathie du public, mais cela ne ferait qu'enrager les foules plus encore. Alors, tout le monde voudrait sa tête, pas seulement le commun des mortels, mais aussi les chefs de la police, et même le ministre. Mayer n'y pourrait rien.

Quand son portable vibra, Vogel n'en revint pas. Il reconnut le mystérieux numéro dont il avait reçu un texto quatre jours auparavant, à la fin de la conférence de presse.

« J'ai besoin de vous parler. Appelez-moi à ce numéro. »

Cette fois encore, il décida de l'ignorer, qui qu'il soit, et il effaça le message. À ce moment-là, on frappa à la porte. Vogel se demanda si les deux événements étaient liés. Sûr de se trouver devant l'énigmatique gêneur, il ouvrit la porte avec véhémence.

C'était Borghi, l'air défait, des cernes profonds sous les yeux. Il avait son sac et un ordinateur portable.

— Je peux vous parler ?

— Ça peut attendre demain ? J'allais me coucher.

— Je veux vous montrer quelque chose et je pense qu'il faut que vous regardiez tout de suite, affirma l'autre en montrant son ordinateur.

Il entra et l'alluma sur le lit de Vogel. Les deux officiers étaient debout devant l'écran.

— J'ai trouvé cette vidéo dans le système de surveillance du lycée, dit Borghi. Regardez ce qui se passe…

Le jeune policier avait revu la scène au moins une vingtaine de fois, mais pour Vogel c'était la première. Anna Lou marchait tranquillement dans le couloir désert. Puis le professeur venait à sa rencontre. Ils passaient à côté l'un de l'autre, très proches, pour ensuite disparaître tous deux du champ.

Borghi arrêta le film.

— Vous avez remarqué?

— Remarqué quoi? demanda Vogel, irrité.

— Ils ne se sont même pas regardés… Si vous voulez, je peux revenir en arrière et vous montrer à nouveau.

Mais Vogel lui saisit le poignet.

— C'est inutile.

— Comment ça? Un des fondements de l'accusation est qu'Anna Lou connaissait son ravisseur, vous vous souvenez? Donc, elle lui a fait confiance et elle l'a suivi sans qu'aucun voisin voie ni aperçoive quoi que ce soit. C'est vous qui l'avez dit…

Vogel sourit, ému par la naïveté du jeune homme.

— Et d'après vous, ça montre qu'Anna Lou ne savait pas qui était Martini?

Borghi réfléchit un moment.

— En effet…

— Elle pouvait très bien savoir qui il était et ne pas le regarder par timidité.

Mais Borghi ne se contentait pas de l'explication.

— Il y a toujours un risque.

— Pour qui ? Pour nous ? Vous avez peur que si les médias apprennent l'existence de cette vidéo, ils changent leur point de vue sur le professeur ?

Bien sûr que non, mais Borghi comprit : tout était déjà décidé. À moins d'un coup de théâtre, personne ne changerait d'idée sur Martini : simplement, ce n'était pas dans leur intérêt.

— C'est pour ça que vous avez disparu toute la journée ? Pendant ce temps, moi aussi j'ai fait passer des vidéos au crible.

— Quelles vidéos ? demanda Borghi, interdit.

— Celles des caméras de surveillance des voisins des Kastner.

— Mais vous aviez dit qu'elles n'étaient pas intéressantes parce que les objectifs sont pointés vers l'intérieur des propriétés, pas vers la rue.

À chacun son jardin : durant le premier briefing, Vogel avait employé exactement ces mots. Que lui cachait-il, maintenant ?

Mais Vogel n'avait aucune intention de partager ses découvertes avec lui. Il lui posa une main sur l'épaule pour le raccompagner à la porte.

— Je vais me reposer, lieutenant Borghi. Et laissez-moi faire mon travail.

11 janvier
Dix-neuf jours après la disparition

— Je n'autoriserai aucune arrestation.

La phrase de Rebecca Mayer était péremptoire. Vogel se heurtait une fois encore à l'obstination de la procureur.

— Vous êtes en train de tout faire capoter, répondit-il. Il faut arrêter le professeur, sinon ils diront qu'on tourmente un innocent sans raison.

— Ce n'est pas le cas ?

Vogel lui avait apporté un indice déterminant : les agrandissements de plusieurs images tirées des vidéos des caméras de surveillance des villas des voisins des Kastner. Il espérait que cela suffirait à la faire changer de position. Mais non.

— J'ai besoin d'une preuve solide. Je dois vous le dire comment ?

— Les preuves servent à condamner, les indices à arrêter, répliqua Vogel. Si on le met au trou, il est très probable qu'il décidera de collaborer.

— Vous voulez lui extorquer une confession.

La conversation se poursuivit sur le même ton pendant une vingtaine de minutes, dans le vestiaire-bureau de Vogel.

— Quand il se rendra compte qu'il a tout perdu et qu'il est coincé, Martini parlera pour soulager sa conscience.

Ils étaient debout entre les armoires, Rebecca Mayer tapotait nerveusement son talon sur le sol.

— J'ai compris votre jeu, Vogel, je ne suis pas stupide : vous voulez me mettre au pied du mur pour me faire prendre une décision que je n'approuve pas. Vous me menacez de me tourner en ridicule devant l'opinion publique.

— Je n'ai pas besoin de vous menacer pour arriver à mes fins, la prévint-il. Mon ancienneté et mon expérience suffisent à donner du crédit à mes thèses.

— Comme dans l'affaire du mutilateur ?

Vogel se demanda pourquoi Rebecca Mayer n'avait pas joué cette carte plus tôt. Il sourit.

— Vous ne savez rien de l'affaire Derg. Vous croyez savoir mais vous ne savez pas.

— Qu'y a-t-il à savoir ? Un homme a été jeté en prison sur la base d'une accusation fabriquée de toutes pièces. Il a passé quatre ans de sa vie dans une cellule de quelques mètres carrés, en isolement. Il a tout perdu, y compris la santé et ses proches. Il a failli mourir d'une congestion cérébrale. Tout ça pourquoi ? Parce que quelqu'un a truqué l'enquête en créant une fausse preuve, rappela la procureur avec mépris. Qu'est-ce qui me garantit que ça ne recommencera pas ?

Vogel refusa de répondre. Il ramassa les photos qu'il avait étalées sur la table, qu'il pensait être ses cartes gagnantes, et se dirigea vers la porte avec l'intention de quitter la pièce sans attendre.

— Vous souvenez-vous seulement du jour où vous avez perdu votre intégrité, commandant Vogel ?

Il se figea sur le seuil. Quelque chose l'empêchait de partir. Il se tourna à nouveau vers la procureur, avec un regard de défi.

— Derg a été reconnu innocent par un tribunal, il a même encaissé un sérieux dédommagement pour ses années de détention injuste… Mais s'il n'était pas le mutilateur, alors pourquoi les attentats ont-ils soudain cessé quand il a été arrêté ?

Sans attendre de réponse, Vogel sortit de la pièce.

Dans le gymnase devenu salle opérationnelle, il fut accueilli par un silence total. Ses hommes, qui avaient de toute évidence écouté la dispute, le regardaient en se demandant si toute la peine qu'ils s'étaient donnée ces vingt derniers jours serait vaine.

Vogel s'adressa à Borghi.

— Le moment est venu d'affronter le professeur.

La matinée était chaude et ensoleillée, atypique pour janvier. On ne se serait pas cru en hiver. Loris Martini s'était réveillé très tôt. Ou plutôt, il avait été réveillé par les pensées qui le harcelaient, l'angoissaient.

Le moment arrive. Bientôt ils t'arrêteront.

Toutefois, le professeur ne voulait pas gâcher cette belle journée. Il avait fait une promesse à Clea, il la tiendrait. Alors il prit sa caisse à outils et sortit dans le jardin, où les journalistes et les curieux ne pouvaient pas le déranger. Là, à l'abri des haies, il entreprit de transformer le cabanon miteux en serre.

En enfonçant des clous avec son marteau, il sentait le soleil sur sa nuque, la sueur qui descendait en petites gouttes sur son front, la fatigue dans ses muscles et, dans le fond, dans son cœur. C'était régénérant. Mais la tristesse revenait de temps à autre. Elle était là, silencieuse, elle lui rappelait pourquoi il en était arrivé là, la raison pour laquelle il avait tout perdu.

Tout avait commencé avant Avechot. Le village de montagne lui avait semblé le meilleur endroit pour recommencer, mais il n'avait été que l'épilogue d'une sale histoire.

La chose. Stella Honer le savait.

Martini se demanda comment elle l'avait appris. Il ne pensa pas à la réponse la plus simple, ce qui arrive souvent aux hommes ingénus. Surtout à ceux qui se font piquer leur femme par un autre sans s'en apercevoir.

L'ancien amant de Clea avait vendu la nouvelle. Élémentaire.

Et dire que jusque-là il avait presque de l'estime pour cet homme. Peut-être parce que Clea l'avait choisi et qu'il se fiait au jugement de sa femme. Une considération absurde, il le savait. Mais aussi une façon de la réévaluer à ses yeux, parce qu'il ne pouvait pas admettre que Clea ait été aussi superficielle.

Nous essayons toujours de sauver les autres pour nous sauver, pensa-t-il. Jouer le rôle du mari compréhensif l'aidait peut-être à éviter d'affronter la vérité.

Si Clea l'avait trompé, c'était aussi sa faute.

Ce matin lointain de début juin, la blague stupide d'un élève avait mis fin plus tôt au cours. Le coup de fil anonyme prévenant qu'il y avait une bombe au lycée était typique de la fin de l'année, quand les élèves essayent d'esquiver les dernières interrogations pour éviter le redoublement. Personne n'y croyait, toutefois la loi obligeait à suivre la procédure de sécurité. Donc, chacun était rentré chez soi plus tôt.

En arrivant dans son appartement, Martini avait été accueilli par un silence inattendu. Généralement, quand il rentrait, Clea et Monica étaient déjà là, il entendait la télé ou la chaîne allumée, ou bien simplement il sentait leur odeur. Parfum au muguet pour Clea, chewing-gum à la fraise pour Monica. Mais ce matin-là, rien de tout ça n'attendait le professeur.

Dans l'autobus qui le ramenait chez lui, Martini avait réfléchi à comment passer les heures qui lui avaient été offertes. Il avait prévu de préparer les tests pour les examens de fin d'année. Mais une fois chez lui, il avait compris qu'il n'en avait pas envie. Il s'était dirigé vers le frigo et, après s'être préparé un sandwich au fromage et au saucisson, il s'était assis dans le fauteuil et avait allumé la télévision, tout bas. Il était tombé sur un vieux match de basket, heureux de prendre un peu de temps pour lui.

Il ne se rappelait pas quand exactement c'était arrivé. S'il avait fini son sandwich et à combien en était le match. Mais il se rappelait bien le son qui s'était glissé entre la voix du commentateur et le bruit du ballon.

Comme un battement d'ailes, une sorte de frottement.

Au début il avait tourné la tête pour comprendre d'où cela venait. Puis son instinct l'avait poussé à se lever. Le bruit s'était arrêté, mais il s'était dirigé vers le couloir. Quatre portes fermées, deux de chaque côté. Il avait choisi la chambre à coucher. Il l'avait ouverte tout doucement et il avait vu.

Ils ne s'étaient pas aperçus de sa présence. De même que lui, avant, ne s'était pas aperçu de la leur. Dans un petit appartement, leurs vies avaient continué à se frôler pendant de longues minutes, inconscientes. Cela aurait pu continuer, si quelque chose n'avait pas créé l'occasion de cette rencontre.

Clea était nue, les jambes et le bassin couverts par le drap. Ses yeux étaient fermés, dans une posture qui était familière à son mari. Loris s'était concentré sur l'homme qui était sur elle, convaincu de se reconnaître lui-même. Mais c'était un autre. Il était étranger à cette scène.

Il ne se rappelait rien d'autre.

Clea lui avait dit qu'elle avait entendu la porte claquer. Et qu'alors elle avait compris ce qui s'était passé.

Quand il était rentré, des heures plus tard, elle portait un grand pull blanc et un survêtement trop large. Elle voulait peut-être cacher son corps, et avec lui son péché. Elle était assise dans le fauteuil dans lequel il avait lui-même regardé le match ce matin-là. Les genoux contre la poitrine, elle se balançait. Elle l'avait regardé d'un air absent. Les cheveux en désordre, blême. Elle n'avait pas cherché d'excuses.

— On part, avait-elle dit. Tout de suite, demain.

Et lui, qui dans son pèlerinage sans but dans la ville avait cherché quelque chose à lui dire, en vain, avait simplement dit :

— D'accord.

Depuis, ils n'en avaient jamais reparlé. Le déménagement à Avechot avait eu lieu quinze jours plus tard. Elle avait renoncé au travail qu'elle aimait et à tout le reste pour être pardonnée en silence. À ce moment-là, Loris avait compris qu'elle était terrorisée à l'idée de le perdre. Si seulement elle avait imaginé qu'il l'était encore plus qu'elle…

Le pire avait été de découvrir l'identité de l'homme avec qui sa femme l'avait trompé. Il était avocat, comme elle, il avait les moyens et l'argent pour l'arracher à la triste vie que lui offrait son mari.

Loris avait dû se rendre à l'évidence et accepter une vérité déchirante : Clea méritait mieux.

Alors ils s'étaient réfugiés dans les montagnes pour ne plus avoir à y penser. Toutefois, le résidu acide de l'adultère consumait peu à peu l'amour qui subsistait entre eux. Loris le sentait. Et il se savait impuissant.

C'est pour cela qu'il avait promis. *Jamais plus.*

Maintenant, sous le soleil non mérité d'un matin de janvier, il repensa une fois encore à la *chose*, en espérant que ce soit vraiment la dernière. Quand le téléphone sonna dans la maison, il laissa tomber son marteau sur la pelouse séchée par l'hiver et courut à la cuisine pour répondre.

— D'accord, j'y serai.

Puis il ouvrit le frigo, qui ne contenait qu'une pomme fripée et quatre bouteilles de bière. Il en prit une et retourna au jardin. Il la décapsula avec un tournevis puis s'assit sur l'herbe morte, adossé à une poutre du cabanon. Il sirota le liquide ambré en fermant les yeux.

Quand il eut fini, il regarda sa main blessée depuis le jour de la disparition d'Anna Lou Kastner. Il retira le bandage et contrôla la blessure. Elle était presque guérie.

Alors il saisit le tournevis avec lequel il avait ouvert la bière et fit pareil avec la cicatrice : il l'ouvrit. Il enfonça la pointe dans sa chair et écarta les bords. Pas une plainte ne sortit de sa bouche. Il avait été lâche dans le passé, il méritait cette douleur.

Le sang jaillit, tachant ses vêtements et gouttant lentement sur la terre nue.

La chaude journée de soleil n'était plus qu'un souvenir. Le soir, des nuages denses et compacts avaient envahi la vallée, déversant une pluie épaisse et lourde.

Sur la baie vitrée du restaurant de la route nationale trônait toujours l'inscription qui souhaitait de *Bonnes fêtes* aux automobilistes de passage. Noël et le jour de l'An étaient passés depuis un bon moment, mais personne n'avait eu le temps de la retirer. Trop de travail, dernièrement.

Pourtant, à 22 heures, ce soir-là, le restaurant était vide.

Vogel avait demandé au vieux propriétaire de lui réserver la salle pour une rencontre spéciale. Le policier ne s'était attribué aucun mérite quant à l'amélioration soudaine des affaires dans les dernières semaines, mais l'homme avait bien compris qu'il lui était redevable.

La porte vitrée s'ouvrit, un carillon tinta. Le professeur tapa des pieds par terre pour retirer la pluie de son blouson, puis il retira sa casquette et regarda autour de lui.

Il faisait noir, hormis une lumière qui éclairait une des niches contre le mur. Vogel l'attendait. Martini se dirigea vers lui, ses Clarks mouillées grinçant au contact du sol en lino. Il s'assit de l'autre côté de la table en formica bleu clair, juste en face de l'homme.

Vogel était élégant, comme toujours. Il n'avait pas retiré son manteau en cachemire. Il tapotait des doigts sur le dossier fin qui se trouvait devant lui.

Ils se rencontraient pour la première fois.

— Vous croyez aux proverbes ? demanda Vogel sans dire bonjour.

— Dans quel sens ?

— J'ai toujours été fasciné par cette façon élémentaire de distinguer ce qui est juste de ce qui ne l'est pas… Les lois, en revanche, sont si compliquées, elles devraient être écrites comme les proverbes.

— Vous pensez que le bien et le mal sont simples ?

— Non, mais je trouve ça rassurant que certains l'envisagent ainsi.

— Personnellement, je crois que la vérité n'est jamais simple.

— Oui, peut-être.

Martini posa ses bras sur la table. Il était tranquille.

— Pourquoi avez-vous voulu que nous nous rencontrions ici ?

— Pour une fois, pas de caméras ni de micros. Pas de journalistes dérangeants. Pas de petits jeux. Juste vous et moi… Je veux vous offrir la possibilité de me convaincre que j'ai tort, que votre implication dans cette histoire n'est que le fruit d'une énorme coïncidence.

— Pas de problème, répondit Martini en tentant d'avoir l'air sûr de lui. Par où on commence ?

— Vous n'avez pas d'alibi pour le jour de la disparition et en plus vous vous êtes blessé à une main, déclara-t-il en indiquant le bandage taché de sang. Je vois que ça n'a pas guéri, vous auriez peut-être eu besoin de points de suture.

— C'est ce que pense ma femme, répondit Martini pour lui faire comprendre qu'il ne rentrait pas dans son jeu. C'était un accident. J'ai glissé et je me suis agrippé à une branche pour freiner ma chute.

238

Vogel regarda son dossier, sans l'ouvrir.

— Bizarre, parce que le médecin a relevé que les bords de la blessure sont homogènes... comme si elle avait été provoquée par une lame.

Martini ne répondit pas, mais Vogel n'insista pas.

— Les vidéos de Mattia où votre voiture apparaît. Vous allez me dire que c'est un hasard et que, quoi qu'il en soit, on ne voit pas le conducteur. Dans le fond, le 4 × 4 était à la disposition de votre famille... À propos, votre femme a-t-elle le permis ?

— C'était moi qui conduisais, laissez tomber ma femme.

Il n'avait pas respecté les indications de Levi, mais peu lui importait. Il ne voulait pas que Clea soit impliquée, même si cela aurait pu jouer en sa faveur.

— Nous avons analysé l'intérieur de votre voiture. Pas trace de l'ADN d'Anna Lou, mais bizarrement il y avait des poils de chat.

— Nous n'avons pas de chat, se défendit naïvement le professeur.

Vogel se pencha vers lui et lui parla d'une voix mielleuse.

— Qu'est-ce que vous diriez si, grâce à cet animal, je vous reliais au lieu de disparition de la jeune fille ?

Martini sembla ne pas comprendre, mais dans son regard la curiosité se mêlait à la crainte.

— Il y a quelque chose qui m'a frappé depuis le début, reprit Vogel... Pourquoi Anna Lou n'a-t-elle pas empêché qu'on l'emmène ? Pourquoi n'a-t-elle pas crié ? Aucun voisin n'a rien entendu. J'en suis arrivé à la conclusion qu'elle a suivi volontairement son ravisseur... Parce qu'elle avait confiance.

— Alors elle le connaissait bien, ce qui m'exclut : elle fréquentait le lycée où je travaille, mais vous ne trouverez personne pour affirmer nous avoir vus socialiser, ou simplement parler ensemble.

— En effet. Anna Lou ne connaissait pas son ravisseur… Elle connaissait son chat.

Vogel ouvrit enfin son dossier et lui tendit l'agrandissement qu'il avait montré à Rebecca Mayer ce matin-là pour tenter de la convaincre d'arrêter Martini.

— Nous avons examiné les films des caméras de surveillance des voisins de la jeune fille. Malheureusement, aucune caméra n'est tournée vers la rue. Comment dit-on ? « À chacun son jardin. » En tout cas, le résultat est que les jours précédant sa disparition, un chat errant traînait dans le quartier.

Martini observa la photo. On y voyait un gros chat tacheté, roux et marron, sur une pelouse à l'anglaise.

— Vous voyez ce qu'il a au cou ? demanda Vogel.

Le professeur regarda plus attentivement. Il vit un petit bracelet en perles colorées.

Vogel retira de son poignet celui que lui avait donné Maria Kastner et le posa à côté de la photo.

— Anna Lou les fabriquait pour les offrir aux gens qu'elle aimait.

Martini semblait paralysé, incapable de réagir.

Vogel décida que le moment était venu de jouer sa carte maîtresse.

— Le ravisseur a utilisé le chat comme appât. Il l'a apporté des jours avant, le laissant errer librement dans le quartier, certain qu'Anna Lou, qui aime les chats et qui ne pouvait pas en avoir un à elle, le remarquerait, tôt ou tard… Or non seulement elle l'a remarqué, mais en plus elle l'a adopté, lui mettant ce bracelet au cou. À partir d'aujourd'hui, professeur, je ne vous chasserai plus. Si j'arrive à trouver ce chat, c'en est fini pour vous.

Suivit un silence qui dura quelques minutes. Vogel savait qu'il le tenait. Il le fixait, attendant une réaction, quelque chose qui lui dise qu'il ne s'était pas trompé. Mais le professeur ne dit pas un mot. Il se leva et se dirigea calmement vers la sortie. Avant de franchir le seuil, il se retourna une dernière fois.

— À propos de proverbes, affirma-t-il tranquillement. Quelqu'un a dit autrefois que le péché le plus idiot du diable est la vanité.

Puis il quitta le restaurant, faisant tinter le carillon accroché au-dessus de la porte.

Vogel profita encore un moment du calme. Il était convaincu d'avoir marqué un point important. Pourtant, Rebecca Mayer constituait encore un problème. Il devait trouver un moyen de la neutraliser.

Le péché le plus idiot du diable est la vanité.

Il se demanda ce qu'avait voulu dire Martini. Cela pouvait être interprété comme une insulte. Mais Vogel n'était pas susceptible. Il savait bien que les coups qu'on reçoit, on les rend. Et les heures du professeur étaient comptées.

Il décida de partir. En rangeant le contenu du dossier, il s'arrêta net. Il avait remarqué quelque chose sur la table. Il se pencha pour regarder.

Sur le plan en formica bleu, là où le professeur avait posé sa main bandée, il vit une petite goutte de sang frais.

16 janvier
Vingt-quatre jours après la disparition

Le petit Leo Blanc avait cinq ans depuis une semaine quand il disparut dans le néant.

À l'époque, les moyens d'enquête sophistiqués qui sont aujourd'hui à la disposition des forces de l'ordre n'existaient pas. On se contentait de «battre le territoire», comme on disait. L'affaire était confiée à des policiers expérimentés, qui connaissaient depuis toujours les lieux et les personnes, qui savaient obtenir les informations et n'avaient besoin ni d'équipes scientifiques ni d'ADN. Le travail était dur, quotidien, fait de petits pas et de résultats modestes qui, agrégés, constituaient l'ossature de l'enquête. Il fallait surtout beaucoup de patience.

La patience avait diminué avec l'avènement des médias. Le public exigeait des réponses rapides, sinon il changeait de chaîne, aussi les chaînes mettaient-elles la pression aux enquêteurs, les contraignant à travailler à la hâte. Dans ces cas-là, une erreur était vite arrivée. Mais l'important était de ne pas arrêter le show.

Sans le savoir, Leo Blanc, avec sa petite histoire tragique et sa brève existence, avait représenté une démarcation importante entre l'avant et l'après.

Un matin, sa mère, Laura Blanc, une veuve de vingt-cinq ans qui avait perdu son compagnon, le père de son fils, dans un accident de la route, s'était présentée au poste de police du petit village de plaine où elle vivait. Elle était désespérée. Elle soutenait que quelqu'un était entré chez elle et avait enlevé son Leonard.

Vogel était alors un simple lieutenant, tout juste sorti de l'école de police. Il était chargé de tâches élémentaires et ennuyeuses, comme archiver les rapports ou taper à la machine les plaintes déposées. Pour le reste, il devait observer les officiers plus anciens faire leur travail. Et, bien sûr, apprendre. Toutefois, ce fut lui qui recueillit le témoignage de Laura.

La femme soutenait que ce matin-là, elle s'était aperçue avoir oublié dans la voiture le pack de lait qu'elle avait acheté la veille au soir dans une épicerie. Avant que son fils se réveille et réclame son petit déjeuner, elle était allée le chercher. Dans le fond, la voiture n'était garée qu'à une cinquantaine de mètres. Peut-être par distraction, ou bien parce que les habitants du village se connaissaient tous et avaient pour habitude de ne pas fermer leur porte à clé, même la nuit, Laura s'était contentée de pousser le battant. Aujourd'hui, elle n'arrivait pas à se le pardonner.

Comme le voulait la pratique, Vogel avait immédiatement transmis la déclaration à l'officier qui était de garde avec lui. Ils s'étaient rendus chez la femme où, bien que ne constatant aucun signe d'effraction, ils avaient trouvé la chambre du petit Leo sens dessus dessous. Ils en avaient conclu que l'enfant s'était réveillé et que, effrayé par la présence d'un étranger, il avait essayé de s'opposer à son ravisseur. Mais celui-ci avait eu le dessus.

Laura Blanc était sous le choc, toutefois elle parvint à reconstituer pas à pas avec la police le déroulement exact des faits. Il y avait un trou d'à peine huit minutes entre le moment où elle était sortie et son retour. Entre-temps, elle avait échangé quelques mots avec une voisine. Mais ce temps avait suffi au ravisseur pour s'introduire dans la maison et enlever l'enfant.

La chasse à l'homme avait été lancée. Néanmoins, la situation aurait été différente si, ces jours-là, une équipe du journal télévisé n'était pas venue sur les lieux tourner un reportage sur les oiseaux migrateurs qui peuplaient les marais limitrophes. C'était un lieutenant qui avait eu l'idée. Il avait demandé aux journalistes de recueillir les témoignages de quiconque aurait des nouvelles de l'enfant, à la suite d'un appel de la mère.

Après la transmission du message vidéo, la clameur était partie comme une traînée de poudre.

Les gens avaient assailli le poste de police de coups de téléphone. Beaucoup d'entre eux étaient certains d'avoir vu le petit Leo, ils décrivaient avec précision le lieu et les circonstances. D'autres soutenaient l'avoir vu en compagnie d'un homme qui lui achetait une glace, d'autres encore avec un couple dans le train, certains citaient même des prénoms et des noms de famille. La plupart des signalements s'avérèrent infondés, mais il était impossible de les vérifier tous. De fait, la masse d'informations qui pleuvait sur la tête des enquêteurs engorgea l'enquête. Mais le plus étonnant fut la quantité de gens qui appelaient uniquement pour s'informer sur l'évolution des recherches. Des appels du même acabit arrivaient également à la pelle aux standards des chaînes de télévision, qui décidèrent donc de «couvrir» la nouvelle, comme on dit dans le jargon, en envoyant des équipes sur les lieux.

Vogel vit tout cela arriver en très peu de temps. En jeune policier inexpérimenté, il ne prit pas la mesure de la révolution qui se déroulait sous ses yeux. Tout semblait irréel. Même la vérité, transfigurée par les médias, semblait différente. Laura Blanc devint très vite une triste héroïne. Quand Vogel l'avait rencontrée, la jeune fille était authentique, pas très jolie, or soudain son aspect changea. Avec du maquillage et les bonnes lumières, elle reçut des lettres de prétendants prêts à prendre soin d'elle. Son fils Leo fut adopté par toutes les mères du pays. Un enfant de cinq ans était devenu une icône, les gens avaient sa photo chez eux et beaucoup de jeunes parents donnèrent son prénom à leur progéniture.

Quand il fut clair que la solution du mystère était désormais un mirage, lors de l'énième perquisition chez Laura Blanc, on trouva une empreinte digitale. Il fallut deux semaines pour passer les archives en revue en quête d'une correspondance. Mais on finit par trouver.

L'homme s'appelait Thomas Berninsky. Un manœuvre quarantenaire avec un casier pour actes libidineux sur des mineurs, qui à l'époque de l'enlèvement travaillait pour une entreprise qui construisait des hangars industriels dans la région.

La chasse à l'homme ne dura pas longtemps. Il fut arrêté et on trouva en sa possession le pyjama du petit Leo, taché de sang. Le pédophile assassin admit qu'il avait repéré l'enfant depuis longtemps et conduisit les enquêteurs à la décharge abandonnée où il avait enterré le petit corps.

La découverte de cette fin atroce bouleversa le public. Mais certains gros bonnets de la police comprirent que quelque chose avait changé et qu'on ne reviendrait plus en arrière.

Une nouvelle ère avait commencé.

La justice n'était plus une affaire réservée aux tribunaux, désormais elle appartenait à tout le monde, sans distinction. Et dans cette nouvelle vision des choses l'information était une ressource – *l'information était de l'or*.

Le business avait pris vie après la mort d'un pauvre enfant innocent.

Vogel, jeune policier idéaliste, n'imaginait pas encore qu'il ferait partie de ce mécanisme pervers, qu'il construirait sa brillante carrière sur les disgrâces d'autrui. Cependant, il était arrivé à une conclusion surprenante… Laura Blanc avait raconté qu'elle s'était éloignée de chez elle pour récupérer dans sa voiture le lait acheté la veille au soir. Sa maison avait été perquisitionnée des dizaines de fois par la police, avant qu'ils trouvent l'empreinte digitale de Berninsky.

Alors pourquoi n'avait-on jamais trouvé ce fameux pack de lait ?

Le Vogel adulte, avec des années d'expérience, se le demandait toujours. Et la possible réponse lui provoquait encore des frissons. Laura Blanc s'était vite refait une vie avec un homme qu'elle avait connu avant les faits et qui ne voulait peut-être pas élever le fils d'un autre. L'idée que la femme ait supputé les intentions de l'infâme Berninsky et favorisé son œuvre aurait été difficile à vendre aux médias. Laura Blanc s'était éloignée exprès de chez elle, Vogel en était certain. Mais il savait que certains secrets ne pouvaient être révélés. Il n'avait donc jamais fait part à personne de ses soupçons. Pourtant, il y repensait chaque fois que, dans une enquête, un fait éclatant se produisait.

Ce matin-là, à l'aube, l'affaire du petit Leo lui revint à l'esprit pendant qu'il roulait dans sa berline de service en compagnie de Borghi. Il était allé le chercher d'urgence à l'hôtel.

Apparemment, les plongeurs avaient retrouvé le sac à dos coloré d'Anna Lou Kastner dans un tuyau d'écoulement.

Parfois, il se sentait claustrophobe chez lui, il avait besoin de s'échapper. Martini était devenu habile pour dépister les journalistes plantés devant chez lui. Par exemple, il avait appris que de 5 à 7 heures, quand les équipes se préparaient pour les premières éditions des JT, c'était le bon moment pour s'éclipser par l'arrière.

Un dédale de rues «sûres» lui permettait de quitter Avechot. Ensuite, il s'enfonçait dans les bois et s'adonnait à la solitude de la nature, convaincu qu'il perdrait bientôt le privilège de la liberté. Cinq jours avaient passé depuis la rencontre avec Vogel dans le restaurant. Imaginer le policier chassant le félin roux et marron le rendait décidément ridicule. La vérité était qu'il n'avait pas peur de ce qui pouvait lui arriver. Bien que son aspect négligé racontât une autre histoire, Loris Martini n'avait cessé de fortifier son âme. Sa barbe longue et fournie et son odeur corporelle constituaient une sorte de carapace grâce à laquelle il se donnait l'illusion de tenir les gens à distance. Clea n'aurait pas approuvé, elle était toujours attentive et lui faisait en permanence des recommandations sur son aspect. C'était ainsi depuis le jour, au campus, où Loris avait enfilé un costume bleu foncé et une cravate ridicule pour l'inviter à dîner. L'apparence, la forme étaient importantes pour sa femme.

Clea et Monica manquaient à Martini, mais il savait qu'il devait se montrer fort pour elles, aussi. Il n'avait eu aucun contact avec elles depuis leur départ, pas même un coup de fil. À dire vrai, il ne les avait pas appelées, lui non plus. Il voulait les protéger. Les protéger de lui.

La brume du matin glissait lentement des feuilles et Martini aimait les caresser pour sentir la sensation de fraîcheur humide sur la paume de ses mains. En marchant, il écartait les bras et fermait les yeux, dans un état de légère béatitude. Puis il respirait à pleins poumons l'air chargé de parfums. Son esprit se remplissait de vert, tandis que la nuit s'écartait pour accueillir le jour. Les animaux du bois sortaient de leurs refuges, les oiseaux chantaient, heureux d'avoir échappé aux ténèbres.

Quand la montre à quartz qu'il portait au poignet émettait un son bref et constant, Martini savait que ses deux heures de liberté touchaient à leur fin et qu'il était temps de rentrer. Ainsi fit-il ce jour-là, revenant sur ses pas jusque chez lui. Mais sur la route qui menait à Avechot, il remarqua une silhouette qui marchait de l'autre côté de la chaussée. Le professeur aurait voulu l'éviter, mais il n'y avait aucun sentier, il était entouré de champs. Il avança, tête baissée, et enfonça sa casquette sur ses yeux de sorte que la visière lui couvre une bonne partie du visage. Les mains dans les poches et le dos courbé, il marcha le long d'une ligne imaginaire, avec l'intention de la respecter fermement. Mais la tentation de regarder à la dérobée le visage du passant prit le dessus et, quand il le reconnut, sa respiration se bloqua.

Bruno Kastner s'aperçut de sa présence avec quelques secondes de retard. Lui aussi eut une sensation soudaine et incertaine, parce qu'il ralentit le pas.

Ils furent tous deux sur le point de s'arrêter, comme si chacun attendait que l'autre agisse le premier. Le père de la jeune fille disparue avait une expression indéchiffrable mais digne. Martini ne pensa pas à sa propre réaction, à ce qu'il aurait pu faire au présumé monstre qui avait enlevé sa fille. Étrangement, il pensa à ce qu'il aurait fait, lui, à sa place. Et cela lui fit peur.

Leurs pas sur l'asphalte se synchronisèrent, le bruit des uns disparaissait dans le bruit des autres. La distance qui les séparait encore mit une éternité à se réduire. Soudain, ils ne furent plus qu'à quelques mètres. Mais aucun des deux ne se retourna. Martini s'arrêta un instant, attendit.

Pourtant l'homme ne s'arrêta pas. Il accéléra même un peu le pas, disparaissant de sa vue.

Martini ne parvenait pas à bouger. Il n'entendait que le battement de son cœur qui résonnait dans sa poitrine. Il sentait toujours la présence de Bruno Kastner dans son dos. Pendant un moment, il désira que l'autre revienne sur ses pas et l'agresse. Mais cela n'arriva pas. Quand il se retourna, le colosse n'était plus qu'un petit point au loin, à l'orée du bois.

Le professeur n'oublierait pas cette expérience. À ce moment précis, il prit une décision.

Le petit sac à dos coloré d'Anna Lou Kastner se trouvait sur la table d'autopsie de la morgue d'Avechot. Ils l'avaient placé là, en l'absence de cadavre. Mais Vogel avait tout de même l'impression de voir la jeune fille rousse aux taches de rousseur. Allongée nue, froide et immobile sous la lumière de la lampe scialytique qui l'éclairait d'en haut, laissant tout le reste dans la pénombre.

Parfois les coups de chance arrivent, pensait Vogel. Celui qui avait jeté le sac à dos dans le canal d'écoulement avait pris la peine de le vider d'abord et de le remplir de pierres lourdes, mais cela n'avait pas suffi. Cette précaution constituait une preuve décisive. Maintenant, l'existence d'un monstre n'était plus une hypothèse des enquêteurs, mais une réalité.

À cet instant, le sac à dos était Anna Lou. Ce fut comme si la jeune fille ouvrait les yeux et tournait la tête vers Vogel, qui était là depuis au moins une demi-heure, seul, occupé à évaluer les implications possibles de cette découverte. Une mèche de cheveux roux tomba sur son front et ses lèvres bougèrent, prononçant une phrase silencieuse. Un message adressé à l'officier.

Je suis encore là.

Vogel repensa à sa première visite chez les Kastner, le jour de Noël. Il revit le sapin décoré qui, selon les mots de la mère de la jeune fille, resterait allumé jusqu'à ce que sa fille revienne – comme un phare dans la nuit. Il se souvint du paquet-cadeau avec un ruban rouge qui attendait d'être ouvert. Maintenant, ce paquet serait remplacé par un cercueil blanc.

— Nous ne te trouverons jamais, lui dit-il doucement.

Cette conviction s'enracina profondément en lui.

Le péché le plus idiot du diable est la vanité.

Le moment était venu d'agir. Et d'empêcher que cela se reproduise.

Vers 9 heures du matin, le professeur Loris Martini se glissa sous la douche. L'eau chaude le lava de la fatigue accumulée. Juste après, nu devant le miroir, il retrouva le reflet de son visage, qu'il avait soigneusement évité les jours précédents. Il entreprit de se raser.

Devant l'armoire ouverte, il choisit parmi le peu de vêtements qu'il possédait ceux qui incarnaient le mieux son état d'esprit. Veste beige en velours côtelé, pantalon foncé en futaine et chemise à carreaux bleus et marron, à laquelle il associerait une cravate gris tourterelle. Quand il fut habillé, il laça ses Clarks, enfila son blouson et son sac en toile en bandoulière. Puis il sortit de chez lui.

En le voyant apparaître sur le seuil, caméramans et journalistes furent décontenancés. Les objectifs furent immédiatement pointés vers lui qui, insouciant, parcourait l'allée jusqu'à la rue, dépassait les barrières et s'engageait tranquillement dans Avechot.

Il prit la rue principale où les gens s'arrêtèrent, incrédules, en le montrant du doigt. Les clients sortaient des magasins pour assister à la scène. Toutefois, personne ne faisait ni ne disait rien. Le professeur évitait de croiser leurs regards, mais il en sentait le poids.

Quand il arriva devant le bâtiment scolaire, une petite foule s'était regroupée autour de lui. Martini constata que, hormis le gymnase réquisitionné pour servir de salle opérationnelle de la police, rien n'avait changé.

Il monta les marches qui conduisaient à l'entrée, certain que les chacals dans son dos ne franchiraient pas cette frontière. Il avait raison. Une fois à l'intérieur, il reconnut le bruit familier de la sonnerie. L'emploi du temps indiquait qu'à 10 heures se tenait le cours de littérature. Il se dirigea donc vers sa salle sous le regard ahuri de ses collègues et des élèves présents dans le couloir.

Dans la salle régnait la confusion propre à chaque changement de cours. Bientôt arriverait le suppléant que le proviseur avait assigné à la classe, mais, pour le moment, les élèves profitaient de son retard pour rire et plaisanter.

Priscilla portait ses vieux vêtements. Elle s'était à nouveau lourdement maquillé le visage, cachant ses cernes.

— Je vais faire un essai pour un reality-show, racontait-elle à ses amies, tout excitée.

— Ta mère est d'accord ? Elle ne dit rien ? lui demanda une camarade.

— Je m'en fous. Ma vie a pris une direction, maintenant, il va bien falloir qu'elle se fasse une raison, répondit la fille avec un haussement d'épaules. Je vais peut-être devoir chercher un agent.

Lucas, le rebelle au tatouage de crâne, s'adressa à quelqu'un au fond de la salle.

— Et toi, le loser, on t'a rien proposé ?

La blague suscita l'hilarité générale, mais Mattia fit semblant de ne pas avoir entendu et continua de gribouiller quelque chose dans son cahier.

La porte s'ouvrit. Ils ne se retournèrent pas tous immédiatement. Les quelques-unes qui le firent se turent. Mais quand Martini posa son sac sur le bureau, le silence était total.

— Bonjour, jeunes gens, les salua-t-il avec un sourire.

Personne ne répondit, ils étaient estomaqués, y compris Mattia, qui semblait même terrorisé. Le professeur les observa pendant quelques secondes un à un, debout. Puis, comme si de rien n'était, il démarra son cours :

— La dernière fois, je vous ai illustré la technique narrative des romans. Je vous ai expliqué que tous les auteurs, même les plus grands, s'inspirent de ce qui a été écrit avant eux. La première règle est de copier, vous vous souvenez ?

Aucune réponse. *Très bien*, pensa Martini. La classe n'avait jamais été aussi attentive.

La porte de la salle s'ouvrit à nouveau. Cette fois tout le monde se retourna. Vogel fit son entrée et, découvrant la scène, leva la main pour faire comprendre aux présents que tout allait bien, s'excusant presque. Puis, s'asseyant à une table libre, il observa le professeur comme s'il voulait l'inviter à poursuivre son cours.

— Je vous ai dit que le mal est le véritable moteur de tout récit, poursuivit Martini imperturbable : les héros et les victimes ne sont que des instruments, parce que les lecteurs se moquent de la vie quotidienne, ils ont déjà la leur. Ils veulent le conflit pour se distraire de leur propre médiocrité. Rappelez-vous, dit-il en fixant volontairement Vogel : c'est le méchant qui rend la médiocrité plus acceptable, c'est lui qui *fait* l'histoire.

De but en blanc, Vogel applaudit. Il le fit avec conviction, tapant énergiquement des mains et acquiesçant avec satisfaction. Puis il regarda les élèves pour qu'ils le suivent dans cet éloge. Au début ils se regardèrent sans savoir quoi faire. Puis, timidement, certains l'imitèrent. La situation était absurde, paradoxale. Vogel se leva et se dirigea vers l'estrade, toujours en applaudissant. Arrivé devant Martini, à quelques centimètres de son visage, il cessa.

— Belle leçon, déclara-t-il avant de lui murmurer à l'oreille : Nous avons retrouvé le sac à dos d'Anna Lou. Pas encore de corps, mais nous n'en avons pas besoin… Parce que sur le sac à dos il y avait votre sang, professeur.

Martini ne répondit pas. Il se tut.

Vogel sortit des menottes de son manteau en cachemire.

— Maintenant, il faut y aller.

La nuit où tout changea pour toujours, l'exploitation minière d'Avechot était la seule chose visible depuis la fenêtre du cabinet du docteur Flores. Les tours d'aération étaient surmontées de lumières rouges intermittentes, qui évoquaient des petits yeux attentifs. Des sentinelles dans le brouillard.

— Vous avez une famille, commandant ?

Vogel observait les ongles de sa main droite. Depuis un moment, il était retombé dans le silence. Il ne saisit donc pas immédiatement la question du psychiatre.

— Une famille ? Jamais eu le temps.

— Moi, je suis marié depuis quarante ans, dit Flores sans y être invité. Sophia a élevé nos trois splendides enfants et maintenant elle se consacre à nos petits-enfants. C'est une femme merveilleuse, je ne pourrais pas vivre sans elle.

— Que fait un psychiatre à Avechot ? demanda Vogel, curieux. Dans un endroit aussi petit, c'est bien la dernière personne que je m'attendais à rencontrer.

255

— Les suicides, répondit sérieusement Flores. Cette région a le plus haut taux de suicide par habitant du pays. Chaque famille a une histoire à raconter – pères, mères, frères, sœurs. Parfois un enfant.

— Quelles sont les motivations ?

— Il n'y en a pas. Ceux qui viennent d'ailleurs nous envient. Ils pensent que dans un endroit aussi tranquille qu'Avechot, en sécurité au milieu des montagnes, la vie est sereine. La vraie maladie des gens, c'est peut-être l'excès de sérénité. Cela ne suffit pas pour être heureux, ça devient une prison. Pour lui échapper, ils s'ôtent la vie, de façon toujours cruelle. Ils ne se contentent pas d'avaler des médicaments ou de se tailler les veines des poignets : ils se font du mal, comme s'ils voulaient se punir.

— Vous en avez sauvé beaucoup ?

— Mes patients ont besoin de quelqu'un auprès de qui se défouler, plus que de médicaments.

— Je parie que vous arrivez à les faire parler en utilisant les bonnes phrases, probablement parce que vous les connaissez depuis toujours et qu'ils s'ouvrent à vous sans difficulté.

Le policier avait raison. Flores était habile pour scruter les gens, sans doute parce qu'il savait écouter et qu'il ne s'imposait jamais. Par exemple, il ne perdait pas patience, il n'avait jamais élevé la voix, même pas pour disputer ses enfants. Il aimait qu'on le considère comme un homme équilibré et il se définissait comme un médecin de montagne, comme ces docteurs d'autrefois qui soignaient surtout l'âme de leurs patients, les guérissant ainsi des maux qui les affligeaient.

— Ils ne sont peut-être pas simplement malheureux. Peut-être que l'excès de sérénité chasse la peur de mourir. Vous n'y avez jamais pensé ?

— Peut-être, admit le médecin. Avez-vous déjà eu peur de la mort, commandant Vogel ?

La question cachait une provocation. Il voulait le ramener à la réalité de ses vêtements tachés de sang et à la raison pour laquelle il était revenu.

— Quand on est entouré de la mort des autres, on n'a pas le temps de penser à la sienne, remarqua Vogel avec amertume. Et vous, vous y pensez souvent ?

— Tous les jours depuis trente ans, dit-il en indiquant son thorax. Trois pontages.

— Un infarctus ? Si jeune ?

— J'étais déjà père de famille. Je sais que ça ne veut rien dire, mais la jeunesse n'est qu'un détail, quand on a de grosses responsabilités. Grâce au ciel, j'ai survécu à une opération délicate de douze heures et maintenant je dois juste me rappeler de prendre mes médicaments et me faire contrôler de temps à autre.

Flores minimisait toujours ce moment de son passé, peut-être parce qu'il ne voulait pas admettre que cela l'avait profondément marqué. Mais la nuit où tout changea pour toujours, il aurait fait passer n'importe quel élément de sa vie précédente au second plan, même celui-ci.

On frappa à la porte. Le psychiatre n'invita pas le visiteur à entrer, il se leva pour aller ouvrir. C'était un signal convenu à l'avance. Mais Vogel ne sembla pas y prêter attention.

Dans le couloir, Rebecca Mayer faisait les cent pas, impatiente.

— Alors?

— Il alterne les moments de lucidité et d'autres où il semble absent, répondit le médecin.

— Mais il fait semblant, oui ou non?

— Ce n'est pas aussi simple. Il a commencé un long récit de l'affaire Anna Lou Kastner, je le laisse parler parce que je pense qu'à la fin il arrivera à l'accident de cette nuit.

Plus qu'un récit, cela ressemblait à une confession. Mais le psychiatre garda cet élément pour lui.

— Faites attention, Vogel est un manipulateur.

— Il n'a pas besoin de me manipuler s'il dit la vérité. Et jusqu'ici, il ne me semble pas qu'il ait menti.

— Vogel sait-il que Maria Kastner s'est suicidée il y a trois jours?

— Il ne l'a pas mentionné, je ne sais pas s'il le sait.

— Vous devriez le lui annoncer, après tout c'est sa faute si c'est arrivé.

Flores avait compris tout de suite que la femme ne tiendrait pas le choc. Mais il avait reçu l'ordre de ne rien faire. Après le suicide, la confrérie avait pris ses distances avec la famille de Maria, qui avait été marquée à jamais par ce geste sacrilège. Ils lui avaient même refusé un enterrement religieux.

— Je ne crois pas que ce serait utile. Je pense même que ça serait délétère.

La procureur se plaça à quelques centimètres du médecin, pour le regarder droit dans les yeux.

— Ne vous laissez pas envoûter, vous aussi, je vous en prie. J'ai commis cette erreur une fois et je ne me le suis toujours pas pardonné.

— Rassurez-vous : s'il joue la comédie, nous le saurons.

Quand il revint dans son cabinet avec deux tasses de café fumant, Vogel n'était plus assis dans le fauteuil. Debout, il observait de près la truite arc-en-ciel empaillée qui avait attiré sa curiosité dès le début de sa visite.

— J'ai apporté de quoi nous réconforter, sourit Flores en posant une des tasses sur la table.

Vogel ne se retourna même pas.

— Vous savez pourquoi on ne se souvient jamais du nom des victimes ?

— Comment, pardon ? demanda Flores qui n'avait pas compris.

— Ted Bundy, Jeffrey Dahmer, Andrej Čikatilo… Nous nous souvenons des noms des monstres, mais jamais de ceux des victimes. Vous vous êtes déjà demandé pourquoi ? Ça devrait être le contraire. On affirme ressentir de la pitié, de la compassion, mais ensuite on les oublie.

— Vous savez pourquoi ?

— Les gens diront que dans le fond c'est la faute des médias qui nous bombardent d'infos avec le nom du monstre, jusqu'à l'épuisement. Les médias sont méchants, vous le saviez ? affirma-t-il avec une note de sarcasme. Mais dans le fond ils sont inoffensifs, si on peut les neutraliser en appuyant sur un bouton de la télécommande… C'est juste que personne ne le fait. Nous sommes tous trop curieux.

— C'est peut-être la justice qui nous tient réellement à cœur, pas les monstres.

— Naaan, répondit Vogel en balayant l'idée du revers de la main, comme si elle était terriblement naïve. La justice n'est pas bonne pour l'audimat, mon ami. Elle n'intéresse personne.

— Même pas vous ?

Vogel se tut, estomaqué par la question.

— Je savais que le professeur était coupable… Il y a des choses qu'un flic ne peut pas expliquer. L'instinct, par exemple.

— C'est pour cela que vous l'avez persécuté, que vous lui avez rendu la vie impossible ? demanda Flores, qui sentait que la conversation allait prendre un virage.

— Quand j'ai vu le sac à dos coloré d'Anna Lou sur la table d'autopsie, quelque chose s'est passé à l'intérieur de moi… La procureur Mayer aurait laissé tomber l'accusation. Je ne pouvais pas le permettre.

— Qu'est-ce que vous essayez de me dire, commandant Vogel ?

— Il ne pouvait pas y avoir de nouvelle affaire Derg. Le mutilateur s'en est tiré avec les excuses générales, encaissant même un million de dédommagements pour son injuste détention.

Flores était comme paralysé, mais il ne voulait pas lui forcer la main.

— Le soir de notre première vraie rencontre, au restaurant sur la nationale, Martini avait la main bandée. Cet idiot n'avait pas voulu de points de suture et sa blessure saignait encore…

Vogel se rappelait clairement le moment où, en rangeant les photos dans son dossier, il avait remarqué la tache rouge sur la table en formica bleu ciel.

— Le sang sur le sac à dos, dit Flores incrédule. Alors c'est vrai… Vous avez falsifié la preuve.

17 janvier
Vingt-cinq jours après la disparition

Après minuit, une voiture anonyme foncée franchit les barrières de sécurité de la prison. Elle s'arrêta dans une petite cour hexagonale entourée de hautes murailles grises, qui lui donnaient des airs de puits.

Deux policiers en civil descendirent par les portes arrière, puis aidèrent le professeur à sortir de l'habitacle. Les mouvements de Martini étaient entravés par les menottes. Quand il posa le pied sur l'asphalte, il regarda vers le haut.

Le ciel étoilé était enfermé dans un espace étroit et étouffant.

Borghi était assis devant, pour une fois ce n'était pas lui qui conduisait. Il tenait un dossier contenant le mandat d'arrêt signé par Rebecca Mayer et le procès-verbal de l'interrogatoire du professeur mené l'après-midi même devant la procureur. Martini avait tout nié, mais les preuves et les indices à charge contre lui étaient très lourds.

Borghi précéda les deux policiers et le professeur à l'intérieur du Bloc C. Puis il tendit le dossier au chef des geôliers pour qu'il prenne en charge le détenu.

— Loris Martini, dit-il en le présentant. Accusé d'enlèvement et d'homicide de mineur, avec circonstances aggravantes de dissimulation du cadavre.

L'homme savait bien entendu qui il était et pourquoi il se trouvait là, mais c'était la procédure. Il fit signer à l'officier les formulaires d'entrée en prison.

Les formalités accomplies, Borghi se tourna une dernière fois vers Martini, qui semblait confus et perdu. Le professeur le fixa, l'air implorant, comme s'il cherchait à comprendre ce qui allait lui arriver. Le jeune homme ne lui dit pas un mot, il s'adressa aux policiers qui l'accompagnaient.

— Allons-y.

Martini les suivit du regard tandis qu'ils s'éloignaient. Puis deux mains l'attrapèrent par les coudes et le tirèrent. Les deux geôliers le conduisirent dans une petite salle aux murs incrustés par l'humidité. Il n'y avait qu'un petit tabouret métallique et, au centre, sur le sol incliné, une grille d'évacuation.

— Déshabillez-vous, lui ordonnèrent-ils après lui avoir retiré les menottes.

Il obéit. Quand il fut complément nu, ils lui intimèrent de s'asseoir sur le tabouret, puis ils ouvrirent la douche qui était au-dessus de lui – qu'il n'avait pas remarquée – et lui passèrent une savonnette. Quand Martini fit mine de se lever pour mieux se laver, ils l'en empêchèrent. Ce n'était pas prévu par le règlement. L'eau était tiède et sentait le chlore. Ils lui tendirent ensuite une serviette blanche trop petite, qui fut immédiatement trempée.

— Levez-vous et posez les deux mains contre le mur, puis penchez-vous en avant le plus possible, dit un des geôliers.

Le professeur tremblait de froid, mais aussi de peur. Il ne pouvait pas voir ce qui se passait dans son dos, mais il l'imagina en entendant le bruit d'un gant en latex. L'inspection corporelle dura quelques secondes, durant lesquelles le professeur ferma les yeux pour repousser l'humiliation. Après avoir vérifié qu'il ne cachait rien dans son rectum, ils l'invitèrent à se rasseoir.

Quelques minutes passèrent dans un silence total. Personne ne le prévenait de rien et Martini était contraint de subir les événements. Un bruit de pas précéda l'arrivée d'un médecin en blouse blanche qui portait une chemise en carton.

— Souffrez-vous de pathologies chroniques ? lui demanda-t-il sans se présenter.

— Non, répondit le professeur d'un filet de voix.

— Avez-vous besoin de médicaments ?

— Non.

— Faites-vous usage de stupéfiants ?

— Non.

Le médecin nota la dernière réponse dans le dossier, puis repartit sans ajouter un mot. Les geôliers saisirent à nouveau Martini par les bras et le forcèrent à se relever. L'un des deux lui tendit son uniforme de détenu, en toile raide bleu délavé, et une paire de savates en plastique trop petites de deux tailles.

— Habillez-vous, lui ordonna-t-on.

Puis ils l'escortèrent, menotté, dans un couloir qui semblait ne jamais finir. À leur passage, une série de grilles s'ouvrirent et se refermèrent.

Il faisait nuit, mais la prison ne dormait jamais.

Un petit bruit métallique monta d'une des cellules, rythmé, et se propagea aux autres. Le son accompagnait sa promenade avec les gardiens, comme une fanfare qui précède un condamné à mort. De derrière les portes, on entendait des murmures sinistres.

— Salaud.

— Compte tes jours, on aura ta peau.

— Bienvenue en enfer.

C'était l'accueil réservé aux coupables de crimes sur mineurs. Selon le code d'honneur des détenus, leur crime les rendait même indignes de séjourner derrière les barreaux. En effet, les autres détenus ne supportaient pas d'être mélangés à des tueurs d'enfants. Pour eux, il y avait une peine supplémentaire. Ils devaient purger une condamnation au sein de leur condamnation. Être marqués comme de la chair morte.

Martini marchait la tête baissée ; son uniforme trop grand lui tombait sur les hanches, mais avec ses poignets menottés il avait du mal à le tenir.

Ils se retrouvèrent face à une lourde porte en fer. Un des geôliers l'ouvrit et le poussa dedans. La pièce était étroite pour une personne, alors pour trois… Il y avait un lit de camp et, dans un coin, des W-C en acier et un petit lavabo mural. Par la petite fenêtre en hauteur, la lumière de la lune filtrait, ainsi qu'un courant d'air glacial.

Une quatrième personne franchit le seuil, un homme robuste d'une cinquantaine d'années. Ses biceps se dessinaient sous le tissu de son uniforme.

— Je suis le chef Alvis, se présenta-t-il. Je dirige la section des isolements.

Le professeur s'attendait à un petit discours illustrant le fonctionnement de la prison. À l'inverse, l'homme lui tendit une couverture en laine marron, une gamelle et une cuiller en silicone, pour qu'il ne puisse pas l'utiliser pour faire ou se faire du mal.

— Ces objets, de même que le matelas du lit de camp, sont la propriété de la prison. On vous les remet entiers, la perte ou la dégradation vous seront facturées, récita-t-il de mémoire avant d'ajouter : Signez ici.

Il lui tendit un dossier et Martini écrivit son nom au bas de la liste, se demandant quelle valeur pouvaient avoir ces objets pour qu'on prenne tant de précautions. À ce moment-là, il comprit que l'obsession de la bureaucratie était le pire aspect de la prison. Chaque élément de la vie derrière les barreaux était régulé par des formulaires et des codicilles, même le plus insignifiant. Toute décision était prise par quelqu'un d'autre. Pour limiter l'implication des personnes, toute action était traduite en un standard établi à l'avance. Et déshumanisée. De cette façon il n'y avait aucune place pour l'émotivité, la compassion ou l'empathie.

On était seul avec soi-même et sa faute.

Tandis que les geôliers et le chef Alvis quittaient la cellule, Martini resta debout, la couverture, la gamelle et la cuiller dans les bras. La lourde porte métallique se referma et il entendit les tours de clé.

De la chair morte, se répéta le professeur quand le silence s'abattit sur la cellule.

Il avait attendu vingt-quatre heures avant de faire une déclaration. Vogel voulait que la rumeur de l'arrestation de la veille diminue un peu, pour attirer sur lui les feux de la rampe.

Le policier qui avait réussi à faire incriminer un assassin, même sans le cadavre de la victime.

Maintenant, Vogel savourait l'attention des médias devant une armée de micros et de caméras dans le gymnase qui servait encore, mais plus pour longtemps, de salle opérationnelle. Il avait choisi un nouveau costume, pour se présenter aux journalistes. Veste sombre en velours lisse, pantalon gris, cravate rayée. Des boutons de manchettes en or blanc en forme d'étoile trônaient sur les poignets de sa chemise. Il portait encore le bracelet de perles d'Anna Lou et il avait l'intention de l'exhiber comme un trophée.

— Finalement, le travail silencieux de la police a conduit au résultat que tout le monde espérait. Comme vous le voyez, la constance et la patience paient toujours. La pression des médias et de l'opinion publique nous a conditionnés. Nous avons travaillé en sous-marin, tous feux éteints, pour atteindre l'objectif que nous nous étions fixé depuis le début : découvrir la vérité sur l'affaire de la disparition d'Anna Lou Kastner.

Sa façon de modifier les faits sans aucun embarras était paradoxale, pensa Borghi qui se tenait à l'écart de la scène. Même si la vérité dont parlait Vogel ne comprenait pas de réponse sur la fin de la jeune fille aux cheveux roux et aux taches de rousseur, il était fort pour se montrer convaincant. Parce que, dans le fond, il en était convaincu lui-même.

— Notre travail à Avechot est terminé, nous laissons le champ libre à la justice, certains que la procureur Mayer saura faire bon usage des résultats précieux et sans équivoque de l'enquête.

Rebecca Mayer, qui se tenait à côté de lui, détourna les yeux des objectifs qui la fixaient. Ce petit geste fut éloquent, pour Borghi. Elle n'était pas, comme Vogel, capable de se mentir à elle-même.

— Comment les Kastner ont-ils pris la nouvelle de l'arrestation ? demanda un journaliste.

— Il me semble qu'ils l'ont appris hier à la télévision, répondit Vogel. J'ai préféré ne pas interférer avec la douleur compréhensible de ce moment. Mais j'irai leur rendre visite dès que possible, pour leur expliquer ce qui est arrivé et ce qui va se passer, maintenant.

— Vous allez cesser de chercher Anna Lou ? demanda Stella Honer.

Vogel, qui s'attendait à la question, évita de lui répondre directement. Il s'adressa à l'assemblée.

— Bien sûr que non, les rassura-t-il. Nous ne connaîtrons pas la paix tant que nous n'aurons pas trouvé la dernière pièce du puzzle. Le destin de cette pauvre jeune fille a toujours été notre priorité.

Ce «pauvre jeune fille» mettait officiellement fin à tout espoir de la retrouver, remarqua Borghi. Avec ces petites précautions dialectiques, Vogel se réservait une porte de sortie, en cas d'échec. Par ailleurs, avec l'extinction des projecteurs, les fonds attribués aux recherches allaient être nettement redimensionnés. Finis l'équipe scientifique, les unités cynophiles et les plongeurs. Aucun hélicoptère ne survolerait plus les montagnes. Les volontaires rentreraient peu à peu chez eux. Mais les premiers à abandonner Avechot allaient sans aucun doute être les journalistes. D'ici deux ou trois jours, le cirque démonterait ses chapiteaux. À sa place, il ne resterait qu'une étendue aride, pleine de vieux papiers. Les troupes allaient se démobiliser, laissant la vallée et ses habitants plonger à nouveau dans leur inexorable léthargie. La vieille vie reprendrait, les disparités entre ceux qui avaient eu la chance de posséder un sol sous lequel se cachait de la fluorite et les autres, que la mine avait appauvris, allaient refaire surface. Hôtels et restaurants, qui avaient momentanément rouvert, allaient progressivement perdre leur clientèle, les touristes de l'horreur allaient choisir d'autres buts, d'autres crimes sanguinaires pour leurs sorties familiales du dimanche. Peut-être que le restaurant de la nationale renverrait d'une petite année la cessation d'activité, mais le propriétaire finirait par se résoudre et comprendre que fermer les portes était la meilleure solution.

Pour Avechot, c'était la fin d'une brève saison de popularité, inespérée et parfois fastidieuse. Mais personne n'oublierait jamais cet hiver.

Vogel s'apprêtait à congédier l'assemblée parce qu'il devait retourner en ville au plus vite, où on l'attendait pour participer à un nouveau talk-show du soir, quand Stella Honer leva la main.

— Commandant Vogel, une dernière question, dit-elle sans qu'il l'ait autorisée à prendre la parole. Après cet important succès, peut-on affirmer que l'affaire Derg n'a été qu'une page malheureuse de votre carrière ?

Vogel détestait la capacité quasi féroce de Stella d'enfoncer le couteau dans la plaie. Il s'autorisa un sourire de circonstance.

— Voyez-vous, madame Honer, je sais que c'est plutôt facile pour vous et pour vos collègues de faire la distinction entre le succès et l'échec, mais pour les policiers, il existe des nuances. Le mutilateur – comme vous autres l'avez baptisé – n'a plus frappé. Peut-être reprendra-t-il un jour, peut-être pas. Mais j'aime penser que nous lui avons fait tellement peur qu'il réfléchira à deux fois avant de placer un autre explosif.

Il avait marqué un point, le moment était venu de se retirer. Vogel s'éloigna des micros avant que quelqu'un lui pose une autre question gênante.

Le protagoniste principal du drame sortit, accompagné par les flashes, suivi de Borghi qui quitta le mur du fond pour le rejoindre. Une partie de lui était contente que cela soit enfin terminé, mais une autre, très petite et tenace, ne se résignait pas à cet épilogue. Il avait cru faire partie d'une aventure épique, une sorte de bataille entre le bien et le mal. Pourtant, après l'arrestation du professeur, il n'avait ressenti aucun soulagement. Dans le fond, l'affaire avait été résolue par un coup de chance. Le point positif était qu'il pouvait aller retrouver Caroline et attendre avec elle l'arrivée de leur petite fille. Mais le travail allait lui manquer. Avechot allait lui manquer.

— Voulez-vous que je vous ramène à l'hôtel ? demanda-t-il à Vogel devant le gymnase.

— Non, merci, répondit l'intéressé en regardant le ciel. Je vais profiter de cette belle journée pour marcher un peu.

Il sortit son calepin noir de son manteau.

Borghi l'avait vu faire ce geste des dizaines de fois au cours de l'enquête. Il était curieux de savoir ce que notait Vogel avec tant de diligence. Il y aurait sans doute beaucoup à apprendre de ces notes.

— Alors, lieutenant Borghi, le moment est venu de nous saluer, dit Vogel en lui posant une main sur l'épaule, geste paternaliste qui ne lui ressemblait pas.

Lors de la prochaine affaire, je demanderai à vous avoir dans mon équipe.

En effet, pensa le commandant, cette fois tout s'était passé au mieux et il n'avait pas eu à désigner un subalterne pour encaisser la responsabilité de l'échec. Mais Borghi pouvait être utile : il était suffisamment naïf pour croire tout ce qu'on lui racontait.

— Ça a été un honneur de travailler avec vous, commandant, affirma le jeune policier avec conviction. J'ai beaucoup appris.

Vogel en doutait. Sa technique d'enquête était un mélange de tactique et d'opportunisme. Elle ne s'apprenait pas facilement et il n'était pas disposé à en partager les secrets.

— Tant mieux pour vous.

Il allait partir quand Borghi attira à nouveau son attention.

— Excusez-moi, monsieur, je me demandais une chose…

— Je vous écoute.

— Vous ne vous êtes jamais demandé pourquoi le professeur Martini aurait enlevé et tué Anna Lou avant de cacher son corps ? Quel est son mobile, d'après vous ?

Vogel fit semblant de prendre cette question au sérieux.

— Les personnes sont pleines de haine, lieutenant Borghi. La haine est quelque chose d'impalpable, elle est difficile à prouver et elle ne produit aucune preuve qui puisse être montrée devant un tribunal. Mais elle existe, malheureusement.

— Excusez-moi, mais je ne comprends pas : pourquoi Martini aurait-il haï Anna Lou ?

— Pas elle en particulier, le monde entier. Dans le fond, ce professeur menait une vie modeste, sans satisfactions. Sa femme l'avait trompé avec un autre, il risquait de perdre sa famille et de se retrouver seul, comme ça a fini par arriver. À long terme, la rage accumulée doit sortir. Je crois que Martini avait le désir de se venger des autres… Et Anna Lou, avec sa candeur et l'innocence de sa jeunesse, était parfaite pour nous punir tous.

Mais Borghi n'était pas convaincu.

— Bizarre, à l'école de police on nous a appris que la haine n'est pas le premier des mobiles pour un crime.

— Je vais vous donner un conseil qu'aucun policier ne vous répétera… Apprenez à considérer chaque affaire en soi, laissez tomber ce qu'on vous a enseigné, sinon vous ne développerez jamais votre instinct de flic.

Borghi observa le manteau en cachemire de l'homme qui s'éloignait. L'instinct de flic, pensa-t-il. Le contraire de l'instinct de tuer, en quelque sorte.

La haine n'est pas le premier mobile d'un crime, se répéta Vogel en retournant à l'hôtel. Qu'est-ce que ce morveux connaissait aux criminels ? Comment avait-il osé mettre ses paroles en doute ? Toutefois, il n'allait pas laisser la colère gâcher la sensation de bien-être qu'il éprouvait depuis le matin. Borghi n'avait pas d'avenir, il en était certain.

Les costumes qui avaient séjourné dans l'armoire étaient déjà disposés sur le lit. Chacun dans sa housse. Comme ses chaussures, qui avaient été glissées dans leurs sachets en coton. Puis il y avait les cravates, les chemises et le reste. L'ensemble occupait toute la surface du matelas et composait une mosaïque colorée parfaite et ordonnée. Vogel s'apprêtait à tout transférer dans sa valise. Mais, quand il s'approcha du lit, il remarqua quelque chose qui n'était pas là avant.

Sur la table basse, à côté du téléviseur, il y avait un paquet.

Il s'approcha, méfiant. Un membre du personnel de l'hôtel avait dû le déposer en son absence. Mais il n'était accompagné d'aucun petit mot, cela lui sembla étrange. Après quelques secondes d'hésitation, il l'ouvrit.

Il découvrit un vieil ordinateur portable plein de rayures et de bosses.

Qu'est-ce que c'est que cette blague ? Il souleva l'écran et découvrit un petit carton posé sur l'écran, où était inscrit dans une écriture soignée : *Il est innocent.*

Sous ces mots, un numéro de portable tenait lieu de signature. Le même que celui dont il avait reçu deux textos anonymes, qu'il avait écartés en pensant qu'il s'agissait d'un journaliste en quête d'un scoop.

« J'ai besoin de vous parler. Appelez-moi à ce numéro. »

Vogel était irrité. Il ne tolérait pas d'intrusion dans sa sphère privée. Mais, en même temps, il dut admettre qu'il ressentait une certaine curiosité pour le contenu de l'ordinateur. Le bon sens lui suggérait d'en rester là, mais il ne coûtait rien de vérifier.

Il l'alluma.

Il fallut quelques minutes à l'ordinateur pour reprendre vie. L'écran noir vira au bleu. Au centre, une seule icône, celle d'un navigateur. Il se connecta immédiatement au réseau. Une page Internet apparut, avec un graphisme dépouillé et rudimentaire. Vogel pensa tout de suite à un vieux site qui se trouvait en ligne depuis des années et que personne ne consultait plus mais qui flottait toujours, tel un déchet, à la surface du Web.

La page avait un nom.

L'homme du brouillard.

Sous ce titre, six visages de jeunes filles défilèrent, très semblables. Cheveux roux, taches de rousseur. Tous semblables à celui d'Anna Lou Kastner.

À l'autre bout du fil, le téléphone sonna longtemps avant qu'une voix féminine réponde.

— Commandant, vous avez mis le temps.

— Qui êtes-vous et que cherchez-vous à prouver ? l'agressa immédiatement Vogel.

— Je vois que j'ai enfin attiré votre attention, répondit calmement la femme avant de tousser plusieurs fois. Je m'appelle Beatrice Leman, je suis journaliste. Ou plutôt, je l'étais.

— Je ne ferai aucune déclaration sur ce que je viens de voir – quoi que ce soit. Donc ne vous faites aucune illusion : vous ne deviendrez pas célèbre avec cette histoire.

— Je ne désire obtenir aucune interview, répondit la femme. Je voudrais vous montrer quelque chose.

Vogel réfléchit un moment. Il était en colère mais quelque chose lui intimait d'écouter cette étrange femme.

— D'accord, voyons-nous, proposa-t-il.

— Il faudra que vous veniez chez moi.

— Pourquoi donc ? demanda-t-il avec un petit rire
agacé.

— Vous comprendrez.

La femme raccrocha sans lui laisser le temps de répli-
quer.

21 janvier
Vingt-neuf jours après la disparition

Beatrice Leman était en fauteuil roulant.

Vogel avait mis quatre jours avant de se décider à aller la voir et, entre-temps, il s'était discrètement renseigné sur elle. En tant que journaliste, elle s'était surtout occupée de faits divers, mais ses articles avaient mis plus d'une fois dans l'embarras des hommes politiques ou d'autres personnalités influentes. C'était une dure, mais son temps était révolu. Elle ne faisait plus peur à personne.

Au début, Vogel avait décidé d'ignorer les délires d'une vieille journaliste en quête de gloire pour ressortir de l'anonymat. Mais ensuite, il avait réfléchi à la possibilité que Beatrice Leman se mette en contact avec quelqu'un comme Stella Honer. L'envoyée spéciale n'aurait pas raté une occasion d'exhumer l'affaire Kastner en proposant au public une version alternative de la vérité établie par l'enquête. Il aurait été désastreux que quelqu'un accorde du crédit à ces élucubrations, surtout dans la mesure où il avait falsifié une preuve pour coincer Martini. Vogel voulait que plus personne ne fourre son nez dans l'enquête, aussi avait-il décidé d'aller voir la femme.

Elle habitait un chalet en périphérie d'Avechot. Elle ne s'était jamais mariée et sa seule compagnie était la troupe de chats qui peuplait l'espèce de bureau où elle passait ses journées. Vogel fut accueilli par une femme aigrie qui avait perdu toute illusion, le visage creusé par de profondes rides marron, les cheveux gris relevés en désordre. Elle portait une polaire tachée de cendre de cigarette et des cendriers remplis traînaient partout chez elle. Sa maison sentait le tabac froid mélangé à l'urine de chat. Elle ne la sentait même plus. Des papiers et des vieux journaux étaient entassés partout, même sur le sol.

— Bienvenue, commandant Vogel, dit-elle en le faisant entrer.

Dans le chaos, une sorte de sentier permettait à la femme de se déplacer assez aisément avec son fauteuil roulant.

Vogel se serra dans son manteau en cachemire parce qu'il ne voulait rien toucher, craignant la poussière et surtout les microbes.

— Franchement, je ne sais pas ce que je viens faire ici, annonça-t-il d'emblée.

— L'important c'est que vous êtes venu, répondit-elle en riant.

Elle se plaça derrière un bureau et lui fit signe de s'asseoir.

Vogel prit place malgré sa réticence.

— Je vois que vous n'avez pas apporté le portable que je vous ai envoyé. C'est le seul que je possède et j'aimerais le récupérer.

— Je croyais que c'était un cadeau, ironisa Vogel. Quoi qu'il en soit, je vous le ferai parvenir au plus vite.

Beatrice Leman alluma une cigarette.

— Est-ce bien nécessaire ? demanda Vogel.

— Je suis paraplégique de naissance à cause d'une mauvaise manœuvre de la sage-femme, aussi je me fous de ce qui peut faire du mal aux autres.

— D'accord, mais venons-en au fait : je n'ai pas de temps à perdre.

— J'ai fondé et dirigé pendant quarante ans un petit quotidien local. Disons que je faisais tout : des faits divers à la nécrologie. Puis l'avènement d'Internet a rendu tout effort inutile et j'ai fermé boutique pour cause de manque de lecteurs… Maintenant, on sait en temps réel ce qui se passe à l'autre bout du monde mais on ne sait plus ce qui se passe en bas de chez nous.

Après cette brève introduction, Beatrice attrapa un gros dossier sur une étagère, faisant tomber quelques papiers et journaux. Elle le posa sur ses genoux, sans l'ouvrir.

— Un journaliste s'occupe de centaines de faits divers, dans sa carrière, poursuivit-elle. Mais il y en a certains qui nous collent à la peau : on n'oublie pas le nom et le visage des victimes, on les traîne comme une sorte de parasite qui se nourrit de notre sentiment de culpabilité… C'est peut-être pareil pour vous autres policiers.

— Parfois, admit Vogel pour qu'elle poursuive son récit.

— Bien, mon ver solitaire est sorti de sa tanière avec la disparition de Katya Hilmann, déclara-t-elle en soulevant le dossier avant de le laisser retomber lourdement sur la table. Elle a été la première.

Le bruit sourd résonna dans la pièce. Vogel observa le gros dossier devant lui. Il savait que s'il acceptait d'entrer dans cette histoire, il serait difficile d'en sortir. Mais il n'avait pas le choix. Il le feuilleta.

Il tomba sur une vieille photo de Katya Hilmann. Il l'avait déjà vue sur le site Internet, mais il l'observa plus attentivement. La jeune fille portait un tablier bleu, l'uniforme de son lycée. Elle souriait à l'objectif. Ses yeux verts étaient sincères. Ensuite, il découvrit les autres images des adolescentes aux cheveux roux et aux taches de rousseur. Vogel les étudia une à une. On aurait dit des sœurs. Sur leurs visages, on lisait la même candeur. Prédestinées, se dit-il. La malédiction de l'innocence s'était abattue sur elles.

Tandis qu'il consultait le dossier, Beatrice l'observait en fumant sa cigarette, qu'elle tenait du bout des doigts. Elle tirait de longues bouffées profondes, laissant la cendre s'accumuler en équilibre au bout.

Vogel constata que les photos étaient accompagnées de nombreux articles de journaux écrits par Leman elle-même et de maigres rapports de police.

— Les jeunes filles se trouvaient toutes dans des situations familiales difficiles, affirma Beatrice en brisant le silence. Des pères violents, des mères qui subissaient. C'est peut-être pour cette raison que les flics d'Avechot et des villages alentour n'ont jamais enquêté trop loin sur leur disparition : il était quasiment normal qu'elles fuient cet enfer.

— Mais vous avez rapproché les affaires et fait l'hypothèse d'un comportement compulsif.

— Elles avaient entre quinze et seize ans, cheveux roux, taches de rousseur : ce sont de toute évidence les signes d'une obsession... Mais personne ne m'a crue.

— La dernière disparition remonte à trente ans, lui fit remarquer Vogel en lisant la date d'un rapport.

— Justement. À cette époque, *votre* professeur Martini ne vivait pas à Avechot, et surtout il était encore gamin.

Oui, pensa Vogel, Stella Honer aurait adoré cette histoire. Il considérait qu'il s'agissait d'une pure coïncidence avec l'affaire Kastner, mais il ne pouvait s'en aller avec un simple haussement d'épaules. Il devait d'abord chasser de l'esprit de Beatrice Leman l'idée qu'il pouvait y avoir un rapport. Et pour cela, il devait en savoir plus.

— Comment se fait-il qu'après la disparition d'Anna Lou, personne à part vous dans la vallée n'ait ressorti cette histoire ?

— Parce que les gens oublient vite, vous ne le saviez pas ? Il y a des années, j'ai créé le site Internet que je vous ai montré en espérant maintenir leur mémoire, mais plus personne ne s'intéresse à ces pauvres jeunes filles.

— Pourquoi « l'homme du brouillard » ?

La voix de Beatrice Leman, déjà rauque à cause de toutes les cigarettes fumées dans sa vie, devint un raclement :

— Le brouillard fait disparaître les personnes : nous savons qu'elles sont là mais nous ne pouvons pas les voir... Ces jeunes filles sont encore parmi nous, même s'il leur est arrivé quelque chose de moche, même si elles sont mortes. Pour une raison obscure, l'homme du brouillard les a prises – parce qu'il n'y a qu'un seul coupable, j'en suis certaine. Ce n'est pas le professeur, je parie qu'il est toujours là, dehors, à la recherche d'une nouvelle proie.

— Ça n'a pas de sens, la contredit-il. Pourquoi faire une pause de trente ans ?

— Il a peut-être déménagé ailleurs avant de revenir. Il a peut-être frappé ailleurs et nous ne le savons pas. Il suffira de chercher des jeunes filles présentant les mêmes caractéristiques.

Vogel secoua la tête.

— Je suis désolé, je n'y crois pas : vu le bruit qu'a fait l'affaire Kastner, quelqu'un aurait attiré l'attention de la police ou des médias sur des affaires similaires.

La femme s'apprêtait à répondre quelque chose mais elle se mit à tousser.

— Je ne voulais pas vous montrer seulement ce dossier, dit-elle entre deux quintes en ouvrant un tiroir, d'où elle sortit un paquet postal qu'elle tendit à Vogel. J'ai reçu ça il y a quelque temps, mais le cachet de la poste date du jour de la disparition d'Anna Lou. Comme vous le constatez, il vous est adressé, via mon domicile. Mais étant donné que vous ne répondiez pas à mes messages, j'ai fini par l'ouvrir.

Vogel observa le contenu du paquet à travers le bord arraché. Puis il glissa la main et en sortit un petit livre rouge avec des images de chats imprimées dessus.

Le *vrai* journal d'Anna Lou, pensa-t-il immédiatement.

Celui qu'elle cachait à sa mère et qu'ils n'avaient pas trouvé. Qu'elle conservait probablement dans le sac à dos retrouvé dans le canal d'écoulement.

Vogel observa le petit loquet en forme de cœur qui le fermait.

Il tenta de raisonner. Si quelqu'un avait envoyé le journal à Beatrice Leman, c'est parce qu'il voulait attirer l'attention sur l'affaire de l'homme du brouillard. Qui serait le monstre ? Quel rôle jouait Martini dans cette histoire ? Il sentit monter en lui le premier doute sur le compte du professeur. Pourtant, il avait ressenti la même chose qu'avec Derg. Là aussi, la conviction de se trouver face au mutilateur l'avait conduit à falsifier les preuves. Mais avec le comptable, il n'avait commis aucune erreur. Derg était le terroriste, c'était pour cela qu'il s'était arrêté, ensuite.

— Que voulez-vous en échange ? demanda-t-il à la femme.

— La vérité.

— Vous voulez en faire un scoop ?

— Vous êtes trop diabolique, mon ami. Je suis une femme simple.

Le péché le plus idiot du diable est la vanité, se dit Vogel en repensant aux paroles de Martini et à sa propre situation actuelle. Il avait peut-être péché par vanité, maintenant il allait être puni.

— Si j'avais voulu ce que vous m'offrez, je me serais adressée à une chaîne de télévision et j'aurais vendu ce journal très cher.

Elle avait raison, il avait été stupide de ne pas y penser. Mais si la journaliste ne voulait ni notoriété ni argent, alors que cherchait-elle réellement ?

— Je vous promets que s'il y a là-dedans quelque chose qui permet de rouvrir l'enquête en l'étendant à la disparition des six autres jeunes filles, je n'hésiterai pas une seconde, dit-il comme une promesse solennelle.

— Ceci est la dernière chance de capturer l'homme du brouillard, dit alors Beatrice Leman. Je suis certaine que vous ne la gâcherez pas.

Apparemment, elle était tombée dans le panneau.

La salle des visites des familles aux détenus était meublée de tables en acier fixées au sol par des boulons, de même que les chaises qui les entouraient. Le plafond était bas et, généralement, les voix résonnaient tellement qu'il était impossible de s'entendre. Mais à ce moment-là, hormis quatre geôliers silencieux qui observaient la scène à distance, le professeur Martini et l'avocat Levi étaient seuls.

Le professeur n'était en prison que depuis quelques jours mais il semblait déjà très éprouvé.

— Je suis très populaire, ici. On me garde en isolement, mais la nuit, j'entends les menaces des autres détenus depuis leurs cellules : ils font tout pour me maintenir éveillé, à défaut d'autre chose.

— Je vais parler au directeur, on va vous faire déplacer.

— Je ne préfère pas, je ne veux pas me faire d'autres ennemis. C'est déjà difficile d'être une *star*, dit-il avec un rire amer. D'ailleurs, un des geôliers m'a fait comprendre qu'il valait mieux que je ne touche pas à la nourriture qui m'arrive de la cuisine de la prison. Je crois que les gardiens aussi me méprisent et qu'il a dit ça pour me faire peur. En tout cas il a réussi, depuis je ne mange que des crackers et des snacks emballés.

Levi essayait d'encourager son client, mais il semblait sincèrement inquiet pour lui.

— Vous ne pouvez pas continuer comme ça, il faut manger, garder vos forces. Sinon vous ne supporterez pas la pression du procès.

— Vous avez une idée de quand il commencera ?

— On parle d'un mois, peut-être plus. L'accusation a suffisamment de preuves, mais nous sommes en train de préparer nos réponses point par point.

— Comment je vais faire, sans argent ?

Martini était désabusé. Levi lui parla à voix basse.

— C'était pour ça que je vous avais organisé une rencontre avec Stella Honer. Vous avez été vraiment stupide de ne pas accepter son offre.

— Alors vous n'allez pas me défendre, maître ?

— Ne dites pas de bêtises. Je pense que nous avons tout de même une chance : la présence de votre ADN soutient à elle seule l'accusation. Si nous démontons cette preuve, tout s'écroule. J'ai déjà trouvé un généticien qui va refaire tous les tests de compatibilité avec le profil retrouvé dans la tache de sang sur le sac à dos.

Martini n'y croyait pas.

— On m'a dit que vous avez parlé de moi et de l'affaire à la télé.

Cela sonnait comme une accusation, que Levi ignora.

— Il est nécessaire que les gens écoutent aussi votre version des faits. Vous ne pouvez pas être présent, donc je m'en charge.

Martini ne répondit pas, dans le fond l'avocat se payait avec la publicité. Alors autant qu'il se serve de son histoire.

— Vous avez parlé à ma famille ? Comment vont ma femme et ma fille ?

— Elles vont bien, mais tant que vous êtes en isolement elles ne peuvent pas vous rendre visite.

Elles ne seraient de toute façon pas venues, pensa le professeur.

— Vous verrez, une fois au procès nous démonterons les accusations et la vérité éclatera au grand jour.

En sortant de chez Beatrice Leman, Vogel avait erré en voiture tout l'après-midi, parcourant des routes secondaires qui grimpaient sur les monts alentour. Il avait besoin de réfléchir, de s'éclaircir les idées. Il avait prévu de quitter Avechot plusieurs jours auparavant, pourtant il était toujours là, contraint de faire quelque chose qu'il n'avait jamais fait et qu'il n'était pas certain de savoir faire.

Enquêter.

L'homme du brouillard avait bouleversé ses plans. Il l'observait peut-être en ce moment même, en sécurité dans la grisaille. Se moquant de lui.

Le supposé journal d'Anna Lou était sur le siège passager. Vogel ne l'avait pas encore ouvert parce qu'il n'était pas certain de l'attitude à adopter. Il voulait d'abord peser le pour et le contre. Peut-être que la solution était de le jeter, de le brûler et de tout oublier. Peut-être que l'homme du brouillard n'avait aucune intention d'apparaître, peut-être qu'il voulait seulement lui faire peur. Peut-être. Mais cela lui suffirait-il ? *Il a probablement prévu ça aussi*, se dit Vogel. Il avait également envisagé d'utiliser le journal pour s'attribuer le mérite de cette libération, mais quelqu'un aurait pu se demander s'il avait falsifié les résultats de l'enquête, comme avec Derg. Ce soupçon aurait pu mettre fin à sa carrière. L'idée qu'un innocent se trouvait en prison ne l'effleurait même pas. Ce n'était pas son problème. Au pire, il avait peur que l'homme du brouillard reprenne réellement son œuvre trente ans plus tard. Dans ce cas, ce seraient les événements qui démentiraient Vogel, parce qu'après Anna Lou ce serait le tour d'une autre. Une fille aux cheveux roux et aux taches de rousseur. La fille de quelqu'un. Mais ça non plus n'importait pas, pour lui. Il devait avant tout penser à lui-même. Ce n'était pas du cynisme mais de l'instinct de survie.

Dehors, le soleil avait commencé son inexorable descente vers les ténèbres.

Après avoir erré pendant trois heures, le voyant du réservoir d'essence contraignit Vogel à faire une pause. Il gara la voiture devant les bacs de décantation de la mine. Il descendit et respira l'air chargé de poussière. Face à lui, une série de monticules de fluorite. Dans le noir, le minéral émettait une lueur verdâtre semblable à une aurore boréale. Vogel s'approcha et, devant cette scène enchanteresse, baissa sa braguette et se mit à uriner. Pendant qu'il vidait sa vessie, il sentit comme de petits coups sur son épaule. Le fruit de son imagination, bien sûr, mais on aurait tout de même dit que quelqu'un cherchait à attirer son attention.

Le journal l'appelait depuis le siège de la voiture. Tu ne peux pas m'ignorer, semblait-il lui dire.

Quand il eut terminé, il retourna vers l'habitacle. Il s'assit et prit le cahier. Il l'observa comme une relique. Puis, mû par un élan soudain, il arracha le petit loquet en forme de cœur. Il avait froid et chaud, il était agité.

Il ouvrit une page au hasard et reconnut l'écriture d'Anna Lou Kastnér.

— Merde, murmura-t-il.

Il lut. Il espérait trouver quelque chose qui conduise à Loris Martini – n'importe quoi qui prouvât qu'il était vraiment l'assassin de la jeune fille disparue, que le coupable n'était pas l'homme du brouillard. Évidemment il n'était pas plausible que le professeur ait envoyé le journal à Beatrice Leman. Pourtant, il avait été expédié le jour de la disparition, et donc celui qui l'avait posté ne voulait pas disculper Martini, qui à l'époque n'était pas suspect. Non, ce paquet avait une autre signification.

C'était une signature.

Voilà pourquoi Vogel n'y trouva rien qui reliât Anna Lou à l'homme qui était actuellement en détention. Le secret que la jeune fille cachait jalousement était tout autre.

11 août : à la mer j'ai rencontré un garçon très mignon. Je ne lui ai parlé que deux ou trois fois, je crois qu'il aimerait bien m'embrasser mais ce n'est pas arrivé. Peut-être qu'on se reverra l'an prochain... Il s'appelle Oliver, c'est un beau prénom. J'ai décidé que j'écrirais chaque jour au stylo son initiale sur mon bras gauche, celui du cœur. Je le ferai tout l'hiver, jusqu'à ce que je le revoie l'an prochain. Ce sera mon secret, un gage que nous nous reverrons.

Vogel feuilleta rapidement le reste. D'autres passages faisaient référence au mystérieux Oliver, objet de fantasmes innocents et de désirs qui ne se réaliseraient jamais.

Oliver, songea-t-il en repensant à l'initiale qui était désormais imprimée sur le bras du cadavre d'Anna Lou

Kastner. Un petit «O» dessiné au stylo qui se consumait avec elle et que personne ne découvrirait jamais.

Son secret est mort avec elle.

Mais il y avait autre chose dans son journal. Vogel ne remarqua pas tout de suite la petite feuille qui avait glissé des pages. Il la ramassa sur le petit tapis sous le siège. Il la déplia et la regarda : il comprit tout de suite que ce n'était pas la jeune fille qui l'avait mise là.

Le nouvel indice de la chasse était une carte.

22 janvier
Trente jours après la disparition

Il n'avait pas dormi de la nuit.

La carte était posée sur sa table de nuit et Vogel, la couette remontée jusqu'au menton, avait fixé le plafond, immobile. Les questions et les doutes qui s'affrontaient dans sa tête l'empêchaient de réfléchir posément. Une nouvelle partie avait démarré et il ne pouvait pas se permettre de ne pas jouer. L'homme du brouillard ne l'aurait pas permis. Il n'y avait donc qu'une seule chose à faire.

Continuer.

Même si Vogel craignait que le final prévu par le monstre ne soit pas agréable pour lui. Pour la première fois de sa carrière, il avait peur de la vérité.

Vers 5 heures, il décida qu'il en avait assez de sa chambre d'hôtel. Il était temps d'agir. Il ne pourrait sauver sa peau que s'il anticipait les événements. Il repoussa les couvertures et sortit du lit. Avant de s'habiller, il vérifia son arme de service, celle qu'il portait sur lui depuis des années uniquement pour les apparences. En réalité, il n'avait jamais tiré, sauf au polygone, et il doutait d'en être encore capable. De même qu'il ne savait pas entretenir son arme, tâche qu'il confiait généralement à un subalterne. En empoignant son Beretta, il lui parut soudain plus lourd, mais c'était l'angoisse qui transfigurait la consistance des choses. Il s'assura que le chargeur était plein et que le chariot glissait bien sur son rail. Sa main tremblait. *Du calme*. Il s'habilla, mais pas avec un élégant costume. Il choisit un pull foncé, un pantalon décontracté et les chaussures les plus confortables possible. Il enfila son manteau et sortit.

Presque tous les journalistes avaient quitté Avechot. Il ne restait que quelques équipes qui couvraient les dernières suites de l'enquête, mais ce n'étaient plus les mêmes envoyés spéciaux. Les stars étaient parties. Vogel craignait tout de même qu'un stagiaire à la recherche d'un scoop ne remarque son départ. Il regardait constamment dans le rétroviseur pour s'assurer que personne ne le suivait. Tout en conduisant, il tenait la carte d'une main pour se guider.

Au centre de la carte, un point précis était signalé d'un X rouge. Il y avait aussi des indications, à tel point que la veille, il avait acheté une boussole dans un magasin d'articles pour l'alpinisme. Il évita de penser à ce qu'il allait découvrir. L'endroit était situé au nord-ouest, dans une zone relativement praticable qui avait été plusieurs fois passée au crible par les équipes de recherche. Alors, pourquoi n'avaient-elles rien remarqué? *Le travail a été mal fait*, se dit Vogel. Personne ne s'était réellement occupé de trouver Anna Lou Kastner. Et c'était sa faute : il aurait dû superviser les opérations, à la place il avait confié toutes les décisions relatives à l'enquête au jeune et inexpérimenté Borghi, pour être libre de s'occuper des médias.

L'aube rougeâtre qui s'était annoncée au-dessus des montagnes envahit la vallée comme un fleuve de sang. Vogel arriva dans les alentours du point indiqué sur la carte, à l'orée des bois. Il dut abandonner sa voiture et continuer à pied avec une lampe torche. Le terrain était légèrement en pente et ses chaussures glissaient sur le manteau de feuilles qui recouvrait le sol. Il s'agrippait aux branches pour rester debout. Elles étaient si imbriquées qu'une ronce le blessa légèrement à une tempe. Vogel ne s'en rendit même pas compte. De temps à autre, il s'arrêtait pour contrôler la carte et la boussole. Il devait se dépêcher avant que le soleil se lève. Il avait peur qu'on remarque sa présence.

Il déboucha sur une petite clairière. D'après la carte, il était arrivé au point du X rouge. Si sa carrière n'avait pas été en jeu, sa vie, tout cela aurait ressemblé à une farce. Dans le fond, ça l'était. L'homme du brouillard se moquait de lui. *D'accord, voyons ce que tu m'as préparé, salaud.*

Il balaya le terrain avec le faisceau de sa lampe mais ne vit rien d'anormal. Toutefois, quand il pointa sa torche vers le haut, il remarqua quelque chose. Quelqu'un avait placé une boîte de biscuits sur une branche. *L'affaire Derg*, pensa-t-il immédiatement. Apparemment, l'homme du brouillard connaissait ses points faibles. Vogel saisit pourtant l'ironie de la référence au mutilateur et à la preuve falsifiée.

Il sut où il devait creuser.

Il s'agenouilla au pied de l'arbre, enfila des gants en latex et dégagea les feuilles mortes du sol. Il entreprit de retirer la terre humide, au risque de salir ses vêtements. Il n'avait pas l'intention de creuser loin, parce que si le cadavre d'Anna Lou Kastner se trouvait là-dessous il ne voulait pas le voir. Il avait seulement besoin d'une confirmation. Mais, après avoir creusé quelques centimètres, il sentit quelque chose. Un morceau de toile en plastique opaque. Vogel hésita un moment, puis le saisit et tira de toutes ses forces. Il sortit une enveloppe parfaitement fermée avec du scotch hermétique, pour que le contenu soit préservé.

Vogel la retourna pour comprendre de quoi il s'agissait. Il l'agita à côté de son oreille, elle produisit un bruit familier, comme un hochet pour enfants. Quel que soit le cadeau de l'homme du brouillard, cela ne semblait pas être un morceau de corps humain. *Finissons-en*, se dit-il, la rage supplantant la crainte. Il décida d'ouvrir le paquet. Il lui fallut un peu de temps pour retirer le plastique, qui avait été assemblé avec soin. Pourtant, quand il reconnut l'objet, ses pires peurs se matérialisèrent en une sorte de boule qui lui serra la gorge. Cette fois, il n'y avait rien d'ironique.

L'homme du brouillard avait offert à Vogel – le flic de la télé – une cassette vidéo.

L'isolement amplifiait les sens. Il l'avait découvert pendant sa solitude forcée. Il n'était pas autorisé à lire les journaux ou à regarder la télévision, on lui avait enlevé sa montre à quartz. Pourtant, l'odeur qui montait de la cuisine lui permettait de comprendre quand les repas étaient préparés, il savait ainsi que l'heure du petit déjeuner, du déjeuner ou du dîner approchait. Sa cellule était un embryon, tout ce qui y entrait y restait emprisonné – exactement comme lui. Désormais, les bruits de la prison lui étaient familiers. En entendant tinter le trousseau de clés du geôlier qui surveillait la grille automatique du couloir, il sut que le tour de nuit était terminé et qu'avait lieu le passage de consignes au collègue du matin. Il devait être environ 6 heures.

La lourde porte en fer l'empêchait de voir ce qui se passait dehors, mais la lumière qui filtrait par la fente au niveau du sol donnait beaucoup d'indications. Quand il distingua des ombres, il comprit que quelqu'un allait bientôt entrer dans sa cellule. Il se releva et attendit que la clé tourne dans la serrure. Puis la porte s'ouvrit et deux silhouettes apparurent à contre-jour.

Il s'agissait de deux gardiens qu'il n'avait jamais vus auparavant.

— Prenez vos affaires, dit l'un d'eux.

— Pourquoi, où allons-nous ?

Personne ne lui répondit. Martini fit ce qui lui avait été ordonné et ramassa sa couverture en laine marron, sa gamelle et sa cuiller, propriétés de la prison, ainsi que la savonnette et les petits flacons de shampoing et de savon qu'il avait achetés sur place, profitant du trafic, et qui constituaient son unique propriété. Puis il suivit les agents.

Le professeur imagina qu'ils allaient simplement le changer de cellule, mais ils parcoururent tout le couloir de la section d'isolement, jusqu'à la grille. Et là – première bizarrerie –, il n'y avait aucun gardien. Encore deux ou trois couloirs, puis ils prirent un ascenseur et descendirent deux étages. Le tout sans rencontrer âme qui vive – deuxième bizarrerie. Il était impossible que tous les geôliers aient abandonné leur poste en même temps. En outre, il régnait un silence inquiétant. En général, à cette heure les détenus étaient déjà debout et faisaient du boucan pour réclamer le petit déjeuner. Martini repensa à la nuit qu'il venait de passer. Personne n'avait rien fait pour le maintenir éveillé avec des cris ou des menaces. Troisième bizarrerie.

Ils arrivèrent devant une porte sécurisée et, quand le professeur vit le panneau où il était écrit «Bloc F», il comprit qu'il allait entrer dans la section des détenus ordinaires et s'inquiéta.

— Un moment, dit-il. Je suis un détenu spécial, je dois rester en isolement. C'est un ordre du juge.

Les deux hommes l'ignorèrent et le poussèrent pour qu'il avance. Martini était terrorisé.

— Vous m'avez compris ? Vous ne pouvez pas me mettre avec les autres.

Sa voix tremblait, mais les gardiens, sans l'écouter, l'attrapèrent énergiquement par les bras.

Ils arrivèrent devant la porte d'une cellule. Un des gardiens l'ouvrit, l'autre s'adressa au professeur.

— Vous allez rester un peu ici, puis on reviendra vous chercher.

Martini fit un pas, mais il hésitait. Il faisait noir dans la cellule, il ne voyait pas ce qu'il y avait à l'intérieur.

— Allez, entrez, l'exhorta le gardien sur un ton peu rassurant.

Martini eut une pensée fugace. Il était convaincu que ces hommes le détestaient, comme tout le monde dans la prison, d'ailleurs. Mais pourquoi lui auraient-ils fait du mal ? À la différence des détenus, ils étaient obligés de respecter la loi. Alors il se décida à entrer. La porte se referma derrière lui, il attendit sans bouger que ses yeux s'habituent à l'obscurité. Mais il entendait des bruits autour de lui – des frottements.

L'isolement amplifiait les sens. Il comprit qu'il n'était pas seul.

Quand le poing s'abattit sur son visage, Martini perdit l'équilibre. Les objets qu'il tenait dans ses bras tombèrent avec lui. Puis une pluie de coups de poing et de pied s'abattit sur lui, venant de partout. Il tentait de se protéger avec ses bras, mais n'arrivait pas à esquiver les coups. Il sentait le goût du sang, la brûlure des coupures sur son visage. Ses côtes se fêlaient, il perdait son souffle. Puis, au bout d'un moment, il ne sentit plus rien. Il n'était qu'un amas de chairs qui se débattaient inutilement sur le sol.

De la chair morte.

Il n'y avait plus de douleur, uniquement de la fatigue. Son esprit se rendit avant son corps, il se laissa aller à une sorte de torpeur. Seuls ses bras maintenaient une résistance, faible et inutile. Il faisait noir, pourtant sa vue se brouilla. Et quand tout allait disparaître, une lueur fit irruption dans son champ visuel. Elle provenait de derrière. Il sentit qu'on le saisissait avec force et qu'on l'emmenait hors de la cellule. Il était sauf, mais il ne le serait jamais plus.

Puis il s'évanouit.

Il s'était réfugié dans le cagibi de l'école, où étaient rangés les magnétoscopes de l'ancien système de surveillance. La seule lumière provenait de l'écran qui se reflétait sur le visage de Vogel, créant un masque d'ombres.

Le policier inséra la cassette dans le lecteur, qui l'engloutit après une légère pression. Suivit une série de bruits indiquant que les engrenages capturaient la bande et la détendaient autour des bobines. Puis le film démarra.

D'abord, il y eut une poussière grise statique qui produisit un désagréable grésillement. Vogel régla le volume, il ne voulait pas qu'on l'entende de l'extérieur. Quelques secondes plus tard, l'image changea soudain.

Un faisceau étroit de lumière se déplaçait sur une surface opaque. Des carreaux sales et ébréchés. En fond, une série de coups sur le micro de la caméra. La personne qui filmait essayait de le régler. Puis le faisceau suivit une paroi et s'arrêta devant un miroir. La petite lampe placée au-dessus de l'objectif se refléta violemment. On ne distinguait que la main de celui qui filmait, gantée de noir. Puis il fit un pas de côté pour qu'on voie son visage. Il portait un passe-montagne. Seuls ses yeux – lointains, indéchiffrables – étaient visibles. Et vides.

L'homme du brouillard, se dit Vogel. Il attendait qu'il dise ou fasse quelque chose, mais l'autre restait là. On entendait sa respiration – calme, régulière. Elle se perdait dans l'écho de la petite salle de bains où il se trouvait. Qu'était ce lieu ? Pourquoi avait-il voulu le lui montrer ? Vogel se rapprocha de l'écran pour mieux voir et aperçut, derrière l'individu, une serviette élimée pendue à un crochet.

Dessus, deux petits triangles verts.

Vogel s'interrogea sur le sens de ce symbole, quand l'homme à l'écran leva sa main libre vers la caméra. Ses doigts gantés comptèrent :

Trois… deux… un…

Soudain la caméra se tourna. Le visage au passe-montagne disparut du miroir, laissant la place à une tache claire, au fond. Il fallut quelques secondes à l'objectif pour faire le point.

Alors il la vit. Et il sursauta sur sa chaise.

Derrière la salle de bains, il y avait une chambre – la chambre d'un hôtel abandonné. Assise dans un coin, au pied d'un matelas crasseux, une silhouette frêle. La lumière de la petite lampe fixée à la caméra la fit apparaître comme enveloppée d'une aura, au milieu de l'obscurité menaçante. Le dos courbé et les bras abandonnés, une posture résignée. La peau de la jeune fille était très blanche. Elle ne portait qu'un slip vert et un soutien-gorge blanc qui collait à son torse. De la lingerie de petite fille. La caméra zooma sur elle. Ses cheveux roux tombaient sur son visage en mèches désordonnées. On apercevait sa bouche entrouverte, un filet de salive coulant sur le côté. Chaque fois qu'elle respirait, ses épaules maigres se soulevaient puis se rabaissaient lentement. Son souffle se condensait à cause du froid, mais elle ne tremblait pas. Comme si elle ne sentait rien.

Anna Lou Kastner avait l'air quasi inconscient, peut-être sous l'effet d'une substance quelconque. Vogel la reconnut au petit cercle dessiné sur son avant-bras gauche. Le petit « O » d'Oliver, le jeune homme de l'été avec qui elle avait découvert l'amour. Le petit secret qu'elle n'avait confié qu'à son journal.

La caméra s'attarda sur elle, sans pitié. Puis la fille leva légèrement la tête, comme si elle voulait dire quelque chose. Vogel attendit, mais il avait peur d'entendre sa voix. Au moment où elle se mit à crier, la vidéo prit fin.

Il commença par détruire la cassette. Il la jeta dans la chaudière à fuel du lycée et s'assura que la bande soit totalement brûlée. Il ne pouvait pas risquer que quelqu'un le découvre en sa possession. Désormais Vogel était paranoïaque.

Il s'apprêtait à se débarrasser également du journal d'Anna Lou, mais changea d'avis au dernier moment. Beatrice Leman pouvait témoignait qu'elle le lui avait remis, ce n'était donc pas une bonne idée de faire disparaître cette preuve. D'ailleurs, elle ne contenait aucune information compromettante pour lui. Il décida donc de conserver le journal intime, mais le cacha dans une armoire du vestiaire qui lui servait encore de bureau.

Puis Vogel fit des recherches sur Internet. Il devait trouver l'hôtel abandonné où la vidéo avait été tournée. Il était certain qu'elle constituait une invitation. S'il retrouvait le corps d'Anna Lou Kastner dans cette chambre, il pourrait toujours manipuler la scène de sorte à incriminer le professeur.

C'était ce que voulait l'homme du brouillard, le policier en était maintenant convaincu.

Sinon, pourquoi le guider vers la vérité ? Pourquoi lui montrer la vidéo de la fille ? S'il avait uniquement voulu revendiquer la paternité de l'enlèvement, il l'aurait envoyée aux médias, pas à lui.

Sur le Web, Vogel fit une recherche sur les anciennes structures touristiques d'Avechot, en se concentrant surtout sur celles qui avaient fermé leurs portes après l'ouverture de la mine, qui avait fait fuir les touristes. Certaines avaient encore leur site Internet. Il ne disposait pas de beaucoup de détails. Le plus important était les deux triangles verts. Grâce à ce symbole, il trouva l'hôtel.

Les triangles étaient deux pins stylisés sur une enseigne presque entièrement rouillée.

Vogel se trouvait devant le portail qui donnait sur le parc entourant le bâtiment. Il était 7 heures passées et il n'y avait personne dans les environs. L'hôtel se trouvait dans un coin isolé, loin d'Avechot.

Le portail n'était pas fermé : Vogel l'ouvrit, entra en voiture puis descendit le refermer. Il parcourut l'allée tous feux éteints et se gara sous un porche de façon que personne ne remarque son véhicule.

L'hôtel comptait quatre étages. Les fenêtres des chambres étaient barricadées avec des planches de bois, mais celles de la porte d'entrée avaient été en partie retirées. Il entra et alluma sa lampe torche.

Le spectacle était désolant. L'activité avait cessé depuis seulement cinq ans, pourtant on aurait dit qu'un demi-siècle s'était écoulé. Comme si la fin du monde était passée par là. Il n'y avait quasiment aucun meuble. Des squelettes de vieux canapés rouillaient dans l'ombre. L'humidité avait agressé les murs, les couvrant d'une patine verdâtre d'où coulaient des filets d'eau denses et jaunâtres. Le sol était un amas de gravats et de morceaux de bois pourri. Vogel contourna ce qui autrefois avait été le comptoir de la réception, avec le râtelier pour les clés, et se retrouva au pied d'un escalier en ciment qui était sans doute recouvert autrefois d'une élégante moquette dont quelques lambeaux bordeaux ornaient encore les marches.

Il monta.

Arrivé au premier étage, il aperçut une plaque qui indiquait les numéros des chambres des couloirs à sa droite et à sa gauche – de la 101 à la 125 et de la 126 à la 150. Vogel pensa que, avec quatre étages, il n'avait aucune chance de trouver la chambre du premier coup. Mais il ne voulait pas rester plus longtemps que nécessaire. C'est alors qu'il repensa à un autre détail de la vidéo, auquel il n'avait pas accordé d'importance jusque-là. Avant de lui montrer Anna Lou, l'homme du brouillard avait fait une sorte de compte à rebours avec sa main.

Trois… deux… un…

Mais ce n'était pas un coup de théâtre, énième blague d'un maniaque. Il lui indiquait où ils se trouvaient.

La chambre 321 était située au troisième étage, au fond du couloir à gauche. Immobile sur le seuil, Vogel éclaira l'intérieur avec sa lampe. Le faisceau de lumière explora le lieu avant de s'arrêter sur le coin au pied du matelas crasseux où avait été assise Anna Lou.

Mais il n'y avait pas de corps dans la chambre – pas même l'*odeur*.

Et il n'y avait aucun signe de passage humain. *Que se passe-t-il ?* Puis il s'aperçut que la porte de la salle de bains était fermée. Il s'approcha et posa la main sur le chambranle, comme si cela pouvait lui indiquer quelque chose, une énergie de mort et de destruction. Derrière la porte, le monstre avait mené à terme son entreprise macabre.

Il veut que je l'ouvre. Désormais, l'homme du brouillard commandait dans la tête de Vogel.

Alors il saisit la poignée et, lentement, poussa vers le bas. Puis il ouvrit en grand.

Il fut assailli par une lumière aveuglante.

Ce fut comme une explosion, mais sans chaleur. Une onde de choc d'un blanc éclatant le repoussa.

— Saute-lui dessus. Tu l'as ? demanda une voix féminine.

— Oui, je l'ai ! lui répondit une autre voix.

Vogel recula encore, levant un bras pour se protéger les yeux. Dans la lumière, il distingua un homme avec une caméra et, derrière lui, une autre silhouette qui tendit le bras et lui plaça quelque chose sous le menton.

Un micro.

— Commandant Vogel, comment expliquez-vous votre présence ici ? demanda Stella Honer.

Le policier, confus, reculait toujours.

— Notre chaîne a reçu une vidéo sur laquelle on voit Anna Lou avec son ravisseur. Vous saviez que la jeune fille était dans cet hôtel ?

Vogel manqua de tomber sur le matelas crasseux, mais il réussit à conserver l'équilibre.

— Laissez-moi tranquille ! hurla-t-il.

— Comment êtes-vous au courant et pourquoi avez-vous tu cette information ?

— Je… Je…

Il essayait de gagner du temps, mais rien ne lui venait à l'esprit. Même pas de revendiquer son rôle d'officier de police et de leur demander ce qu'ils faisaient là.

— Laissez-moi tranquille ! cria-t-il à nouveau.

Il n'arrivait pas à croire que c'était sa voix – si incertaine, stridente, vacillante.

À ce moment précis, Vogel comprit que sa carrière était finie pour toujours.

23 février
Soixante-deux jours après la disparition

La nuit où tout changea pour toujours, Flores observait Vogel marcher dans son cabinet en passant en revue
tous les poissons empaillés sur les murs.

— Vos poissons se ressemblent tous, vous savez,
docteur?

— En réalité, il s'agit du même chaque fois, répondit
Flores en souriant.

— Le même?

— *Oncorhynchus mykiss*, répéta le psychiatre. Ce
sont des truites arc-en-ciel. Seuls quelques détails
changent, dans la forme ou la couleur.

— Vous voulez dire que vous ne collectionnez que
ceux-ci?

— C'est bizarre, je sais.

Mais Vogel ne se résignait pas à cette idée.

— Pourquoi?

— Je pourrais vous dire que c'est une espèce fascinante, difficile à capturer… mais ce ne serait pas
la vérité. Je vous ai parlé de mon infarctus. Eh bien,
j'étais seul au bord d'un lac de montagne quand j'ai

eu mon attaque. Quelque chose venait de bloquer l'hameçon et je tirais de toutes mes forces, expliqua Flores en mimant le geste. J'ai pris la douleur aiguë à mon bras gauche pour une crampe due à l'effort, mais je n'ai pas lâché la prise. Quand le spasme a irradié jusqu'à mon thorax, jusqu'au sternum, j'ai compris que ça n'allait pas. Je suis tombé en arrière, quasiment évanoui. Je me rappelle juste que, à côté de moi, sur l'herbe, il y avait cet énorme poisson qui me regardait en haletant. Nous étions tous les deux sur le point de mourir. Vous ne trouvez pas ça stupide ? J'étais jeune, j'avais trente-deux ans, le poisson aussi était encore vigoureux. Avec le peu de souffle qui me restait, j'ai réussi à appeler à l'aide. Heureusement pour moi, un garde-chasse passait dans les bois. C'est cette truite-là, précisa-t-il en indiquant un des poissons sur le mur.

— Quelle serait la morale de cette histoire ?

— Il n'y en a pas. C'est juste que depuis, chaque fois que je capture un *Oncorhynchus mykiss*, il finit sur ce mur. Je les empaille moi-même. J'ai un petit laboratoire chez moi, à l'entresol.

Vogel était amusé.

— Moi, j'aurais dû empailler Stella Honer. Cette harpie m'a eu dans les grandes largeurs. J'aurais dû deviner que le ravisseur d'Anna Lou n'allait pas prévenir que moi…

Flores reprit son sérieux.

— Je pense que votre présence à Avechot cette nuit n'est pas un hasard. L'accident, en revanche, l'est : quand vous êtes sorti de la route, vous vous enfuyiez.

— C'est une hypothèse tout à fait intéressante, admit Vogel. Et je fuyais quoi, exactement ?

Flores se laissa aller contre le dossier de son siège.

— Ce n'est pas vrai que vous êtes en état de choc. Ce n'est pas vrai que vous avez perdu la mémoire… Vous vous souvenez de tout, n'est-ce pas ?

Vogel se rassit et passa une main sur son manteau de cachemire, caressant le tissu comme s'il voulait en vérifier la douceur.

— J'ai dû tout perdre pour qu'une pensée profonde naisse en moi. Pour que, pour une fois, je ne pense pas uniquement à mon propre intérêt.

— Quelle est donc cette réflexion qui a changé pour toujours votre vision des choses ?

— Un petit « O » tracé au stylo sur le bras gauche, dit Vogel en mimant le geste. La première fois que j'ai lu ce passage dans le journal intime d'Anna Lou, je n'ai pas pensé au pauvre Oliver. Ça m'est venu à l'esprit plus tard.

— Le pauvre Oliver ?

— Oui, ce jeune homme qui n'avait pas eu le courage de l'embrasser pendant l'été. Il a perdu quelque chose. Lui aussi, comme tous les autres – la famille et tous ceux qui connaissaient la jeune fille. Mais, à la différence des autres, il ne le sait pas, et il ne le saura jamais… Peut-être qu'Anna Lou est morte, mais avec elle sont morts aussi les enfants qu'elle n'aura pas et ses petits-enfants : des générations et des générations qui n'existeront jamais. Toutes ces âmes prisonnières du néant méritaient mieux… une vengeance.

Flores comprit que la vérité était proche.

— À qui appartient le sang sur vos vêtements, monsieur Vogel ?

L'autre leva la tête et offrit au médecin un sourire sans équivoque.

— Moi je sais qui c'est, dit-il les yeux brillants. Cette nuit, j'ai tué le monstre.

31 janvier
Trente-neuf jours après la disparition

Il n'avait pas été relâché immédiatement.

Martini avait dû passer encore dix jours en prison, après le scoop de Stella Honer. Le temps nécessaire aux autorités pour établir que l'auteur de l'enlèvement et de l'homicide probable d'Anna Lou Kastner était un tueur en série passionné par les jeunes filles rousses qui s'était remis à l'œuvre après un intervalle inexplicable de trente ans.

L'homme du brouillard.

Le surnom que lui avait attribué Beatrice Leman avait plu aux médias, qui l'avaient adopté pour s'occuper à nouveau massivement de l'affaire. Le coup de théâtre avait fait du bruit et le public avait encore faim.

Martini avait passé ces dix jours dans un état d'indifférence quasi totale, dans un lit à l'infirmerie. Officiellement, il n'avait pas encore été libéré pour raisons de santé ; en réalité – il le savait bien –, les autorités espéraient que les signes de son passage à tabac en prison s'atténuent avant que le professeur apparaisse en public. Il pouvait les comprendre, Levi avait déjà menacé devant les caméras de dénoncer le directeur et d'impliquer le ministre dans ce scandale.

Quand on lui dit de préparer ses affaires parce que ses proches venaient le chercher, Martini eut du mal à y croire. Il se leva avec peine, lentement, il glissa ses affaires dans un gros sac ouvert sur le lit. Son avant-bras droit était plâtré, mais c'étaient surtout ses côtes qui lui faisaient mal. Un bandage lui enserrait le torse et, de temps à autre, il devait se figer parce que le souffle lui manquait. Un hématome violacé lui entourait l'œil gauche et descendait jusqu'à la joue, où il virait au jaune. Il avait des bleus semblables sur tout le corps, mais la plupart se résorbaient. Sa lèvre supérieure était fendue et avait nécessité plus d'un point de suture. En revanche, sa blessure à la main gauche, qui remontait au jour de la disparition d'Anna Lou, était totalement guérie.

Vers 11 heures, un geôlier annonça que le directeur avait confirmé l'ordre de levée d'écrou émis par la procureur Mayer, et donc qu'il pouvait partir. Martini se servait d'une béquille pour marcher, le gardien lui prit son sac et l'accompagna dans les couloirs jusqu'à la salle des visites. Le trajet fut interminable.

Quand la porte s'ouvrit, Martini vit sa femme et sa fille qui l'attendaient avec impatience. Sur leurs visages, les sourires émus cédèrent vite la place à l'effroi. L'avocat Levi, qui était présent, avait tenté de les prévenir, mais personne n'aurait jamais pu les préparer à ce qu'elles virent. Ce n'était pas tant sa béquille et cette sorte de masque bleu sur son visage qui éteignirent leur enthousiasme, mais la conscience soudaine que l'homme qui se trouvait devant elles était différent de celui qu'elles connaissaient. Un homme qui avait perdu plus de vingt kilos, au visage creusé, la peau qui pendait sous le menton, bien qu'il ait cherché à le cacher en laissant pousser un petit bouc hirsute. Mais, surtout, un homme de quarante-trois ans qui avait l'air d'un vieillard.

Martini boita jusqu'à elles, essayant de leur offrir son meilleur sourire. Monica et Clea sortirent de leur confusion et coururent vers lui. Ils s'enlacèrent longuement et pleurèrent en silence. Tandis qu'elles plongeaient la tête contre sa poitrine, il les embrassa toutes deux sur la nuque et leur caressa les cheveux.

— C'est fini, dit-il.

C'est fini, se dit-il, parce qu'il n'y croyait pas encore.

Puis Clea le regarda dans les yeux et ce fut comme s'ils se reconnaissaient après si longtemps. Loris comprit le sens de ce regard. Elle lui demandait pardon de l'avoir laissé seul, de n'avoir pas été à ses côtés au pire moment et, surtout, d'avoir douté de lui. Martini lui adressa un signe de la tête, qui suffit à leur faire comprendre à tous les deux que tout était pardonné.

— Rentrons à la maison, dit le professeur.

Ils montèrent dans la Mercedes de Levi. L'avocat s'assit devant, à côté du chauffeur. Ils s'installèrent tous les trois sur la banquette arrière. Ils parvinrent à éviter les journalistes devant la prison en empruntant une autre sortie. Mais quand la voiture aux vitres teintées arriva dans leur rue, ils se retrouvèrent devant une foule de micros et de caméras. Il y avait aussi un certain nombre de curieux.

Martini lut sur les visages de Clea et Monica la peur que le siège reprenne comme avant, les empêchant de vivre. Mais Levi les rassura :

— À partir de maintenant ça va être différent. Regardez…

En effet, dès que la foule vit la voiture tourner pour remonter l'allée jusqu'à la villa, elle se mit à applaudir, de plus en plus fort. Il y eut même des cris d'encouragement.

Levi descendit le premier et ouvrit la portière arrière à la famille Martini qui, enfin réunie et heureuse, s'offrit aux photographes et aux caméramans. Clea sortit de la voiture, puis Monica et enfin le professeur. Les applaudissements et les cris de joie s'amplifièrent. Ils étaient perdus, ils ne s'y attendaient pas.

Martini regarda autour de lui. Tandis que les flashes s'allumaient et s'éteignaient sur son visage fatigué, il reconnut plusieurs voisins. Ils criaient son nom, lui disaient bonjour. Il y avait même les Odevis au grand complet et le chef de famille, qui l'avait calomnié à la télévision quelques semaines auparavant, essayait maintenant d'attirer son attention pour lui souhaiter la bienvenue. Le professeur ne pensa pas à l'hypocrisie de ce spectacle, il préféra montrer qu'il ne ressentait aucune rancœur. Il leva le bras pour remercier les présents.

En rentrant chez lui, Martini se dirigea vers le canapé. Il était fatigué, ses jambes lui faisaient mal, il avait besoin de s'asseoir. Monica l'aida en le soutenant par la taille. Elle l'installa puis lui souleva les pieds et lui retira ses chaussures. Il ne se serait jamais attendu à un tel geste de tendresse de la part de sa fille.

— Tu veux que je t'apporte quelque chose ? Un thé, un sandwich ?

— Merci, mon trésor, dit-il en lui caressant la joue. Ça va comme ça.

Clea, en revanche, était hyperactive.

— Je prépare tout de suite le déjeuner. Vous mangez avec nous, maître, n'est-ce pas ?

— Avec plaisir, répondit Levi qui avait compris qu'il ne pouvait refuser l'invitation.

Pendant que Clea allait dans la cuisine, il s'adressa à son client :

— Après manger, nous devrons parler de choses importantes, tous les deux, dit-il avec un clin d'œil.

Martini savait de quoi son avocat voulait lui parler.

— D'accord, répondit-il.

Depuis des jours, il était enfermé dans cette maudite chambre d'hôtel à Avechot. Il avait dû défaire ses bagages et rester « à la disposition des autorités ». La formule choisie par Rebecca Mayer était parfaite : elle signifiait à la fois tout et rien. Ils n'avaient pas d'éléments pour l'arrêter parce que l'enquête sur son compte était en cours, mais en même temps il ne pouvait pas partir parce que la procureur pouvait toujours avoir besoin d'une précision ou de l'interroger. Vogel ne craignait pas que tout se précipite. La falsification de la preuve qui avait coincé le professeur était une hypothèse difficile à prouver. La version officielle parlait de contamination accidentelle des preuves, sans entrer dans les détails. Toutefois, ajouté à l'affaire Derg, cet épisode était destiné à mettre une pierre tombale sur sa carrière.

Tout en faisant les cent pas entre la salle de bains et le lit de sa chambre, Vogel comprit qu'il ne serait pas licencié : ils feraient en sorte qu'il démissionne, ne serait-ce que pour atténuer le scandale qui risquait d'impliquer des gros bonnets de la police. Son éloignement aurait lieu en sourdine, avec un congé pour «raisons personnelles». En ce sens, l'homme du brouillard l'aidait à nouveau. Désormais l'attention des médias et du public était tournée vers lui, le reste passait au second plan. Pour cette raison, Vogel devait être malin et négocier les conditions de sa sortie de scène.

Mais cela ne lui suffisait pas.

Il n'avalait pas qu'on le liquide ainsi. Pendant des années, il avait résolu des affaires qui avaient fait les gros titres des journaux, pendant des années, ses chefs avaient tiré avantage de son travail. Ils avaient posé à côté de lui pendant les conférences de presse conclusives, s'attribuant une part du mérite et l'utilisant pour faire carrière. Salauds. Maintenant que c'était lui qui avait besoin d'eux, où étaient-ils ? Maintenant qu'il avait besoin qu'ils sauvent sa peau, où étaient-ils ?

La raison de sa colère était la conférence de presse convoquée par le procureur Mayer, qui était passée sur toutes les chaînes la veille au soir.

— À partir de maintenant, l'enquête repart avec plus de vigueur, avait dit celle qui n'aimait pas passer à la télévision, avant. Nous avons une nouvelle piste et nous rendrons justice aussi aux six jeunes filles disparues avant Anna Lou, avait-elle promis tout en sachant que, trente ans plus tard, c'était quasiment impossible.

Quand quelqu'un avait demandé si la police donnerait la chasse à l'homme du brouillard, cet ingrat de Borghi avait répondu :

— Vous, les journalistes, vous aimez donner des noms suggestifs pour exciter l'imagination du public. Moi je préfère imaginer qu'il a un visage et une identité et qu'il n'est pas simplement un monstre. C'est la seule façon de le capturer.

Le jeune homme avait su s'adapter rapidement, pensa Vogel. Il l'avait peut-être sous-évalué. *Tu as encore besoin que ta mère te mouche, tu ne supporteras pas la pression.*

Mais ce qui l'avait fait sortir de ses gonds, c'était l'odeur de sainteté qui enveloppait le professeur. Le passage de monstre à «victime du système» avait été quasi immédiat. Les médias avaient beaucoup à se faire pardonner, ils risquaient d'être condamnés pour préjudice moral, atteinte à la réputation. Ces journalistes qui avaient lynché Martini pendant des semaines s'en prenaient maintenant à Vogel. Aussi, bien que forcé de rester à Avechot, il ne pouvait pas sortir de sa maudite chambre d'hôtel. Dehors, une horde l'attendait pour le crucifier.

Je ne partirai pas la tête baissée, se dit-il. Il avait déjà pensé à une sortie plus honorable et, surtout, plus à son avantage. Si cela devait vraiment se finir, alors il en tirerait le maximum. L'argent calmerait sa frustration, au moins en partie, et panserait la blessure infligée à son ego. Oui, c'était une bonne idée.

Il lui fallait juste récupérer un certain objet.

Après le déjeuner, il avait dit qu'il se sentait fatigué. Il s'était donc excusé auprès de Clea, Monica et Levi et il était monté se reposer. Il dormit presque cinq heures d'affilée et, au réveil, il espéra que l'avocat était parti. Il n'était pas encore prêt à affronter ce que l'autre avait à lui dire. Mais quand il descendit au salon, il était toujours là. Il faisait nuit depuis un bon moment et Levi était assis sur le canapé à côté de Clea, une tasse de thé fumant à la main. Ils bavardaient. Quand ils l'aperçurent en haut de l'escalier, sa femme se leva pour l'aider. Elle l'accompagna jusqu'au fauteuil.

— J'étais certain que vous dormiriez jusqu'à demain matin, lança l'avocat avec son sourire habituel.

— Vous n'abandonnez jamais, n'est-ce pas ? lui répondit Martini qui avait compris son jeu.

— C'est mon travail.

— D'accord, alors dites-moi ce que vous avez à me dire et finissons-en.

— Je voudrais que toute la famille soit présente, si c'est possible.

— Pourquoi ?

— Parce que je sais que je vais avoir du mal à vous raisonner et j'ai besoin de soutien.

Martini soupira, mais Clea lui prit la main.

— Je vais chercher Monica, dit-elle.

Peu après, tout le monde était installé au salon.

— Bien, commença l'avocat. Maintenant que tous les intéressés sont présents, je peux vous dire que vous êtes un idiot.

— Vous ne pensez pas que j'ai reçu assez d'insultes ? plaisanta Martini, incrédule.

— En tout cas, c'est sans doute celle qui correspond le plus à la réalité.

— Pourquoi donc ?

Levi croisa les jambes et posa son thé sur la table basse.

— Ces gens ont une dette envers vous, affirma-t-il en indiquant l'extérieur de la maison. Ils voulaient détruire votre vie et, à ce que je vois, ils ont presque réussi.

— Qu'est-ce que je devrais faire ?

— Porter plainte contre la prison, pour commencer. Et aussi contre le ministère. Et puis demander une énorme indemnisation pour la façon dont l'enquête a été conduite par la police contre vous.

— J'ai fini par obtenir justice, non ?

— Ce n'est pas tout, poursuivit Levi sans l'écouter. Les médias sont au moins aussi responsables que les policiers de ce qui est arrivé. Ils ont célébré un procès hors du tribunal et, pire encore, ils ont émis une sentence sans vous laisser aucune possibilité de vous défendre. Ils doivent payer, eux aussi.

— De quelle façon ? demanda Martini, sceptique. Ils se retrancheront derrière la liberté de la presse et ils seront tirés d'affaire. C'est inutile.

— Mais ils doivent sauver la face devant le public, quoi qu'il en soit, sinon ils risquent de perdre leur crédibilité. Et donc de perdre de l'audimat. Et puis, les gens veulent entendre votre version, fêter avec vous la liberté retrouvée… Voire vous aduler, si nécessaire.

— Je devrais demander à passer à la télévision pour réhabiliter mon image ?

— Non. Vous devez vous faire *payer* pour ça. Ainsi, vous serez vraiment dédommagé.

— Je devrais vendre mes interviews au plus offrant… C'est ça que vous dites ? demanda Martini horrifié. Comme je l'ai dit une fois à Stella Honer, je ne spéculerai pas sur le drame des Kastner.

— Ce n'est pas spéculer sur la tragédie d'une jeune fille. Au pire, vous spéculez sur la vôtre.

— C'est la même chose. Je veux oublier cette histoire. Et être oublié.

Levi regarda Clea et Monica, qui n'avaient rien dit.

— Je sais que tu es un homme intègre, affirma sa femme avec douceur. Je comprends tes raisons. Mais ces salauds nous ont fait du mal, conclut-elle avec une rage inattendue.

— Et toi, tu es d'accord ? demanda Levi à Monica.

La jeune fille acquiesça, les yeux pleins de larmes.

Alors, Levi prit sa sacoche et en sortit des papiers.

— J'ai ici le contrat d'une maison d'édition qui vous propose d'écrire votre histoire dans un livre.

— Un livre ?

— Vous êtes toujours professeur de littérature, non ? Et le livre, qui sortira bientôt, sera l'occasion de vous inviter à des émissions ou de vous interviewer pour la presse en ligne ou papier… Une sorte de « prétexte culturel » qui rendra le tout plus noble pour vous.

Martini secoua la tête, amusé.

— Vous m'avez mis dos au mur. D'accord, ajouta-t-il après avoir regardé sa femme et sa fille, mais ça ne devra pas durer des années. Je veux en finir au plus vite avec tout ça, c'est clair ?

À 23 heures, Borghi était toujours assis à son bureau de la salle opérationnelle du gymnase scolaire. Tous les autres étaient partis et la lampe posée à côté de lui était la seule allumée. Il étudiait les maigres rapports sur les six disparitions ayant précédé celle d'Anna Lou Kastner. En effet, les profils des victimes correspondaient et on pouvait vraiment supposer l'existence d'un tueur en série. L'homme au passe-montagne qui apparaissait sur la vidéo de l'hôtel venait confirmer cette hypothèse, revenant trente ans après pour frapper à nouveau et, cette fois, s'en attribuer le mérite.

Mais pourquoi ?

L'officier ne trouvait pas d'explication. Pourquoi laisser passer autant de temps ? Bien sûr, il était possible qu'il ait frappé durant l'intervalle, mais ailleurs, ou bien qu'une raison de force majeure l'ait empêché de le faire. Par exemple, il aurait pu purger une peine pour un autre crime et, une fois libéré, se remettre à l'œuvre. Toutefois, il avait modifié son *modus operandi*. Lors des six premières affaires il avait protégé son anonymat, la septième, il avait attiré l'attention générale. Il était également vrai que trente ans plus tôt, les médias n'étaient pas encore prêts à mettre les monstres en scène, mais Borghi trouvait tout de même cela étrange.

Cet après-midi-là, il était retourné voir Beatrice Leman. La femme, qui avait longtemps conservé la documentation sur l'affaire dans l'espoir que quelqu'un frappe à sa porte pour la lui demander, l'avait accueilli avec une froideur inhabituelle. Les premières fois, Borghi avait eu l'impression que la vieille journaliste tenait à collaborer avec la police. Mais, après sa dernière visite, il n'en était plus certain.

— Je vous ai déjà dit tout ce que je sais, avait-elle affirmé avec dureté sur le seuil de sa porte, sans déplacer son fauteuil roulant d'un centimètre pour le laisser entrer. Maintenant, laissez-moi tranquille.

Ce n'était pas vrai. Beatrice Leman cachait quelque chose. Borghi avait découvert qu'elle avait plusieurs fois essayé de contacter Vogel les jours suivant la disparition d'Anna Lou Kastner. Pourquoi ? La femme avait déclaré qu'elle voulait lui demander une interview et que Vogel avait refusé de la rencontrer. Mais ils mentaient tous les deux. Borghi comprenait l'intention de son supérieur d'éviter d'autres soucis, par exemple l'accusation d'avoir mené une enquête sans en informer ses supérieurs. Mais elle, quelle raison avait-elle de mentir? En outre, elle avait reçu un paquet, ils s'en étaient aperçus lors d'un contrôle. Beatrice ne fréquentait plus personne et ne recevait jamais de courrier. Que contenait ce paquet? Avait-il un lien avec Vogel?

Avant que la femme lui claque la porte au nez cet après-midi-là, Borghi avait lorgné dans la maison et saisi un détail. Dans le cendrier à côté de la porte, avec les nombreux mégots de ses cigarettes, il y avait aussi ceux d'une autre marque. Stella Honer était venue. Désormais, Beatrice Leman avait une raison précise de se taire. Elle s'était laissé acheter. Borghi ne la blâmait pas. Pendant des années, elle avait souffert de l'indifférence et de la solitude. On les avait oubliées, elle et sa bataille pour son journal local. Maintenant, elle avait l'occasion de se refaire.

Alors qu'il lisait avec attention le signalement de la disparition de la première jeune fille enlevée, Katya Hilmann, un coup résonna dans le gymnase. Borghi leva les yeux. À cause de sa lampe de travail, il ne voyait rien. Il l'orienta donc vers le reste de la salle et la fit tourner. Il ne comprenait pas d'où était venu le bruit. Soudain, il remarqua une petite lumière sous la porte du vestiaire.

Il se leva pour aller voir.

Il ouvrit lentement la porte et découvrit une ombre qui s'agitait autour d'une petite armoire, une torche à la main. L'officier sortit son pistolet.

— Ne bougez plus, dit-il calmement en pointant son arme.

L'ombre se figea, puis leva les bras et se retourna.

— Que faites-vous ? demanda Borghi en le reconnaissant. Vous n'avez pas le droit d'être ici.

— Je t'ai observé à la télé, tu sais ? lâcha Vogel avec son sourire le plus faux. Tu es bon, tu as du charisme.

— Que faites-vous ?

— Ne sois pas dur avec ton maître. Je suis seulement venu chercher quelque chose qui m'appartient.

— Ceci n'est plus votre bureau et tout ce qui se trouve dans cette pièce est sous séquestre pour l'enquête qui vous concerne.

— Je connais les règles, lieutenant Borghi. Mais, parfois, les policiers rendent service à des collègues.

Le ton mielleux de Vogel lui tapait sur les nerfs.

— Montrez-moi ce que vous avez pris dans cette armoire.

— C'est confidentiel.

— Montrez-moi ça tout de suite, insista Borghi.

Il tenait toujours son arme, bien qu'elle ne soit plus pointée vers Vogel.

Celui-ci baissa lentement la main gauche pour ouvrir son manteau, puis glissa tout aussi calmement sa main droite dans sa poche intérieure et en sortit le calepin noir dans lequel il prenait habituellement des notes.

— Posez-le sur la table, lui intima Borghi. Maintenant, je vais vous prier de quitter les lieux.

Tandis que Vogel s'éloignait vers la sortie, le jeune officier ne le quitta pas des yeux, certain que l'autre ne renoncerait pas à avoir le dernier mot.

— Nous aurions pu faire une belle équipe, toi et moi…, dit-il avec mépris. Mais c'est peut-être mieux ainsi. Bonne chance, gamin.

Quand il fut parti, Borghi baissa son arme et soupira. Puis il s'approcha de la table où Vogel avait posé le carnet. Il avait toujours été curieux de savoir ce que notait Vogel. Il était fasciné par cette méthode de travail, comme si rien ne lui échappait. Mais quand il l'ouvrit pour en lire le contenu, il découvrit que les pages étaient couvertes de dessins obscènes réalisés avec son stylo en argent. Des scènes de sexe explicites, aussi vulgaires qu'infantiles. Il secoua la tête, incrédule. Cet homme était fou, cela ne faisait aucun doute.

En marchant sur la place déserte devant le gymnase, Vogel se félicita d'avoir si habilement fait croire à Borghi qu'il était revenu pour récupérer son carnet. Il se moquait de ce que le jeune officier penserait du contenu. C'était moins important que ce qu'il avait réellement pris dans l'armoire.

Il sortit son portable, composa un numéro et attendit.

— Vingt-cinq minutes avant les autres, dit-il. Je tiens toujours parole.

— Que veux-tu ? demanda Stella, agacée. Tu n'as plus rien à me vendre.

— Sûre ? demanda Vogel en portant instinctivement la main à la poche de son manteau. Je parie que Beatrice Leman t'a parlé d'un journal intime…

Stella Honer se tut. Bien, pensa Vogel : elle était intéressée.

— Elle ne m'a pas dit grand-chose, en réalité, admit prudemment la femme.

Il avait vu juste : elles s'étaient rencontrées.

— Dommage.

— Combien veux-tu ?

— Nous réglerons certains détails en temps voulu… Mais j'ai une autre requête, aussi.

— Tu n'es plus en position de dicter les conditions, se moqua la journaliste.

— Ce n'est pas grand-chose. J'ai appris que, après le scoop qui m'a ruiné, ta chaîne t'a confié une émission en studio. Félicitations, tu n'auras enfin plus à te geler les fesses dehors en tant qu'envoyée spéciale.

— Je n'y crois pas : tu me demandes de t'inviter à l'émission ?

— Et je veux qu'il y ait quelqu'un d'autre avec moi.

— Qui ?

— Le professeur Martini.

22 février
Soixante et un jours après la disparition

Il était assis dans un fauteuil incliné, devant un miroir entouré d'ampoules blanches brillantes. Des mouchoirs en papier étaient glissés dans le col de sa chemise, pour ne pas le salir. Une maquilleuse lui passait du fond de teint sur les pommettes avec un pinceau doux et Vogel profitait de la caresse, les yeux fermés. Derrière, la costumière repassait sa veste. Pour l'occasion, il avait choisi un costume bleu foncé en laine froide, un mouchoir en soie jaune, une cravate bleu-gris avec des petits motifs floraux et de simples boutons de manchettes ovales en or rose.

Stella Honer fit irruption dans la loge sans frapper, suivie d'un cinquantenaire distingué qui portait une sacoche.

— Nous sommes prêts à commencer, annonça la femme qui portait déjà le tailleur sombre avec lequel elle se présenterait à l'écran. Où est le journal intime ? demanda-t-elle ensuite en tendant la main.

Vogel ne se tourna pas, n'ouvrit pas les yeux.

— Chaque chose en son temps, ma chère.

— J'ai respecté notre marché, tu dois en faire autant.

— Je le ferai, sois tranquille.

— Je ne suis pas tranquille. Qu'est-ce qui m'assure que tu n'essayes pas de me berner ?

— Ta rédaction a reçu une page, vous avez vérifié l'authenticité.

— C'était une photocopie, maintenant je veux le reste.

Vogel ouvrit paresseusement les yeux, cherchant le reflet de Stella Honer dans le miroir. Elle était agitée. C'était compréhensible.

— Dis-moi au moins ce qui est écrit dans ce maudit journal.

— Des secrets inavouables, insista Vogel pour l'agacer.

— Anna Lou avait une relation avec un homme plus âgé ? hasarda la journaliste dans l'espoir de recevoir une confirmation.

— Chaque fois qu'on se voit ou qu'on s'appelle, tu essayes de m'extorquer une révélation. Tu n'obtiendras rien tant que je n'aurai pas vu la lumière rouge qui s'allume sur les caméras.

— Je *dois* savoir. Je ne peux pas te laisser mener le jeu comme tu l'entends. C'est mon émission, il est hors de question que je ne sois pas au courant du sujet qu'on va aborder. Pourquoi as-tu voulu que Martini soit là aussi ? Qu'est-ce qu'il a à voir avec le journal d'Anna Lou ?

Il n'avait rien à voir, mais Vogel n'avait pas l'intention de le lui révéler. Le cahier n'avait été que le prétexte pour obtenir le face-à-face. Il savait très bien ce qu'il ferait, une fois à l'antenne. Il s'excuserait auprès de Martini au nom de la police, il admettrait sa propre erreur, provoquant l'embarras de ses chefs – les salauds qui l'avaient abandonné. Ensuite, le professeur le pardonnerait publiquement. Persécuteur et persécuté pourraient même tomber dans les bras l'un de l'autre, en larmes – les gens apprécient toujours ces scènes de réconciliation. Le journal d'Anna Lou constituerait le clou de la soirée. Vogel lirait le passage où la jeune fille parlait d'Oliver, de l'initiale de son prénom tracée sur son avant-bras, signe d'amour. Peut-être que la rédaction de Stella serait capable de retrouver le mystérieux jeune homme en temps réel. Son témoignage par téléphone en direct pourrait représenter une sorte d'apogée.

Mais Stella Honer, qui ne connaissait pas ses plans, piaffait d'impatience.

— Je peux tout faire sauter quand je veux, menaça-t-elle. Pas d'émission, pas de professeur… Et je te ferai porter la responsabilité.

— Il a accepté tout de suite, répondit Vogel en parlant de Martini. C'est très étonnant.

— Je pense qu'il a accepté parce qu'il a hâte de te dégommer en direct, sourit Stella satisfaite d'elle-même.

— Il a posé des conditions ?

— Ça ne te regarde pas.

Vogel leva la main en signe de reddition.

— Excuse-moi, oublie ce que j'ai dit.

Stella se tourna vers l'homme à la sacoche et lui fit signe d'approcher.

— Je te présente l'avocat qui soigne les intérêts de la chaîne.

— Carrément, ironisa Vogel.

L'homme sortit des papiers de sa sacoche et les posa devant lui.

— Nous allons vous faire signer un acte par lequel vous garantissez que le journal intime est authentique et vous nous dégagez de toute responsabilité légale.

— Des grands mots pour dire quelque chose de simple.

— J'ai respecté le contrat, ricana Stella. Ça n'a pas été facile de convaincre Martini, je t'assure.

Vogel en fut satisfait. Le professeur avait encore peur de lui.

— J'ai entendu dire qu'il écrit un livre sur son histoire. Tu sais déjà quel rôle il t'a réservé? Es-tu l'envoyée spéciale ou la journaliste sans scrupules?

Stella contourna le fauteuil pour se poster devant lui et le regarder dans les yeux.

— Attention. Je ne veux pas de blague.

— Il paraît que la liberté va très bien aux ex-détenus célèbres. Je serais curieux de savoir combien Levi vous a extorqué…

— Nous n'en parlerons pas durant l'interview, ne tente pas de mettre le sujet sur le tapis.

— Pour nous assurer que tout se passe selon notre accord, intervint de nouveau l'avocat, l'émission sera diffusée avec un retard de cinq secondes, de façon à nous laisser la possibilité de vous couper en régie.

— Tu ne me fais plus confiance? demanda Vogel sarcastique à Stella.

Dix minutes plus tard, une assistante de production se présenta pour l'emmener au studio. Vogel enfila sa veste et se regarda une dernière fois dans le miroir. *En avant, mon vieux*, se dit-il. *Montre-leur qui tu es.*

L'assistante, casque sur la tête et dossiers à la main, escorta Vogel dans un couloir. Puis elle poussa les battants d'une porte coupe-feu et ils entrèrent dans un espace noir. Le studio réservé à l'émission de Stella était gigantesque. Vogel et l'assistante longèrent l'arrière de la scène, elle devant, disant de temps à autre quelque chose dans le micro placé sous son casque.

— L'invité arrive, annonça-t-elle à la régie.

Vogel entendait déjà les murmures du public. Stella lui avait assuré que les spectateurs avaient été sélectionnés en fonction de leurs opinions : la moitié le pensait coupable, l'autre innocent, afin qu'il n'y ait pas plus d'applaudissements pour lui ou pour le professeur. Vogel s'était montré rassuré, mais en réalité il s'en moquait : bientôt, Martini et lui seraient dans le même camp.

Ils arrivèrent à l'espace consacré aux invités et l'assistante le confia à un technicien qui plaça un petit micro sur sa cravate. Tout en faisant passer un fil sous sa veste, il le prévint :

— Nous ne sommes pas encore à l'antenne, mais à partir de maintenant, la régie entend tout ce que vous dites.

Vogel acquiesça. Il s'agissait d'une phrase rituelle pour le mettre en garde parce qu'il arrivait souvent que les invités se laissent aller à des commentaires ou à des prises de position. Vogel, en expert, n'aurait jamais pris ce risque.

— Alors, mesdames et messieurs, on va bientôt commencer, dit l'animateur qui s'occupait du public du studio.

Sa voix était amplifiée. Un applaudissement partit et il y eut du tapage.

Le sujet de la soirée était le journal intime d'une jeune fille morte, pourtant le public était excité. *L'idée de passer à l'écran transforme les gens*, pensa Vogel. Ils ne seraient ni célèbres ni riches, mais leur vie allait changer, quoi qu'il en soit. Ils allaient pouvoir se vanter d'avoir fait partie du show, même en tenant un rôle insignifiant. Tout ça pour apparaître sur ce maudit écran.

— Nous vous rappelons de ne pas commenter à haute voix ce qui se passera et de n'applaudir que sur indication de nos assistants, conclut l'animateur.

Nouvel applaudissement.

Pendant que la maquilleuse arrangeait une dernière fois son fond de teint, Vogel se tourna distraitement vers l'espace entre les scènes par lequel les invités étaient amenés au studio. La lumière des projecteurs semblait s'arrêter juste à la limite. Dans les coulisses flottait une agréable pénombre.

Dans cette zone entre ombre et lumière se tenait Martini.

Il n'avait pas remarqué Vogel et, avec la curiosité d'un enfant, il regardait tout ce qui se trouvait autour de lui. Malgré les quelques mètres qui les séparaient, Vogel remarqua qu'il semblait quasiment remis. Les bleus sur son visage avaient disparu, ou alors la maquilleuse avait fait un excellent travail. Il ne portait plus de plâtre au bras droit. Il avait encore besoin d'une canne, mais il avait repris du poids et ne ressemblait plus à un squelette.

Toutefois, son aspect avait radicalement changé, par rapport au passé.

Ses vêtements étaient différents. Il avait dit adieu à ses vestes en velours, à ses pantalons de futaine et à ses Clarks consumées. Il portait maintenant un costume gris plomb, sans doute taillé sur mesure. Il avait choisi une élégante cravate rouge qui lui allait très bien, considéra Vogel. Le professeur lui ressemblait, en fin de compte, et il en retirait une certaine fierté. *Je t'ai emmené du côté obscur de la lumière. Parce que la lumière aussi en a un, même si tout le monde n'arrive pas à le voir.* Vogel avait construit sa fortune sur ce talent. Il remarqua aussi la montre coûteuse que Martini portait au poignet gauche. *Ta vie a changé, mon ami, tu devrais me remercier de t'avoir donné la chasse.*

C'est alors que le professeur fit un petit geste insignifiant. Il arrangea le poignet de sa chemise, parce qu'il n'était pas habitué à porter des boutons de manchettes. Ce faisant, il remonta sa manche de quelques centimètres, découvrant en partie son avant-bras.

Vogel remarqua un détail qu'au début il eut du mal à interpréter. Quelque chose de secret, que seuls lui et Anna Lou pouvaient connaître. Parce que la jeune fille l'avait noté dans son journal et que Vogel l'avait lu.

Alors que faisait ce signe circulaire sur le bras du professeur Martini ?

Le petit «O» de Oliver, tracé au stylo.

23 décembre
Le jour de la disparition

Elle aurait voulu rester à la maison décorer le sapin.

Mais le lundi à 17 h 15 avait lieu le catéchisme des enfants et elle s'était engagée à suivre le groupe des plus jeunes. Ses frères avaient grandi, ils n'en faisaient plus partie, aussi pouvaient-ils passer l'après-midi à installer les boules colorées et les guirlandes argentées sur les branches. Cette année, Anna Lou y tenait tout particulièrement. Elle soupçonnait que ce serait la dernière. Sa mère avait déjà tenu des discours étranges sur le sujet, du genre «Jésus n'avait pas de sapin de Noël».

Quand elle agissait ainsi, il fallait toujours s'attendre à un changement dans leur routine.

Comme le jour du jeûne, où la famille ne touchait pas à la nourriture pendant vingt-quatre heures, n'avalant que de l'eau. Et puis, il y avait celui du silence – «le jeûne de la parole», comme l'appelait Maria Kastner. De temps à autre elle introduisait une nouvelle règle ou décidait que telle ou telle chose devait être faite différemment. Puis sa mère en parlait à la salle des assemblées et tentait de convaincre les autres parents qu'elle avait raison. Anna Lou aimait la confrérie, mais elle ne comprenait pas pourquoi certains comportements y étaient condamnés. Par exemple, elle ne voyait rien de mal à porter du rouge à l'église ou à boire du Coca-Cola. Elle ne se rappelait pas avoir lu quoi que ce soit sur le sujet dans les Écritures. Pourtant, tous les autres semblaient trouver important d'agir d'une certaine manière, comme si le Seigneur les jugeait en permanence et si, en silence, Il décidait à partir de tout petits détails s'ils étaient vraiment dignes de se considérer comme Ses enfants.

Anna Lou était sûre que l'histoire du sapin de Noël finirait ainsi. Heureusement, son père était intervenu en disant que «les enfants ont encore besoin de certaines choses». Généralement il était soumis, il finirait par céder sur ce point aussi. Mais pour cette année, il avait tenu bon. Anna Lou était heureuse qu'au moins une des traditions de son enfance ait été momentanément préservée.

— Ma chérie, dépêche-toi, tu vas être en retard, lui cria Maria depuis le bas de l'escalier.

Anna Lou se pressa, sa mère n'aimait pas faire attendre Jésus. Elle avait déjà enfilé son survêtement gris et ses baskets, il ne manquait plus que sa doudoune blanche. Elle glissa ses livres de catéchisme, sa bible et son journal intime dans son sac à dos. Elle se dit que cela faisait un moment qu'elle n'avait pas mis l'autre à jour. Depuis qu'elle avait découvert que sa mère fouillait dans ses affaires en cachette, elle avait décidé d'en tenir deux. Le deuxième ne lui servait pas à mentir, elle y écrivait toujours la vérité. Elle évitait juste d'y noter ce qu'elle ressentait. Les sentiments ne peuvent être racontés qu'à soi-même. Et puis, elle voulait protéger Maria, qui s'inquiétait toujours beaucoup pour ses enfants. Elle ne voulait pas que sa mère pense qu'elle était triste, ni trop heureuse. Chez eux, le bonheur devait rester mesuré. S'il y en avait trop, c'était probablement la patte du diable. «Sinon pourquoi Satan sourirait-il toujours?» disait sa mère. En effet, Jésus, la Madone et les saints ne souriaient jamais, sur les images sacrées.

— Anna Lou!

— J'arrive!

Elle glissa les écouteurs du lecteur mp3 que sa grand-mère lui avait offert pour son anniversaire dans ses oreilles et descendit l'escalier en courant.

Au rez-de-chaussée, Maria l'attendait, un bras sur la rampe, l'autre replié sur une hanche, ce qui la faisait ressembler à une théière.

— Qu'est-ce que tu écoutes comme musique, ma chérie?

Anna Lou, qui s'attendait à la question, lui tendit un écouteur.

— C'est une comptine que j'ai trouvée et que je voulais apprendre aux petits du catéchisme. Elle parle d'enfants et de petits chats.

— Ça n'a pas grand-chose à voir avec l'Évangile, objecta Maria.

— Je veux qu'ils apprennent les psaumes par cœur, mais pour les entraîner je commence par des choses simples.

Sa mère la regarda, dubitative, parce qu'elle ne trouvait rien à répondre. Elle agita le poignet pour faire tinter le bracelet de perles qu'Anna Lou lui avait fait. C'était un geste d'affection, cela signifiait qu'elles étaient liées.

330

— Il fait froid, couvre-toi bien.

Anna Lou l'embrassa sur la joue et sortit.

En refermant la porte, elle frissonna. Sa mère avait raison, il faisait vraiment froid. Elle espéra qu'il neigerait pour Noël. Elle remonta la fermeture Éclair de sa doudoune et parcourut l'allée jusqu'à la rue, puis marcha sur le trottoir en direction de l'église. Elle aurait voulu se confesser. Depuis qu'elle s'était brouillée avec Priscilla à cause de Mattia, elle se sentait un peu coupable. Elle avait même effacé son numéro de son portable. Elle se dit qu'elle devait faire la paix avec son amie, mais elle n'avait pas digéré la façon dont elle traitait ce pauvre garçon. Dans le fond, que faisait-il de mal ? Elle avait compris qu'il en pinçait peut-être pour elle, elle ne l'encourageait pas mais elle ne pouvait pas non plus l'ignorer. Priscilla ne comprenait pas, pour elle les garçons n'avaient qu'une chose en tête. Elle aurait voulu lui parler d'Oliver, de ce qu'elle ressentait bien que le connaissant à peine, mais elle n'était pas sûre que son amie aurait compris. Peut-être même se serait-elle moquée de ce sentiment infantile. Pourtant, Anna Lou en avait besoin. Cela lui servait à rêver les yeux ouverts. C'était pour cela qu'elle avait écrit sur son bras l'initiale de son prénom. Elle ne voulait pas perdre quelque chose qui, dans le fond, n'appartenait qu'à elle.

Quand elle tourna le coin de la rue, au bout du pâté de maisons, elle ralentit.

À quelques pas, une voiture était arrêtée au bord de la route. Au début, elle ne comprit pas la scène qui se déroulait devant ses yeux. Pourquoi cet homme avait-il une cage dans les mains ? Que cherchait-il ? Puis il se tourna et elle le reconnut. Elle l'avait vu au lycée, il était enseignant. Mais pas dans sa classe. Il s'appelait… Martini – oui, il était prof de littérature.

— Bonjour, la salua-t-il avec un sourire. Tu aurais vu un chat errant dans les parages, par hasard ?

— Quel genre de chat ?

— Plus ou moins gros comme ça, répondit-il en écartant les mains. Roux et marron, tacheté.

— Oui, je l'ai vu. Ça fait des jours qu'il traîne par ici.

Elle lui avait donné à manger, elle lui avait même mis un de ses bracelets au cou. Mais elle ne voulait pas encore lui donner de nom, parce qu'elle craignait que d'un moment à l'autre, son propriétaire vienne le réclamer. Il était trop soigné pour être un chat sauvage.

— Tu m'aiderais à le chercher ?

— En fait, je dois y aller. Je suis attendue à l'église.

— S'il te plaît, insista l'homme. C'est le chat de ma fille, elle est désespérée.

Elle aurait voulu lui dire que sa mère ne voulait pas qu'elle parle à des personnes qui n'appartenaient pas à la confrérie. À la différence des autres interdictions, Anna Lou pensait que celle-ci avait un sens. Mais l'homme avait une fille, peut-être une petite fille qui pleurait depuis des jours parce qu'elle avait perdu son meilleur ami. Aussi, elle décida de lui faire confiance.

— Comment s'appelle le chat ?

— Derg, répondit l'homme.

Quel drôle de nom, pensa-t-elle en approchant.

— Merci de ton aide. Comment tu t'appelles ?

— Anna Lou.

— Alors, Anna Lou, moi je l'appelle et en attendant toi tu tiens la cage. Dès qu'il se pointe, je le force à venir vers toi et tu l'emprisonnes là-dedans.

Anna Lou ne savait pas comment faire fonctionner le mécanisme.

— Il m'a semblé plutôt docile, il est peut-être plus simple de le capturer à mains nues.

— Derg déteste voyager en voiture, si je ne le mets pas là-dedans, je ne sais pas comment le ramener à la maison.

Anna Lou prit la cage des mains de l'homme et se tourna.

— Je l'ai vu dans le jardin des voisins, dit-elle en indiquant l'endroit.

La dernière chose qu'elle vit fut la main qui lui couvrait la bouche avec un mouchoir. Elle ne cria pas parce qu'elle ne savait pas ce qui se passait. Le blocage soudain de ses narines lui fit instinctivement prendre une grande respiration. L'air était amer, il sentait le médicament. Ses yeux se fermèrent sans qu'elle puisse rien y faire.

— Je vais être honnête avec toi… Au moins sur ce point.

D'où vient la voix de cet homme ? Je la connais ? Elle semble arriver de loin. Et c'est quoi, cette petite lumière ? On dirait une lanterne à gaz de camping – papa en a une comme ça dans le garage.

— Je sais que tu te demandes où tu es et ce qui se passe. Commençons par la première réponse : nous sommes dans un vieil hôtel abandonné. La seconde est un peu plus compliquée…

Je suis sans vêtements. Pourquoi ? Tout à l'heure j'étais assise, maintenant je suis allongée. C'est inconfortable, ici. Où est le haut, où est le bas ? Je ne sais plus. J'ai l'impression de regarder dans du cristal. Et c'est quoi, cette ombre qui danse autour de moi ?

— Derg n'est pas le nom du chat. D'ailleurs, ce chat est mort. Son cadavre se trouve dans mon 4 × 4. Crois-moi, je ne veux pas te faire peur, mais il est juste que tu le saches. J'ai dû le tuer parce que personne ne doit jamais le trouver. Ils trouveront son poil et son ADN quand ils analyseront ma voiture. Parce qu'ils devront me soupçonner jusqu'au dernier moment, sinon mon plan ne pourra pas se réaliser… Alors, je disais : Derg n'est pas un chat, c'est une personne. Quand j'ai découvert son histoire il y a plusieurs mois, j'ai compris qu'en vérité, cet homme avait eu de la chance. Il a eu une congestion cérébrale, mais, en échange, il a obtenu une nouvelle vie… C'est comme ça que j'ai eu l'idée.

L'ombre s'est arrêtée, tant mieux. Elle me remet ma veste de survêtement. Elle croit peut-être que j'ai froid. C'est vrai.

— Je dis toujours à mes élèves : la première règle d'un bon romancier, c'est la copie. C'est comme ça que j'ai compris qu'il fallait que je trouve quelqu'un qui m'apprenne à faire quelque chose que je n'aurais jamais pensé faire, dans la vie. Tuer. J'ai passé des après-midi entiers à la bibliothèque pour chercher sur Internet la leçon dont j'avais besoin. Et puis, un jour, je l'ai trouvée… Il y avait un site tenu par une journaliste, Beatrice Leman. Je ne pense pas qu'il ait été visité récemment. Mais dans ces pages, j'ai trouvé l'histoire qu'il me fallait. Il y a trente ans, à Avechot et dans les alentours, six jeunes filles de ton âge ont disparu. Pas en même temps, mais à intervalles plus ou moins réguliers. Elles avaient toutes les cheveux roux – comme toi. Personne ne s'est réellement occupé de les retrouver, mais Beatrice Leman soutenait qu'elles avaient été enlevées par la même personne. Elle avait identifié un monstre et lui avait même donné un nom : l'homme du brouillard. C'était parfait. Je n'avais qu'à reproduire ce qui dans le jargon s'appelle le *modus operandi*, ensuite la responsabilité de ce que je m'apprêtais à faire retomberait sur lui – même après tout ce temps. En effet, si tout se passe comme prévu, ce sera mon alibi, la clé qui me sortira de prison…

Il m'enfile mon pantalon de survêtement. Je le sens glisser le long de mes jambes, comme des petites chatouilles. Je ne sais pas si c'est agréable.

— Comme je le disais, il est nécessaire qu'ils me soupçonnent. Je vais donc laisser des traces. J'ai déjà commencé, en réalité, avec Mattia. C'est lui qui m'a conduit à toi. Parce que, sache-le, ce n'est pas facile de trouver une jeune fille rousse avec des taches de rousseur. Et puis un jour, pendant que la classe était en cours de gymnastique, je déambulais entre les tables pour préparer le cours sur les poètes romantiques que j'allais tenir juste après. En m'approchant de la place de Mattia, j'ai remarqué sa caméra. Il l'avait oubliée, alors je l'ai allumée et j'ai découvert l'héroïne de ses films… *Toi*… Il m'a suffi de le suivre dans ses filatures – il te suivait, je le suivais. C'est ainsi que j'ai découvert que tu aimes les chats. J'ai fait quelques apparitions avec ma voiture dans le champ de sa caméra, de sorte qu'il remarque ma présence. J'espère que la police les verra et viendra me chercher. Quand je leur raconterai qu'aujourd'hui je suis allé seul dans la montagne, quand ils verront la blessure à ma main, ils me soupçonneront. J'ai apporté un couteau, ça va me faire mal de me blesser, mais sois tranquille : tu n'assisteras pas à la scène…

Ça, c'est le bruit de la fermeture Éclair de ma dou-doune quand je la remonte. Mais ce n'est pas moi qui le fais. C'est l'ombre qui me parle. Maintenant elle me remet même mes chaussures. Elle fait mes lacets.

— J'espère qu'ils enverront ici un certain policier. Il s'appelle Vogel et il est bon pour que les affaires fassent du bruit. Il arrive toujours à convaincre tout le monde qu'il a raison – avec M. Derg, par exemple, il a réussi. Il va détruire ma vie, je le sais. Mais il faut que je perde tout, sinon ça ne servira à rien. Tout le monde doit douter de moi, même ma famille. Hier, ton amie Priscilla m'a laissé son numéro de téléphone. Je pense que je l'appellerai ou que je lui enverrai un message, ensuite elle passera à la télévision et elle fera croire à tout le monde que j'ai essayé de la séduire. Et je deviendrai le monstre dont les gens ont tant besoin…

Ça sent l'humidité, ici. Je suis habillée mais j'ai encore froid et je n'arrive pas à bouger. Je suis ivre, comme quand à six ans j'ai bu en cachette la liqueur à la groseille de mamie. À cette heure, mes frères ont dû finir de décorer le sapin. Il est magnifique, j'en suis sûre.

— En plus de son instinct, Vogel aura une montagne d'indices contre moi. Aucune preuve. Je dois le pousser jusqu'à ce qu'il croie qu'en forçant un peu la vérité, il pourra m'arrêter. Je lui montrerai ma main blessée – je dois faire en sorte que ça ne cicatrise pas. Quand on se rencontrera, je laisserai distraitement une trace de mon sang. Je sais qu'il aura la tentation de s'en servir, il le fera s'il est vraiment désespéré. Quand on retrouvera ton sac à dos dans un canal, je suis sûr qu'il fera comme avec Derg : il adaptera la vérité à ses fins… Mais pour que cela arrive, il faut que le mécanisme que j'ai mis en œuvre fonctionne à la perfection, comme une horloge. Chaque chose en son temps…

Quelle que soit l'erreur que j'ai commise – je t'en prie – je ne le ferai plus. Pardonne-moi. Laisse-moi rentrer à la maison.

— J'irai en prison. Ce sera dur d'être loin de ma famille. J'aurai peut-être peur de ne plus jamais sortir, mais il faudra que je tienne le coup. En attendant, dehors, l'engrenage continuera à tourner tout seul… Tu sais, quand j'étais petit, j'étais fort pour organiser les chasses au trésor. Ça m'amusait d'inventer des problèmes et des devinettes et de disséminer dans la maison des indices à débusquer. C'est pour ça que je vais envoyer quelque chose qui t'appartient à Beatrice Leman, avec le nom de Vogel sur le paquet. J'ai trouvé un journal intime dans ton sac à dos, je l'ai choisi pour attiser sa curiosité… On vient de tourner un message vidéo – tu ne t'en es même pas aperçue. Je sais déjà où l'envoyer. Mais j'en enverrai une copie aux médias, aussi… Pour que tout soit parfait, Vogel doit tomber. Une fois qu'il sera à terre, je pourrai me relever… Et alors l'histoire de l'homme du brouillard éclatera au grand jour, bien qu'il soit peut-être mort depuis trente ans. Mais il reviendra à la vie et on le cherchera pour te rendre justice. Et moi, je serai libre.

Le brouillard est là, je le vois. Il est tout autour de moi. Il est frais, léger.

— Maintenant, la réponse la plus difficile. Me demandes-tu, par hasard, pourquoi je fais tout ça ?

Non, non… je ne suis pas sûre de vouloir le savoir.

— Parce que j'aime ma famille. Je veux qu'ils aient tout ce qu'ils méritent. Je ne veux plus risquer de perdre ma femme. Je sais que tu ne sais pas de quoi je parle, mais *la chose* a été une période terrible pour nous. Je me suis senti décalé : un modeste professeur de lycée… Mais bientôt, Clea et Monica seront fières de moi. Parce que je ne me vendrai pas tout de suite, je tiendrai bon. Je prouverai que je suis un homme intègre. Mais, disons la vérité, tout le monde a un prix : inutile de le nier.

Moi aussi j'aime ma famille. Et eux aussi ils m'aiment. Pourquoi tu ne le comprends pas ?

— Voilà, c'est tout. Je suis désolé de t'impliquer là-dedans, mais c'est comme dans les romans : le méchant *fait* l'histoire, les lecteurs ne s'intéressent pas aux récits où les personnages sont tous gentils. Mais ton rôle n'est pas secondaire. Qui sait, peut-être qu'un jour on trouvera vraiment l'homme du brouillard, alors justice sera rendue à six jeunes filles que tout le monde a oubliées. Et ce sera grâce à toi, Anna Lou…

Pourquoi me racontes-tu cette histoire ? Ça ne m'intéresse pas, ça ne me plaît pas. Je veux ma maman, je veux mon papa, je veux mes frères. Je veux les voir encore une fois, je t'en supplie – une seule fois. Je dois leur dire au revoir. Ils vont me manquer.

— Maintenant, excuse-moi, mais je vois que l'effet de l'éther s'évanouit. Je vais me dépêcher, tu ne sentiras rien.

Il y a quelque chose qui me pique le bras. J'ouvre un peu les yeux, maintenant j'y arrive. Il me plante une aiguille dans la peau et en même temps il observe le « O » que j'ai dédié à Oliver. Il se demande ce que c'est. C'est un secret.

— Adieu, Anna Lou. Tu es très belle.

J'ai froid. Maman, où es-tu ? Maman...

23 février
Soixante-deux jours après la disparition

La nuit où tout changea pour toujours, on aurait dit que le brouillard avait franchi la fenêtre, remplissant la pièce comme un léger frisson.

Vogel marqua une longue pause à la fin de son récit.

— Vous savez que la haine ne fait pas partie des principaux mobiles de crime ? Borghi avait essayé de me le dire, mais je ne l'ai pas écouté. Si je l'avais fait, j'aurais peut-être tout compris à temps… Le premier mobile d'un crime est l'argent.

— Non, je ne le savais pas, admit Flores.

— L'engrenage tournait autour d'une idée aussi simple que banale… Personne ne devait trouver le corps d'Anna Lou, *jamais*. Là se situait toute la ruse. Sans cadavre, pas de preuves. C'est pour ça qu'il s'en est sorti.

— Et l'initiale sur le bras ? Pourquoi courir le risque d'être découvert ? Je ne comprends pas…

— Un criminel commet en moyenne vingt erreurs. Il se rend compte de moins de la moitié. La plupart sont le produit de sa maladresse ou de son imprudence. Mais il y a un genre d'erreurs qui par nature peuvent être considérées comme « volontaires ». Elles sont comme une signature. Inconsciemment, tout assassin veut qu'on lui reconnaisse le mérite de son travail. « Le péché le plus idiot du diable est la vanité… Mais dans le fond, quel intérêt d'être le diable si on ne peut le faire savoir à personne », ajouta-t-il en citant le professeur.

Le psychiatre commençait à comprendre ce que tout cela impliquait.

— Après l'émission, vous avez suivi Martini jusqu'à Avechot… Et vous l'avez tué.

Vogel posa les mains sur ses genoux.

— Vous ne le trouverez jamais. Lui aussi, il a fini dans le brouillard.

À ce moment-là, Flores souleva le combiné du téléphone posé sur son bureau et composa un numéro.

— Oui, c'est moi. Venez.

Il raccrocha. Ils attendirent sans prononcer un mot. Puis la porte du cabinet s'ouvrit. Deux agents en uniforme entrèrent et se placèrent à côté de Vogel.

— Un pêcheur qui pêche toujours le même poisson, dit le policier en riant. Ça a été un plaisir de parler avec vous, docteur Flores.

Quand il rentra chez lui, il était presque 6 heures du matin. L'aube allait bientôt poindre, mais, pour l'instant, il faisait noir, tout se taisait. Dans la villa au toit en pente, le chauffage avait démarré depuis un moment, la chaleur offrait une quiétude soporifique et agréable. Sophia dormait tranquillement dans la chambre, à l'étage du dessus. Flores envisagea de la rejoindre, de se glisser dans le lit à côté d'elle pour se reposer un peu, mais il changea d'idée. Il n'était pas certain d'arriver à trouver le sommeil. Pas après la nuit qu'il avait passée. Alors, sans faire de bruit, il descendit à l'entresol.

Il y avait installé son laboratoire de taxidermie, où il empaillait ses *Oncorhynchus mykiss*. La petite pièce n'avait qu'une étroite fenêtre. Flores leva la main et tira la corde pour allumer l'ampoule qui se balança doucement au-dessus de sa tête. Les ombres des objets dansaient avec elle. Devant lui, un plan de travail en bois avec tout le nécessaire. Les flacons d'ammoniaque et le formaldéhyde pour arrêter le processus de décomposition. Le vernis transparent pour exalter les couleurs naturelles. Le spray d'alcool pur. Le pot avec les pinceaux et l'essence de térébenthine. Les petits couteaux bien rangés sur une grille. La boîte à aiguilles. Les goupillons et le petit outil à pointe courbe. La poussière de borax et l'acide salicylique. Une lampe à émission de chaleur.

Flores serait bientôt à la retraite et ceci deviendrait sa nouvelle tanière. Il y rangeait aussi la majorité de son matériel de pêche et il lui faudrait déménager les reliques qu'il conservait dans son cabinet. Il allait être triste de quitter le travail d'une vie, mais il s'imaginait ici, à l'abri du stress et des soucis, se consacrant patiemment à son hobby. De temps à autre, il inviterait ses petits-enfants pour leur montrer ce que faisait leur grand-père. Il aurait aimé leur transmettre sa passion. Là-dessous, il perdrait la notion du temps. En milieu de matinée il reconnaîtrait les pas de Sophia dans l'escalier, qui lui apporterait un sandwich et un verre de thé glacé sur un plateau. Oui, ce serait une belle façon de passer ses vieux jours.

Flores posa les mains sur la table et détendit ses épaules. Il respira profondément. Puis il s'agenouilla. Sous la table, des boîtes bien rangées contenaient les hameçons pour la pêche. Chaque Noël ou anniversaire, ses proches lui en offraient un différent, parce qu'ils savaient que de toute façon il n'aurait pas apprécié un autre cadeau. Certains coûtaient très cher. Mais tout au fond se trouvait une vieille caisse métallique avec un cadenas. Flores la prit et la posa sur le plan de travail. Il portait toujours sur lui la clé pour l'ouvrir, cachée parmi les autres clés de son trousseau. Il la chercha entre celle de la maison, celle de sa voiture et celle de son cabinet. Puis il la glissa dans la serrure et ouvrit le couvercle.

Les six mèches de cheveux roux étaient toujours là.

Elles lui rappelaient une période de sa vie somme toute heureuse. Il était déjà marié avec Sophia et leurs deux aînés étaient nés. Personne n'avait jamais su ce qu'il faisait parfois, au lieu d'aller à la pêche. Ils le voyaient rentrer à la maison comme toujours, sans imaginer que la joie sur son visage était due à autre chose.

Le pêcheur qui depuis trente ans pêchait toujours le même poisson – la truite arc-en-ciel – s'était consacré auparavant à la capture du même exemplaire de jeune fille. Cheveux roux et taches de rousseur.

Aujourd'hui, tout le monde se demandait ce qu'était devenu l'homme du brouillard. Il aurait voulu pouvoir leur dire qu'il avait encore parfois la tentation de sortir de chez lui en quête d'une proie, mais qu'après l'infarctus qui l'avait frappé à seulement trente-deux ans, il s'était fait une promesse solennelle.

Plus de jeunes filles aux cheveux roux et aux taches de rousseur.

Pendant longtemps, les gens l'avaient oublié. Mais maintenant, à cause du professeur Martini, l'homme du brouillard occupait à nouveau leurs pensées. *Ils ne remonteront jamais à moi*, se dit-il. *L'intervention providentielle de Vogel cette nuit-là a remis les choses en ordre. Ils penseront que le monstre est mort.*

Flores regarda encore un moment la caisse métallique. Il fallait peut-être s'en débarrasser. Pas par peur que ces cheveux constituent un jour une preuve contre lui. Non, il pensait souvent que, s'il avait un autre infarctus, cette fois fatal, ses proches – les personnes qu'il aimait le plus au monde – trouveraient sa collection secrète. Ils ne comprendraient sans doute pas, ils changeraient peut-être d'idée sur son compte. Il ne voulait pas qu'ils découvrent cette partie de lui. Il voulait être aimé.

Mais il décida cette fois encore de ne pas détruire le contenu de la caisse, parce que certains affects sont difficiles à oublier. Ces six jeunes filles perdues dans le brouillard étaient à lui, elles lui appartenaient. Il en prenait soin depuis trente ans, dans le secret de son esprit. Alors il referma le couvercle et le cadenas. Puis il remit tout en place sous la table. Un faible rayon de soleil filtra par la fenêtre de l'entresol.

La nuit où tout changea pour toujours était terminée.

Interview exclusive de Donato Carrisi

La Fille dans le brouillard *n'est pas reliée à une série déjà existante. Pourquoi cette volonté de créer une histoire indépendante ?*

En tant que criminologue, je me suis occupé de nombreuses affaires de disparition ou d'homicide dans le passé, mais seul un petit pourcentage a fini dans les journaux ou à la télévision. Je me suis toujours demandé pourquoi. Pourquoi certaines affaires ont-elles prise sur le public et d'autres non ? Et pourquoi les enquêteurs obtiennent-ils tous les moyens nécessaires pour les résoudre uniquement quand l'opinion publique s'y intéresse ? Il y a quelque chose de bizarre lié à cette dimension médiatique : une fois qu'un coupable présumé est identifié, la police mise tout sur lui, sans doute ni incertitude. Et à la fin c'est presque certainement lui qui sera condamné. En Italie, par exemple, dans les trente dernières années, les enquêteurs ont été contraints de changer d'avis après avoir arrêté un suspect une seule fois. C'est l'affaire du Monstre de Florence qui, entre 1968 et 1985, a brutalement assassiné huit couples. Chaque fois que la police semblait arriver à une solution, le suspect était innocenté… Non pas grâce à l'efficacité des enquêteurs, mais uniquement parce que le « vrai monstre » frappait à nouveau, pour se moquer de ceux qui lui donnaient la chasse. La vérité est que personne ne veut un coupable : tout le monde veut le monstre. Et cela vaut pour la police, les magistrats, la télévision, les journaux et, surtout, le public. Le public veut le show et les autres en profitent pour faire carrière ou en tirer profit, en vendant plus d'exemplaires d'un journal par exemple, ou grâce à la publicité.

Quel est le point de départ, l'image qui a servi de déclencheur à La Fille dans le brouillard *?*

En réalité, c'est un événement qui remonte à mon enfance et que, je ne sais pas pourquoi, j'avais occulté jusqu'à ce que je devienne père. Quand j'étais petit, un jour, j'étais au parc avec mes parents. Je me suis éloigné quelques instants pour récupérer un ballon qui avait fini entre les arbres. Là, j'ai vu un homme, comme s'il m'attendait. Il ne me connaissait pas mais il s'est montré très gentil avec moi, il m'a posé des questions sur ce que j'aimais faire ou, par exemple, mon parfum de glace préféré. En parlant, il tenait mon ballon dans ses mains, mais je ne m'approchais pas pour le récupérer, parce que maman et papa m'avaient toujours répété de me méfier des inconnus. Ses questions visaient à m'attirer, je l'ai compris par la suite. Pourtant, à ce moment-là, je voulais juste récupérer mon ballon et retourner jouer. Sans m'en rendre compte, chaque fois que je répondais, je faisais un pas vers lui. Dans mon esprit d'enfant de sept ans s'était formée la conviction que si je répondais correctement à tout, je gagnerais le droit de récupérer mon jouet… Ou bien non. Ça, on ne le saura jamais, parce que la voix de mon père qui, ne me voyant pas revenir, m'appelait a brisé l'étrange enchantement. L'homme mystérieux a laissé tomber le ballon dans l'herbe, il m'a souri et il est parti.

Le pouvoir des médias est-il le mal du siècle ?

Peut-être… ou peut-être pas. Dans le fond, les médias donnent au public exactement ce qu'il veut entendre. Si on ne voulait plus entendre parler de crimes ou de violence, il suffirait de ne plus acheter les journaux ou de changer de chaîne, ou de ne plus suivre (et commenter sur les réseaux sociaux !) les faits divers sur Internet. Pourtant, nous le faisons. Ce n'est peut-être pas le mal qui alimente le pouvoir des médias, mais juste notre curiosité morbide. Vous ne croyez pas ?

La Fille dans le brouillard comporte peu de scènes violentes, est moins sombre que vos ouvrages précédents. Pourquoi avoir décidé d'écrire un thriller plus « doux » ?

Parce que je voulais me concentrer uniquement sur la peur. Et je crois que c'est une des histoires les plus effrayantes que j'ai écrites. Parce que ce que je raconte se produit vraiment, tous les jours. Et, surtout, cela peut arriver à n'importe qui, n'importe quand. De nombreux lecteurs sont venus me dire qu'ils étaient encore bouleversés par la fin du livre, mais que, en effet, au début, il leur semblait moins sombre que les autres. La peur s'était manifestée plus tard, quand ils avaient terminé le livre, parfois plusieurs semaines après. D'ailleurs, beaucoup d'entre eux ont eu envie de le lire une deuxième fois !

La Fille dans le brouillard ferait un film incroyable. Y a-t-il un projet d'adaptation à venir ?

En réalité, il est né en tant que scénario de film ! Ensuite, je l'ai transformé en roman. Ce sera ma première expérience en tant que réalisateur, une production européenne avec un casting international. D'ailleurs, *Le Chuchoteur* aussi a été écrit comme un scénario…

Quelle est votre rapport à la France et votre relation avec vos lecteurs français ?

Après la publication du *Chuchoteur*, la France est devenue mon deuxième chez-moi. Je suis en contact constant avec de nombreux lecteurs français et, surtout, j'ai beaucoup appris de mes rencontres avec les libraires. Dans le fond, si on y pense, j'ai écrit des histoires, mais j'en ai reçu des milliers en échange… Et puis, j'ai découvert quelque chose : je ne peux pas rester trop longtemps loin de la France, j'ai besoin d'y aller souvent, sinon je suis consumé par la nostalgie.

REMERCIEMENTS

Stefano Mauri, éditeur – ami. Et avec lui tous les éditeurs qui me publient dans le monde.

Fabrizio Cocco, mon soutien. Giuseppe Strazzeri, Raffaella Roncato, Elena Pavanetto, Giuseppe Somenzi, Graziella Cerutti, Alessia Ugolotti, Tommaso Gobbi. Pour m'avoir soutenu jusqu'au bout dans ce défi.

Cristina Foschini, qui avec sa douceur me sauve la vie.

Andrew Nurnberg, Sarah Nundy, Giulia Bernabè et tous ceux qui travaillent avec passion dans l'agence de Londres.

Tiffany Gassouk, Anaïs Bouteille-Bokobza, Ailah Ahmed.

Alessandro Usai et Maurizio Totti.

Gianni Antonangeli.

Michele, Ottavio et Vito, mes meilleurs amis. Achille.

Antonio et Fiettina, mes parents.

Chiara, ma sœur.

À ma grande famille. Sans vous je ne serais pas ici.

Donato Carrisi
au Livre de Poche

Le Chuchoteur   n° 32245

Cinq petites filles ont disparu. Cinq petites fosses ont été creusées dans la clairière. Au fond de chacune, un petit bras, le gauche. Depuis le début de l'enquête, le criminologue Goran Gavila et son équipe ont l'impression d'être manipulés. Chaque découverte macabre les oriente vers un assassin différent.

L'*Écorchée* n° 33485

Sept ans après s'être mesurée au Chuchoteur, Mila Vasquez travaille aux Limbes, le département des personnes disparues. Incapable d'éprouver la moindre émotion et portant dans sa chair la marque des ténèbres, Mila excelle dans la recherche de ceux qui, un jour, se sont évanouis dans la nature. Soudain, l'un d'eux réapparaît... et tue.

La nuit du 14 au 15 avril 1912, le *Titanic* sombre. Un passager revêt un smoking, allume un cigare et attend la mort. Quatre ans après, jour pour jour, dans les tranchées du mont Fumo, un soldat italien est fait prisonnier. À moins qu'il ne révèle son nom et son grade, il sera fusillé le lendemain. Dans ce huis clos se noue alors entre les deux ennemis une alliance étrange autour d'un mystère qui a traversé le temps et su défier la mort.

Marcus est un pénitencier, un prêtre capable de déceler le mal enfoui en nous. Mais il ne peut pas toujours lui faire barrage. Sandra est enquêtrice pour la police, elle photographie les scènes de crime. Et ferme parfois les yeux. Face à la psychose qui s'empare de Rome, ils vont unir leurs talents pour traquer un monstre qui ne tue que des jeunes amoureux.

Rome. Marcus a été grièvement blessé et a perdu la mémoire. Aujourd'hui, il est le seul à pouvoir élucider la disparition d'une jeune étudiante. Sa spécialité : analyser les scènes de crime. Sandra est enquêtrice photo pour la police scientifique. Elle aussi recueille les indices sur les lieux où la vie a dérapé.

Le Livre de Poche s'engage pour
l'environnement en réduisant
l'empreinte carbone de ses livres.
Celle de cet exemplaire est de :

300 g éq. CO₂

PAPIER À BASE DE   Rendez-vous sur
FIBRES CERTIFIÉES   www.livredepoche-durable.fr

Composition réalisée par Belle Page

Imprimé en France par CPI
en décembre 2017
N° d'impression : 3026192
Dépôt légal 1ʳᵉ publication : octobre 2017
Édition 03 - décembre 2017
LIBRAIRIE GÉNÉRALE FRANÇAISE
21, rue du Montparnasse - 75298 Paris Cedex 06